세일즈
불변의 법칙 12

- Payment 다 기록하기
- automatic payments

\# Positive factors for my credit score
- No late payments reported on your credit accounts
- Demonstrate a relatively long credit history
- Low proportion of balances to credit limits on your revolving/charge account

How to Close Every Sale
by Joe Girard

조 지라드

세일즈
불변의 법칙 12

조 지라드 지음 | 안진환 옮김

비즈니스북스

옮긴이 | 안진환

연세대학교를 졸업하고 전문 번역가로서 성균관대학교와 명지대학교에 출강하고 있으며, 인트랜스 번역원과 온라인 번역학교 트랜스쿨의 원장이기도 하다. 저서로《영어 실무번역》이 있으며, 역서로《빌 게이츠@생각의 속도》《10년 후》《포지셔닝》《프랜시스 후쿠야마의 강한 국가의 조건》《젊을 때 시작하라》《미운오리새끼의 출근》등 다수가 있다.

조 지라드
세일즈 불변의 법칙 12

1판 1쇄 발행 2005년 7월 1일
1판 7쇄 발행 2006년 6월 25일

지은이 | 조 지라드
옮긴이 | 안진환
발행인 | 홍영태
발행처 | 비즈니스북스
등   록 | 제10-1929호(2000년 2월 28일)
주   소 | 136-020 서울시 성북구 성북동 184-48 성일빌딩 2층
전   화 | (02)741-3577~8(편집) 741-3579(영업)
팩   스 | (02)741-3566
평생전화 | 0502-882-0852
http://www.businessbooks.co.kr
eMail | bb@businessbooks.co.kr
ISBN 89-91204-08-2 13320

✤

사랑하는 키티에게 이 책을 바친다.

세일즈맨에게는 판매가 성사될 때가 바로 진실의 순간이다!

몇 년 전에 나는 《자기 자신을 파는 법*How to Sell Yourself*》이란 책을 쓴 적이 있는데, 내가 어떤 점에서 이 책을 쓸 만한 자격이 있는지부터 얘기하겠다. 우선, 나는 15년 동안 1만 3,001대의 차를 판매한 기록으로 세계 최고의 판매왕으로 기네스북에 올랐다. 고가품을 소매로 판매한 것으로는 공전의 기록이며 엄청난 판매 실적이다. 한꺼번에 여러 대를 묶어서 팔거나, 차를 무료 대여해서 파는 방법으로 실적을 올린 것은 결코 아니다. 언제나 소매로, 한 번에 한 대씩 팔았을 뿐이다.

자동차 회사를 그만둔 뒤 나는 세일즈에 관한 책을 두 권 썼고, 세계 각지를 다니며 내가 어떻게 세일즈를 성공적으로 해냈는지에 대해 강연을 했다. 소위 세일즈맨이라 불리는 온갖 사람들—보험설계사, 부동산 중개인, 자동차 세일즈맨 등—이 내 강연에 귀를 기울였다. 그들은 운이 좋은 사람들이었다.

어디에서 강연을 하든 청중들은 한결같이 이런 질문을 했다.

"세일즈의 성공 비결이 무엇입니까? 어떻게 그 모든 판매를 성사시켰는지 얘기해 주십시오."

판매를 성사시키는 것, 이것이야말로 모든 세일즈맨들이 가장 궁금해 하는 사안이다. 그만큼 세일즈에서 가장 어려운 문제이기 때문이다. 차가 얼마나 기막히게 잘 달리는지, 또는 얼마나 멋진 집인지를 보여 주는 것과 고객이 계약서에 서명을 하고, 애써 번 돈을 쓰게 만드는 것은 별개의 문제다. 열심히 제품 설명을 했는데, 고객이 같은 일을 하는 매부나 처남이 있는데 한번 의논해 보겠다거나 더 둘러보고 결정을 내리겠다고 나온다면 판매를 성사시키기는 더 어려워진다. 당신도 이미 경험을 했을 테지만, 흔히 고객들은 그런 말로 둘러대기 일쑤다.

판매를 성사시키는 것은 판매 프레젠테이션에서 가장 중요한 부분이다. 쉽게 말해, 만약 물건을 팔지 못하면 당신은 가장 중요한 목적을 이루지 못한 셈이다. 이런 식으로 생각해 볼 수도 있다. 결국 아무것도 팔지 못할 경우 고객과 당신은 둘 다 시간을 낭비한 것이다. 고객은 당신의 상품이나 서비스로부터 아무런 이익도 얻은 게 없고, 당신 역시 거래가 성사되지 않는 한 돈도 벌지 못하고, 결국 투자한 시간과 노력에 대해 아무런 보상도 받지 못한다. 당신은 실패한 것이다.

판매를 성사시키는 것이 가장 중요하다는 것은 의심할 여지가 없다. 바로 그 일을 하라고 회사는 당신한테 월급을 주는 것이니까. 그러니 당신은 결과에 상관없이 판매 프레젠테이션만 잘하면 된다는 어리석은 생각을 버려야 한다. 당신은 언제고 고객들에게 물건을 보여 줄 수 있다. 그러나 확실하게 팔지 못할 경우 그때마다 당신은 실패하는 것이다. 그런데도 많은 세일즈맨들이 고객들로부터 거절당했을 때도 항상 즐겁다고 말하는데, 도무지 납득할 수 없다. 어떻게 아무것도 팔지 못하고서도 마음이 즐거울 수가 있는가. 그들은 이렇게 말하곤 한다. "사지 않겠다고 말은 해도 그만큼 물건을 살 가능성이 많다는 얘기죠." 이 말은 단지 자기 합리화에 지나지 않는다. 판매하는 데 실패하고 나서도 마음이 즐겁다? 정말 말도 안 되는 소리다. 항상 이 사실을 기억하라. 무언가 팔기 전까지는 아무 일도 없었던 것이나 다름없다. 다시 말해서 판매가 이루어지기 전에는 당신은 아무것도 팔지 못한 것이다.

세일즈라는 직업세계에서는 판매를 성사시키는 순간만이 진실이다. 나는 몇 년 전에 어떤 판매원들이 프레젠테이션을 아주 멋지게 하는 것을 본 일이 있다. 그들은 처음부터 끝까지 책에 쓰인 대로 했다. 말 그대로 모든 것을. 단 하나, 성사시키는 것만 제외하고는.

이 책을 읽으면서 당신은 판매 성사가 꼭 프레젠테이션의 마지막 순간에만 이뤄지는 것이 아니라는 사실을 알게 될 것이다. 물론 고객이 상품을 구매한 대가로 지갑을 열기로 결정하는 순간이 가장 중요한 것은 사실이다. 그래서 신출내기 세일즈맨은 고객이 이러한 반응을 보이면 성공했다고 여기는데—사실 이 순간이 세일즈 프레젠테이션의 절정이긴 하다—판매를 완전히 성사시킨다는 것은 이보다 훨씬 더 복잡한 일이다. 판매 성사란 자기 자신을 파는 일에서 고객의 거부반응에 적절히 대응하는 것에 이르기까지 모든 과정을 포함한다. 단순히 사라고 권유하는 것만으로는 충분하지 않다. 당신이 아무리 수완 좋게 권유한다고 하더라도 말이다. 당신은 고객에게 물건이 필요하다고 느끼게 해야 하고 고객의 마음속에 당신의 물건을 소유하고 싶다는 욕구를 불러일으켜야 한다. 또한 고객이 자신의 돈보다 당신의 물건이 더 가치가 있다고 믿도록 만들어야 한다. 앞으로 이 책을 통해서 배우겠지만, 판매를 성사시키는 것은 당신이 프레젠테이션의 여러 가지 요소들을 얼마나 효과적으로 다루느냐에 달려 있다.

나는 독자들에게 어떻게 하면 세일즈를 성사시킬 수 있는지를 이야기하려고 한다. 이것은 어느 특정 분야에 한정된 이야기가 아니다. 또한 앞으로 하게 될 이야기는 오랜 현장 경험에서 나온 것이지, 고매하고 권위 있는 상아탑에서 배운 이론이 아니다. 알다시피 나는 경험으로 모든 것을 터득했고, 그 과정에서 대가도 치를 만큼 치렀다. 나는 싸움터에서 치열하게 싸워 왔다. 나의 목표는 오로지 판매를 성사시키는 것이었다. 우리 가족의 생계가 여기에 달려 있었다. 판매를 성사시키느냐 못하느냐가 나에겐 죽고 사는 문제였다.

앞으로 소개할 세일즈 방법에는 내가 독창적으로 계발한 것도 있지만, 다른 사람의 경험에서 배운 것도 있다. 현장에서의 모든 경험이 나의 스승이었다. 내가 세일즈 일을 처음 시작했을 때는 자신이 없었기 때문에 써먹을 수 있는 것이면 무엇이든 배웠고, 그 덕에 차를 더 많이 팔 수 있었다. 다른 세일즈맨을 만날 때마다 좋은 점은 무엇이든 배웠고, 책과 잡지에 실린 세일즈에 관한 글들을 닥치는 대로 읽었다. 그러면서 나에게 맞는 방법을 택했다. 나는 이 친구한테서 조금, 저 친구한테서 조금 하는 식으로 배워서 나에게 편한 방법이 되도록 갈고 닦았다. 확신하건대, 그렇게 해서 마침내 독특한 조 지라드식의 노하우가 만들어졌다.

당신은 혹시 "내가 파는 건 자동차가 아닌데."라며 과연 조 지라드에게서 무엇을 배울 수 있을까 하고 의문을 가질지도 모른다. 하지만 조 지라드식의 노하우는 자동차를 파는 데만 적용되는 것이 아니다. 이 책을 읽다 보면 깨닫게 되겠지만, 훌륭한 세일즈맨은 물건의 종류에 구애받지 않는다. 당신은 사람들에게 뭔가를 파는 것이고, 사람들은 사람들일 뿐이다. 그들은 사람을 사는 것이지 물건을 사는 게 아니다. 이 말은 결국 당신이 무엇을 팔든 상관없이 적용된다는 뜻이다.

미국의 대법원 판사였던 올리버 웬들 홈스는 이런 말을 했다. "아이디어는 그것을 처음 생각해 낸 머리에서보다 다른 머리로 옮겨졌을 때 더 잘 자라난다." 그래서 나는 당신이 나의 아이디어를 취해서 내가 이룬 것보다 훨씬 좋은 성과를 내기를, 그래서 나를 뛰어넘기를 바란다.

조 지라드

8 상황에 맞는 여러 판매 기법을 사용하라 199

1
세일즈에 대한
거부반응을 없애라

문학작품이나 영화 속 세일즈맨은 모두 하나같이 언변 좋고 교활하다. 하지만 훌륭한 세일즈맨이라면 모든 불리한 조건을 도전으로 받아들여 그것을 유리한 조건으로 바꿀 수 있어야 한다. 고객의 경계심을 누그러뜨리고 세일즈맨에 대한 거부반응을 거두어들이는 것이 성공 세일즈맨이 되는 첫 번째 비결이다.

자꾸 권하면 왠지 싫어지는 게 사람들의 보편적인 심리다. 판매원이 물건을 사도록 종용할 때도 마찬가지다. 그래서 그런지 사람들은 세일즈맨에 대한 거부반응을 갖고 있다. 어떤 물건이 마음에 들었다가도 막상 판매원이 다가와서 구매를 부추기거나 권하면 얘기가 달라진다.

그렇다고 괜히 겁먹을 필요는 없다. 나는 그저 일반론을 애기하는 것이니까. 다시 말해서 다른 사람으로부터 물건을 사도록 종용받는 것을 좋아할 사람은 아무도 없다. 그러나 모든 고객이 당신을 거부할 것이라는 의미는 아니다. 당신이 방문판매를 할 때마다 항상 불리한 입장에 놓일 거라고 단정 짓지 말라는 것이다. 당신이 판촉 활동을 잘 해나가기만 한다면 사람들은 당신의 물건이나 서비스를 살 것이고, 결국 엄청난 성공을 거둘 것이다.

분명히 말하지만, 나는 시작부터 부정적인 말을 꺼내서 독자들을 낙담시키고 싶지는 않다. 어쨌든 우리는 같은 입장에 서 있다.

판매 교육자들이 설교하는 것과는 반대로, 사람들은 자기 집이나 사무실에 마치 강력반 형사나 되는 것처럼 난폭하게 밀고 들어오는 침략적이고 무례한 세일즈맨들을 좋아하지 않는다. 사람들은 되도록 그런 경우를 피하고 싶어 한다. 그러니 물건을 사주기 위해 사람들이 두 팔 벌리고 나와 기다리고 있으리라는 환상은 갖지 않는 게 좋다. 그런 일은 없으며, 앞으로도 없을 것이다. 세일즈라는 게 그렇게 쉬운 일이라면 당신은 주문을 받는 사람으로 전락할 것이고, 회사에서도 당신의 수당을 깎으려 들 것이다.

나는 세일즈에 관한 한 항상 진실하게 접근해야 한다고 믿고 있다. 이 점을 항상 염두에 두고, 사람들이 세일즈에 대해 거부반응을 보이는 데는 그럴 만한 이유가 있다는 것을 명심하기 바란다. 그럼 거부반응을 극복하기 위해서는 어떻게 해야 하는가? 당신은 우선 고객들의 고정관념부터 이해해야 한다.

세일즈맨에 대한 그릇된 이미지

오늘날에는 직업적인 세일즈맨이 흔하지만 그들의 이미지가 그리 좋은 것만은 아니다. 전형적인 세일즈맨을 생각할 때 여러분은 어떤 모습을 떠올리는가? 전문 세일즈맨인 나조차도 체크무늬 양복을 입고 뭔가에 쫓기듯 바삐 걸어가는 시끄러운 친구가 연상된다. 그들은 한입으로 두말하기 좋아하고 현란한 말솜씨로 사람의 정신을 쏙 빼놓는다. 나도 이런데 하물며 다른 사람들은 어떻겠는가.

세일즈맨은 거리낌 없고 교활하다는 미국인의 인식은 서부 개척 시대로 거슬러 올라간다. 그 시절 약장수들은 개척민들에게 뱀 기름을 팔기 위해 이렇게 떠벌렸다. "자, 이제부터 제가 뭘 하려는지 말씀드리죠!" 그들의 뻔한 수작에 의심 많고 영리한 사람들은 세일즈맨이란 믿을 만한 사람이 못 된다고 생각했다. '구매자의 위험 부담Caveat Emptor(사는 사람이 조심해야 한다는 뜻—역자주)'이라는 라틴 경구는 장사꾼을 믿지 말라는 경고와 함께 교과서에도 나온다.

뱀 기름을 파는 떠돌이 약장수의 이미지는 연극이나 문학에도 고스란히 옮겨져 떠버리에다 우스갯소리 잘하거나 혹은 초라하고 밉살스러운 인물로 고착되었다. 미국에서 가장 뛰어난 흥행사 중 한 사람인 바넘은 "1분에 한 명씩 속아 넘어간다."고 말한 것으로 전해진다. 물론 당사자는 그런 말을 한 적이 없다고 펄쩍 뛰었지만, 그의 말은 오늘날에도 일상생활에서 흔히 쓰이는 관용구로 남아 있다.

연극이나 영화 속 캐릭터들도 예외가 아니다. 나는 세일즈맨이 긍정적인 인물로 나왔던 예를 본 적이 없다. 〈세일즈맨의 죽음 Death of Salesman〉의 윌리 로먼, 〈행상인The Hucksters〉에서 클라크 게이블이 연기했던 번지르르하게 말 잘하는 행상인, 〈음악가The Music Man〉에 나오는 해럴드 힐 교수, 더 최근작으로는 〈양철 인간 Tin Men〉에 나오는 애처로운 세일즈맨 역의 대니 드비토와 리처드 드레퓌스가 있다.

이렇듯 세상에 퍼져 있는 세일즈맨의 이미지는 그 진실 여부야 어쨌든 간에 우리가 극복해야 할 장애물임에 틀림없다. 가령 내가 일했던 자동차 세일즈 분야에서는 마치 백 년 전에 '말을 팔던 방식'으로 자동차를 팔았다. 사실 아직까지도 자동차 거래에서는 흥정horse trade이 이루어진다. 이처럼 차를 살 때는 흥정을 하는 게 관습인 미국 사회에서 차를 정가에 사는 사람은 거의 없다. 옥신각신 값을 깎다가 비위가 틀리면 험한 말이 튀어나오는 것도 예사다. 그러나 다른 소매의 경우는 그렇지 않다. 예를 들어 백화점에 가서 "저 옷이 20달러라고요? 15달러만 합시다."라고 말하는 사람은 없을 것이다.

자동차 매매의 잘못된 관행으로 세일즈는 결코 쉽지 않았다. 특히 자동차 세일즈맨에 대한 형편없는 이미지는 커다란 장애물이었다. 다행히 나는 그 장애물들을 돌아서 가는 법을 터득했기 때문에 거기에 걸려 넘어지지는 않았지만 다른 경쟁자들에게는 걸림돌이 되었다.

훌륭한 세일즈맨이라면 모든 불리한 조건을 도전으로 받아들여 그것을 유리한 조건으로 바꿀 수 있어야 한다. 고객들이 언변 좋고 사기꾼 같은 자동차 세일즈맨에게 넘어가지 않기 위해 '감시자'를 대동해서 자동차 전시장으로 들어올 때, 나는 그들의 예상과는 전혀 다른 이미지, 즉 고객의 구매를 도와주고 좋은 물건을 소개하는 사람으로 그들을 맞이한다. 나의 신실함과 확신을 대하고 나면 그들은 경계심을 누그러뜨리고 세일즈맨에 대한 거부반응을 거두어들인다. 그들은 나를 어딘가 다른 사람으로 바라본다.

"당신은 다른 자동차 세일즈맨과는 다르군요. 난 당신처럼 일하는 사람이 좋습니다."

다시 말해서 세일즈맨에 대한 고정관념이 당신에게도 꼭 적용되란 법은 없다. 당신이 부정적인 이미지를 긍정적인 것으로 바꾼다면, 오히려 당신에게 유리하게 작용할 것이다. 그때 당신은 다른 경쟁자들보다 훨씬 유능한 세일즈맨으로 평가받을 것이다.

고객은 경쟁상대가 아니다

판매 프레젠테이션이 판매자와 구매자 간의 경쟁이 되어 버리는 것은 너무나도 흔한 일이다. 마치 양쪽이 싸움을 치르듯 판매가 이루어지면 판매자가 이기고 구매자는 지는 셈이 된다. 물론 그 반대도 마찬가지다. 다시 말해서 판매자와 구매자의 관계에서 판매자는 그들의 동료나 동맹자가 아니라 경쟁자로 여겨지는 것이다.

흔히 고객들은 판매자가 자신들에게서 이익만 취하려 들 것이라는 생각에 자신을 방어하게 되고, 프레젠테이션 과정 내내 어떻게 하면 물건을 사지 않을까에 골몰한다. 일종의 자기 방어다. 그들은 교묘히 조종당해서 물건을 사게 되는 것을 싫어한다. 정말로 필요한 물건이고, 그 물건을 구매하는 게 이익이라는 걸 알면서도 말이다.

세일즈맨 역시 판매 행위를 고객들에 맞서 싸워야 하는, 그래서 성공하면 이기는 전쟁쯤으로 인식하고 있다. 그들은 훌륭한 세일즈맨십이란 게임즈맨십gamesmanship(반칙은 아니지만 교묘한 수법-역자주)이라고 생각한다. 이들에게 세일즈란 정복을 의미한다. 그들은 정복자가 되고 고객은 피정복자가 되는 것이다.

솔직히 이보다 더 불행한 시나리오는 없을 것이다. 당신이 스스로 고객의 경쟁자로 인식할 때 당신은 그들의 편에서 일하는 것이 아니라 대항해서 일하는 것이다. 판매자나 구매자 모두 같은 팀이고, 세일즈가 성사되면 모두가 이기는 것인데도 말이다.

따라서 당신은 어떻게 하면 고객이 올바른 결정을 내리도록 도와줄까를 생각해야 한다. 누군가가 영업소 문을 열고 들어서는 순간, 나는 그가 차를 살 수 있도록 도와줄 기회로 받아들인다. 그가 들어온 것은 단 하나의 이유, 차를 사기 위해서라는 게 나의 믿음이다. 다시 말해 사람들은 차 구매에 관심이 없다면 자동차 영업소에 들어오지 않을 것이다. 마찬가지로 사람들은 투자에 관심이 있어서 증권사를 찾는 것이고, 부동산을 사거나 내놓기 위해 부동산 중개인을 찾는 것이다. 이렇게 생각할 때 고객은 경쟁자가 아니라 일의 성과를 함께 공유하는 동반자 관계다. 판매자와 구매자는 같은 편에서 일하고 있는 셈이다.

예를 들어 큰 제조회사에 대형 기계를 판매하는 세일즈맨이 있다고 하자. 그는 고객과의 관계를 파트너십으로 여기고, 한 번 팔면 끝이라고 생각하지 않는다. 그는 오랜 기간에 걸쳐 고객들을 깊이 이해하고, 그렇게 해서 실질적이고 지속적인 관계를 맺는다.

이러한 세일즈맨이 수백만 달러가 나가는 기계를 팔 때는 회사의 마케팅부와 기술부 직원들까지 지원을 아끼지 않을 것이다. 엔지니어가 몇 주씩 판매회사로 나가서 필요한 장비를 진열해 주고 어떻게 설치해야 하는지 계획을 짜줄 것이다. 진정한 프레젠테이션이란 이렇게 제조회사와 판매회사가 긴밀한 관계를 맺고 함께 일하면서 보내는 수백 시간까지도 포함한다. 결국 고객은 두 회사가 이익을 위해 합작 시공을 한다고 느낄 것이다. 이때 고객의 만족도는 가장 높은 수준에 이를 것이다.

마찬가지로 부동산 중개업자나 증권 중개인, 보험 설계사도 자신의 고객에게 그런 느낌을 줄 수 있다. 무엇을 팔든 마찬가지다. 여러분이 진실로 고객에게 봉사하고자 하면 고객들도 그것을 알아줄 것이고, 그리하여 세일즈에 대한 거부반응도 극복할 수 있다. 이러한 분위기는 프레젠테이션을 시작할 때부터 조성해야 한다. 그렇지 않을 경우 여러분은 구매자와 적으로서 맞부딪치게 될 것이고, 판매를 성사시켜야 할 시점이 되면 진짜 전쟁터에 서 있는 상황이 벌어질 것이다. 물론 그것은 십중팔구 승자 없는 전쟁이다.

세일즈맨에 대한 고정관념

누구나 한 번쯤은 전문성도 없고 무신경한데다 교묘히 술수를 부리는, 표리부동하고 야바위꾼 같은 세일즈맨을 만난 경험이 있을 것이다. 말은 험하게 하면서도 빈틈이라곤 조금도 없는 사람 말이다. 이미 겪어 본 사람들은 전문적인 세일즈맨의 방문을 받았을 때조차 거부반응을 보인다. 그러나 누구도 본능적으로 세일즈맨을 거부하거나 선천적으로 그런 태도를 갖고 태어나는 것은 아니다.

나 역시 물건을 팔려고 교묘히 유도하고 으름장을 놓는 밉살스럽고 막무가내인 세일즈맨들과 정면으로 마주친 적이 있다. 그리고 환상적인 거래 조건을 내미는 프레젠테이션에 속아 넘어간 적도 있다. 말이 번지르르하고 수완 좋은 세일즈맨에게 내가 당했을 정도라면, 다른 사람들은 오죽할까 싶다.

그러나 모든 것은 상대적이다. 그러니 내 충고를 받아들여서 상황을 역전시켜 보기 바란다. 고객들이 당신을 보면 기분이 좋아지고 도움을 줄 수 있는 전문가로 여기도록 분위기를 만들라. 구매를 강요당할 것이라고 잔뜩 경계했던 고객이 기분 좋게 안심할 것을 상상해 보라. 고객이 과거에 겪은 좋지 않은 경험이 오히려 우리를 좋은 사람으로 보이게 해줄 수도 있다. 바로 그 이유 때문에 사람들은 내가 "조 지라드와 거래하는 기쁨을 맛보세요."라고 말할 때 내 말의 의미를 금방 정확하게 읽어 낸다.

예약한 고객만 만나 주는 세일즈맨

세일즈맨에게 시간은 곧 돈이다. 여기서 나는 고객의 시간 역시 중요하다는 것을 강조하고자 한다.

그런데 많은 세일즈맨이 이를 간과한다. 그래서 고객이 채 들어서기도 전에 사전 양해도 없이 말보따리를 풀어놓는다. 이런 식으로 생각해 보자. 가장 좋은 고객은 당신의 물건을 사줄 만한 여유가 있는 사람이다. 그리고 일반적으로 그들은 시간을 아주 효율적으로 사용한 대가로 그만큼의 재산을 모은 것이다. 그렇다. 다시 말하지만 시간은 곧 돈이다. 유명한 은행 강도 윌리 서튼이 왜 은행을 털

었느냐는 질문을 받았을 때 그는 이렇게 대답했다. "거기에 돈이 있으니까." 같은 이유에서 여러분은 시간을 중요시하는 사람에게 판매 프레젠테이션을 하고 싶어 한다. 그러려면 그들의 시간을 존중해야 하고, 그들이 시간을 빼앗기지 않으려고 애쓴다는 것을 이해해야 한다.

성공한 비즈니스맨이나 사업가들은 매우 바쁘다. 그래서 대개 경비원을 두어 세일즈맨들의 출입을 제지하고 예약하지 않은 사람을 제외시켜 꼭 필요한 사람들만 만난다. 회의며 전화에다 방문자들로 눈코 뜰 새 없이 바쁜 사장이나 회사 간부들이 방문객들의 말을 일일이 듣고 있다면 제대로 업무를 수행하지 못할 것이다.

그러나 그들도 세일즈맨의 말을 들어 보아야 할 때가 분명히 있다. 가령 최근의 판매 기법을 알려면 세일즈맨들이 제공하는 정보에 귀 기울일 필요가 있다. 그래서 바쁜 일정에도 불구하고 중요한 세일즈 방문이 있을 때는 시간을 따로 할애한다. 그들이 나와 함께 보낸 시간은 유익했을 것이며, 나의 방문은 중요한 스케줄의 하나였으리라고 확신한다.

나는 고객들이 시간을 얼마나 중요시하는가를 잘 이해했고, 그래서 항상 예약을 한 뒤 세일즈를 하려고 애썼다. 여러분들은 의아하게 여길지도 모르겠다. 예약하고 일하는 자동차 세일즈맨이라고? 그렇다. 분명 세일즈 분야에서는 흔한 일이 아니다. 그러나 그렇게 하는 데는 이유가 있다. 고객으로선 시간을 유용하게 쓸 수 있고, 나는 시간에 쫓겨 판매 프레젠테이션을 허둥지둥 하지 않아도 되기 때문이다. 고객이 시계를 흘끔거리다, 막 판매가 성사되려는 순간에 "미안합니다. 사무실에 들어가 봐야 해서요. 조, 며칠 뒤에 다시 들르지요."라고 말하는 불상사가 생기지 않는다.

나는 이 일에 종사한 지 약 3년 만에 예약 방식으로 고객 관리를 하기 시작했다. 마치 변호사나 의사들처럼 일하는 방식은 고객들에게 내가 전문가나 중요한 직업인이라는 인식을 심어 주었다. 어쩌다 예약 시간을 넘기고 그들을 한 시간 이상 기다리게 했을 때는 보상의 말을 잊지 않았다. "오래 기다리신 만큼 싸게 해드리지요." 대부분의 사람들은 그 점에 이끌렸던지 오랜 시간을 참고 기다려 주었다. 물론 나는 할인해 준 금액을 벌충하기 위해 열심히 일했으며, 덕분에 우리 가족은 윤택한 생활을 유지할 수 있었다.

고객의 사무실에 들렀을 때는 따로 자리를 마련해 줄 것을 요구한다. 이 말은 고객이 딴 데 정신 팔지 않고 당신이 팔 물건에만 관심을 집중시킬 수 있도록 적당한 시간을 잡아서 예약을 하라는 뜻이다. 흔쾌히 당신을 맞이하면서 "이리 내 사무실로 들어와서 뭘 팔려고 하는지 좀 보여 줘요. 대신 20분 안에 끝나야 합니다. 곧 중역회의가 있거든요."라고 말하는 적극적인 고객에게 즉석에서 프레젠테이션을 하고 싶은 마음을 뿌리치기란 쉽지 않을 것이다. 그러나 60분짜리 프레젠테이션을 20분 안에 끝내려는 것은 무모하기 짝이 없다. 이럴 때는 시계를 보면서 이렇게 말하라.

"죄송하지만 고객님, 다음 예약 시간이 다 돼서요. 설명 드리고 싶은 마음은 굴뚝같지만 시간이 얼마 남지 않았군요. 오늘은 인사만 드리는 걸로 하죠. 저는 예약에 따라서만 일을 하거든요. 한 시간 정도 시간을 내주실 수 있는 때로 날을 잡도록 하지요. 그러면 고객님께 제 물건에 대해서 충분히 설명해 드리겠습니다."

이렇게 솔직담백하게 접근할 때, 당신의 시간 못지않게 고객의 시간 또한 존중하고 있다는 인상을 준다. 그리고 당신은 성의 있는 고객과 확실하게 예약을 하게 되고, 전문가의 이미지를 심어 주게 된다. 그쯤 되면 당신은 그의 사무실로 들어갈 좋은 기회를 잡은 것이고, 그의 세일즈에 대한 거부반응도 누그러져 있을 것이다.

보통 고객이 허락하는 시간의 양은 그가 팔고자 하는 것이 무엇인가에 달려 있다. 사무용품 세일즈맨이라면 몇 다스의 필기도구나 복사용지, 스테이플 따위를 파는 데 단 몇 분이면 될 것이다. 반면 자산관리사라면 프레젠테이션을 하는 데 몇 시간은 필요할 것이고 어떤 경우는 이보다 더 많은 시간을 요할 수도 있다. 또 복잡한 컴퓨터 시스템 프로그램이라면 회사 임원들과 회의를 하는 데만도 하루 종일 걸릴 것이고, 그것으로 판매가 완전히 성사되는 것도 아니다. 그것은 앞으로도 수백 시간에 걸쳐서 해야 할 프레젠테이션의 첫 단추에 불과할 뿐이다.

긍정적 사고는 고객에게 열정을 불러일으킨다

사실 대부분의 세일즈맨들은 반드시 판매가 성사되리라고 기대하지는 않는다. 그들은 하도 여러 번 겪어 봐서 예상 밖의 성공에 오히려 놀란다.

내가 일하던 영업소의 판매사원들은 매일 아침 떼 지어 몰려다니면서 잡담을 하곤 했는데, 내 눈에는 한심하기 짝이 없었다. 나는 혼자 행동했으며 다른 판매사원들과는 거의 어울리지 않았다.

또한 아침에 출근해서 동료들과 잡담하며 시간을 보내고 싶지 않았다. 어쨌든 그들은 나한테 자동차를 사지는 않을 테니까 말이다. 더군다나 쓸데없는 소리나 하려고 회사에 나온 것은 아니지 않은가. 나는 그들의 농담을 듣고 있을 여유가 없었으므로, 심지어는 그들과 함께 점심도 먹지 않았다.

내 일은 자동차를 파는 것이었지 다른 판매사원들의 불평을 들어 주는 것이 아니었다. 고객이 영업소 안으로 걸어 들어오면 한 판매사원이 이렇게 말한다.

"자네가 맡게. 난 싫어. 저치는 그냥 구경하러 들어온 게 뻔하다고."

또 다른 판매사원이 다음 고객을 보고는 말한다.

"오, 노마님을 모시고 나오셨구먼. 저건 징조가 안 좋아."

그러면 다른 사람이 또 말한다.

"저 거지꼴 좀 봐. 변변한 코트 하나 사 입을 돈이 없는가 보군."

그들이 고객을 소홀히 하는 이유는 수없이 많았다. 어떤 고객은 머리가 너무 길고, 또 어떤 고객은 차를 사지 않는 이교집단에 속해 있었다. 그들의 머릿속에는 찾아오는 사람들이 좋은 고객이 될 수 없는 이유들로 가득 찼다. 나는 이런 모습들을 보고 참을 수가 없었다. 그것은 마치 어느 누구도 차를 사지 않을 것이라고 스스로 확신하는 꼴이었다. 그러나 나는 그들과 다른 믿음을 갖고 있었다. 누구든지 영업소 안으로 걸어 들어온 사람은 단 한 가지 이유, 즉 차를 사겠다는 목적 때문에 들어온 것이라고 확신했다. 그렇지 않다면 도대체 무슨 이유로 자동차 영업소에 들어온단 말인가?

동료 판매사원들이 그렇게 단정 짓는 데는 내가 모르는 그들만의 어떤 비결이 있는지 도무지 알 수가 없다. 도대체 겉모습을 보고 그가 차를 살지 안 살지 어떻게 알 수 있단 말인가? 나는 여러 해 동안 세일즈를 해왔지만 어떻게 생긴 사람이 차를 살 사람인지 아직도 알지 못한다. 설혹 누가 어떻게 생긴 사람이 고객이 될 거라고 말한다 해도 개의치 않는다.

외판사원들도 이와 같이 부정적 사고방식을 가지고 있다. 그들은 대부분의 시간을 차를 타고 고객들 앞을 지나치면서도 그들을 만나기 위해 차에서 내리는 수고를 좀처럼 하지 않는다. 그들은 판매 프레젠테이션을 하는 대신 사람들이 어째서 사지 않을까 하는 이유를 찾느라 하루의 절반을 써버린다. 그러다 막상 용기를 내어 판매 프레젠테이션에 임하면 의심과 두려움으로 가득 찬다.

세일즈맨이 이런 태도로 나올 경우 나도 모르게 짜증이 난다. 그러니 고객들 역시 그렇게 여기지 않겠는가. 요컨대 우울해 보이는 한 친구가 사무실로 들어와 불운의 구름을 던져 놓는 것을 누가 좋아하겠는가? 그런 사람이 당신의 사무실이나 집에 찾아오면 어떻게 하겠는가? 마치 그가 전염병이라도 옮기는 사람인 양 밀어낼 것이다. 그런데도 그들은 사람들이 왜 그토록 자신들에 대해 거부반응을 보이는지 모른다.

나는 사람들이 부정적인 세일즈맨들에게 등을 돌리는 이유를 안다. 그렇기 때문에 나는 모든 사람이 내 물건을 사줄 고객이라고 스스로 확신하기 위해 남다른 노력을 한다. 나는 분명히 판매가 성사될 것으로 믿기 때문에, 모든 고객들에게 열정을 불러일으키는 것이다. 내 말을 믿어라. 이것은 전염성이 있다. 언제나 부정적인 생각을 퍼뜨리고 다니는 세일즈맨과 고객의 열정을 불러일으키는 긍정적인 세일즈맨 중에 어느 쪽이 더 사람들로부터 환영받겠는가?

고객이 '아니오'라고 말하기 힘들게 하라

이제까지 모든 세일즈 거부반응들에 대해서 알아보았다. 많은 사람들이 왜 그토록 세일즈맨들에 대해 불편해하고 부담스러워하는지 다소나마 이해했을 것이다. 그렇다고 그들을 비난할 수는 없다. 고객이 물건을 사기로 한 결정이 자신의 의지가 아니라 강요당하고 들볶였기 때문이라고 생각한다면 더더욱 그렇다. 그런 식이라면 구매의 기쁨이라곤 하나도 없을 테니까.

세일즈맨은 고객이 어떤 결정을 내리도록 도와야 하는 입장이지만, 어떤 사람들에게는 결정을 내리는 것 자체가 잘 받아들여지지 않는다는 것을 염두에 두어야 한다. (이 문제에 대해서는 5장 '거부반응은 관심으로 해석하라'에서 좀 더 상세하게 다루겠다.) 어쨌든 그 모든 들볶임과 괴롭힘에도 불구하고 사람들은 결정은 자신이 내리게 될 것임을 알고 있고, 좋은 판매사원에게 '아니오'라고 말하면 그들이 싫어할 거라고 무의식적으로 생각한다.

내가 방금 한 말을 놓치지 않기 바란다. '아니오'라고 말하는 것보다 '예'라고 말하는 것이 훨씬 쉽다. 부모들은 아이들에게 져주는 것이 얼마나 쉬운지 알고 있다. 멋지고 진지해 보이며 설득력 있는 세일즈맨에게 '아니오'라고 말하기는 결코 쉬운 법이 아니다. 물론 그 세일즈맨이 진짜 막돼먹은 인간이라면 그의 제안을 거부함으로서 기분이 상하건 말건 개의치 않겠지만 당신에게 특별히 잘 대해 주는 세일즈맨의 경우는 다를 것이다.

꽤 전문적인 세일즈맨으로부터 자기네 물건을 구입함으로써 얻을 수 있는 이점에 대해 거의 한 시간 동안 설명을 들었다고 생각해 보자. 당신은 그 물건을 사야 할 논리적이고 지적인 근거를 얻었을 것이고, 그가 얼마나 당신과의 거래를 원하고 있는지도 알았을 것이다. 이런 상황이라면 웬만한 사람들은 세일즈맨이 그렇게 공을 들였는데도 빈손으로 나가는 것에 대해 죄책감을 느낄 것이다. 요컨대 세일즈맨들은 커미션을 받고 사는 사람들이고, 부양해야 할 가족이 있을 테니까. 무슨 뜻인지 알겠는가? 사람들은 별로 강요를 하지 않는 '사람 좋은' 세일즈맨을 만나면 곤란한 지경에 처하게 되리란 것을 알며, 사야 한다는 책임감을 느끼게 된다.

사람들은 '아니오'라고 말하는 게 어려워서 문 안으로 들어서기를 망설이는 것일지도 모른다. 그렇기 때문에 일단 발을 들여놓은 뒤에는 당신에게 유리하게 작용할 것이다. 마침 당신의 물건이 필요하던 참에 당신의 프레젠테이션이 구매욕구를 자극한다면, 더 말할 나위가 없을 것이다. 거기에 진지하고 확신 있는 태도로 고객을 대한다면, '아니오'는 모두 '예'로 바뀔 것이다.

세일즈에 대한 거부반응을 없애라

• 고객의 경계심을 누그러뜨려라

세일즈맨은 언변 좋고 교활하다고 생각하는 사람들에게 전혀 다른 이미지, 고객의 구매를 도와주고 좋은 물건을 소개하는 사람이라는 인식을 심어 주도록 노력하라. 그렇다면 그들은 경계심을 누그러뜨리고 세일즈에 대한 거부반응을 거두어들일 것이다.

• 고객을 경쟁상대로 여기지 마라

세일즈맨은 고객을 정복하려 하고, 고객은 세일즈맨에게 조종당하지 않으려고 서로 싸움을 치르듯 판매가 이루어질 때가 있다. 고객과 지속적인 관계를 유지하고 싶다면 파트너십의 관계를 형성해야 한다.

• 고객을 만나기 전 먼저 예약을 하라

예약 방식으로 고객을 관리하면 전문가의 이미지를 심어 줄 수 있다. 고객의 사무실에 들를 때는 자리를 따로 마련해 줄 것을 요청해 고객이 딴 데 정신을 팔지 않고 당신이 팔 물건에만 집중할 수 있도록 하라.

• 모든 사람이 내 물건을 사줄 고객이라고 확신하라

자동차 영업소에 들어오는 고객은 누구나 차를 살 목적을 가지고 있다. 하지만 겉모습만 보고 차를 사지 않을 사람이라고 지레짐작하는 세일즈맨이 있다. 이는 다른 세일즈 분야에서도 마찬가지다. 그러나 판매가 분명히 성사될 것으로 믿는다면 고객들에게 열정을 불러일으킬 것이다.

2

제품이 아니라
자기 자신을 팔아라

세일즈맨과 고객의 첫 만남에서 고객은 회사를 본다. 회사의 명성이 품질을 보증해 주기 때문이다. 하지만 세일즈는 결국 고객과의 인간관계를 통해 이루어지는 것이므로 이후에는 고객이 당신을 보고 제품 또는 서비스를 구입하게 해야 한다. 당신이 유능한 세일즈맨이라면 고객은 당신과 거래하기 위해 세상 끝까지라도 따라올 것이다.

나는 세계 제일의 세일즈맨으로 알려져 있다. 그리고 한 가지 덧붙일 것은 나는 세계 제일의 물건, 즉 '나'를 판다는 것이다. 조 지라드를 판다는 얘기다. 내가 자동차 한 대를 팔 때는 동시에 조 지라드라는 이름을 함께 파는 것이다.

자동차든 컴퓨터든 부동산이든 무엇을 팔든 마찬가지다. 나는 항상 세계 최고의 물건을 판다. 내가 공인회계사나 변호사나 의사라 하더라도 그럴 것이다. 내가 최고라고 스스로 세뇌시키는 것이다. 만약 내가 그렇게 생각하지 않는다면 다른 사람들도 마찬가지일 테니까.

당신도 세계 제일의 물건, 바로 당신 자신을 팔고 있다고 믿어야 한다!

"이봐요. 조, 어떻게 우리 둘 다 세계 제일이 될 수가 있습니까?"

이렇게 질문하는 사람도 있다.

그 질문의 답은, 우리들은 모두 유일한 존재이기 때문에 가능하다는 것이다. 세상에는 나와 똑같은 사람도, 당신과 똑같은 사람도 없다.

여러분 각자가 유일한 존재임을 알아야 한다. 일단 그렇게 생각하고 나면, 당신의 물건을 살지 말지 고민하는 고객 앞에서 당신의 행동은 저도 모르게 달라질 것이다. 사실 우리는 모두 자기만의 고유한 특성을 갖고 있다.

무엇을 팔든 당신은 남다르다. 거의 2천 개에 달하는 보험회사가 똑같은 상품을 팔고 있다. 상장주식을 파는 증권 중개인들도 모두 똑같은 증권과 채권을 팔고 있고, 부동산 중개인들 역시 여러 군데에서 내놓은 부동산들을 소개하고 있다. 사무용품을 팔거나 의류 소매업, 슈퍼마켓이나 할인점들이라 해도 마찬가지다.

결국 당신은 당신 자신을 팔아야 한다. 고객이 당신을 좋아해야 하고, 당신을 믿을 수 있어야 하는 것이다. 그렇지 않다면 고객이 굳이 당신한테서 물건을 사야 할 이유가 전혀 없다.

회사의 지명도로 고객의 신뢰를 얻어라

당신 자신을 팔라고 해서 회사가 전혀 중요하지 않다는 얘기는 아니다. 물론 둘 중 당신이 더 중요하고, 회사는 단지 판매를 성사시키는 데 강력한 뒷받침이 되어 주는 요소일 뿐이다. 회사의 지명도는 특히 어색한 첫 방문을 할 때 고객에게 신뢰를 주는 데 도움이 된다. 처음 보는 고객들은 당신을 잘 모르겠지만 IBM이나 메릴린치, 푸르덴셜, 제너럴 일렉트릭, 제너럴 모터스 등과 같은 유명한 회사의 이름은 잘 알고 있을 테니까. 당신이 유명한 회사와 연관되어 있다는 것을 알면, 낯선 사람에 대한 의심이 일단 사라지게 된다. 이로써 당신은 판매 과정에서 일어날 수도 있는 거부반응을 상당 부분 제거한 셈이다.

고객이 당신 회사의 명성이 품질을 보증해 준다는 사실을 안다면 반쯤은 성공한 것이다. 그리고 고객은 이름 난 회사는 우수한 인재를 뽑는다는 사실을 알고 있으므로, 어떤 의미에서는 회사의 명성을 팔면서 당신 자신을 파는 것이다.

그런데도 회사의 강점을 팔지 못한다면, 어리석은 것이다. 어떤 세일즈맨들은 나중에 회사를 옮길지도 모르고, 그래도 고객은 처음의 회사와 거래를 계속하리라는 생각에 주저한다. 그러나 당신이 유능한 세일즈맨이라면 고객은 당신과 거래를 하기 위해 세상 끝까지라도 따라올 것이다. 잠깐 생각해 보자. 여러분은 주식을 사거나 보험에 가입할 때 담당 세일즈맨을 보고 사지 않는가? 우리 사회가 점점 더 서비스 지향적이 될수록 세일즈맨의 역할은 더욱 커진다.

만약 규모가 작거나 알려지지 않은 회사의 물건을 팔 때는 어떻게 해야 하는가? 그때는 회사의 이름을 알리기 위해 힘을 쏟아야 한다. 아는 사람이 소개해 준 고객이라면 아마 전화로 당신 이야기를 미리 귀띔해 두었을 것이다. 하지만 그렇지 않은 경우에는 회사의 특성을 선전하면서 동시에 당신의 장점에 의존해야 한다. 누가 알겠는가? 혹시 당신이 세련된 매너와 뛰어난 화술로 회사를 유명하게 만들지. 나 역시 그렇게 해서 우리 사장을 유명하게 만들어 주였다. 사장들의 모임에서 그는 사람들로부터 조 지라드가 어떤 사람인지 질문을 받곤 했던 것이다.

사실 당신이 속한 회사가 크든 작든 고객은 당신 말고는 그 회사의 어느 누구와도 접촉할 일이 거의 없다. 메릴린치나 시어슨 레만 휴턴, 딘 위터 같은 회사에 소속된 증권 중개인은 기업의 명성이 든든한 배경이 되어 주겠지만, 아마도 그의 고객들은 당신 외의 다른 직원과는 아무런 관계도 없을 것이다. 메트로폴리탄이나 존 핸콕, 또는 폴 리비어나 그 외의 증권을 사는 사람들도 마찬가지다. 고객이 관계를 맺는 사람은 증권사의 대리인뿐이다. 어떤 의미에서는 세일즈맨이 곧 회사다. 고객과 유일하게 인간관계를 맺는 존재이기 때문이다.

내가 파는 물건의 첫 번째 고객은 바로 나

고객에게 물건을 팔기 전에 반드시 당신이 먼저 그 물건을 사라. 그래야 확신을 가지고 그 물건을 팔 수 있다. 아무리 겉으로 확신하는 척해도 고객은 당신을 꿰뚫어 볼 것이다.

시어슨 레만 휴턴과 함께 성장한 세계적으로 유명한 증권 중개인인 마틴 샤피로는 자기 일에 확신을 가져야 한다고 굳게 믿는 사람 중 한 명이다. 그는 이렇게 말했다.

"크게 성공한 비즈니스맨들의 공통점은 자기가 하는 일에 강한 확신을 갖고 있다는 것입니다. 당신도 성공하고 싶다면, 자신이 첫 번째 고객이 되어야 합니다. 가장 먼저 물건을 팔아야 할 대상은 바로 당신 자신이죠. 나는 이 점을 매우 중시합니다. 당신이 자신의 일에 확신을 가질 때 다른 사람들도 설득할 수 있으니까요. 나는 어떤 상품에 대해서 완전히 알고 강한 확신이 생길 때까지 공부하고 조사하고 모든 투자망을 분석합니다."

간단히 말해 샤피로의 말은 자신이 먼저 강한 확신을 가질 때만이 다른 사람에게도 믿음을 불어넣어 줄 수 있다는 것이다. 그는 세일즈맨의 확신이란 아주 강력한 것이어서, 2천 마일이나 떨어져 있는 상대방에게도 그 확신이 전달된다고 생각한다. 샤피로가 고객들을 직접 만나는 경우는 전체의 75퍼센트밖에 안 되지만 이러한 자기 확신 덕분에 그는 〈포춘〉에서 선정한 500대 회사의 사장이나 중역들을 고객으로 많이 확보하고 있다.

세일즈맨에게 진정한 확신은 자기 제품의 가치를 확실하게 믿고 있고, 고객에게 그 가치를 제공해 주려는 것이 유일한 판매 동기일 때 생겨난다. 프로 세일즈맨은 얼마나 많은 이득을 챙길 것인가를 따지기에 앞서 고객에게 얼마나 많은 이익을 줄 것인가를 생각한다. 단지 돈 때문에 일을 하는 것이라면 성공하기 힘들다. 수수료에 욕심을 부리면 바로 얼굴에 드러나게 마련이다. 그러니 고객의 이익을 먼저 생각하라. 당신의 이익은 그 다음이다. 돈에 대해서는 잊어버려라. 고객을 잘 대접하면 저절로 보상을 받게 마련이다.

나는 주로 시보레 자동차를 팔았다. 물론 시중엔 더 좋은 차들이 얼마든지 있다. 메르세데스나 BMW에 비해 시보레가 못하다는 것은 잘 알고 있다. 그러나 나는 가격 경쟁력이 있다고 확실하게 믿었다. 그리고 일정한 예산으로 생활하는 고객들은 자기가 내는 돈만큼 확실한 가치가 있는 차를 사려 한다는 것을 알고 있었다. 나는 이 점을 믿었다. 만약 그렇지 않았다면 '세계 최고의 판매왕'이라는 명성도 얻기 어려웠을 것이다.

당신이 파는 물건이 그 분야에서는 가장 값어치 있는 것이라고 당신 자신부터 믿어야 한다. 그것을 확실하게 보여 주는 방법은 당신이 그것을 소유하는 것이다. 나는 항상 시보레를 타고 다녔다. 하지만 많은 시보레 세일즈맨이 캐딜락이나 메르세데스를 타고 영업소에 나왔다. 한심하기 짝이 없는 일이었다. 물론 나는 더 좋은 차를 살 능력이 있었다. 그러나 내가 시보레가 아닌 다른 차를 타고 다닌다면 고객들은 어떻게 생각했을까? 아마 이렇게 생각하지 않았을까. '지라드, 나한텐 이걸 사라고 권하면서 자기는 다른 차를 살 만큼 잘났다 이거지.' 얼마나 멍청한 짓인가.

당신이 무엇을 팔든 당신 자신부터 그것을 소유해야 한다. 한번은 생명보험회사 직원이 50만 달러짜리 보험증권을 팔러 온 적이 있었다. 나는 그에게 당신은 얼마짜리를 갖고 있느냐고 물었다. 그는 작은 목소리로 "에, 저는 25만 달러짜리 보험을 들고 있는데요, 조." 하고 말했다. 그 뒤로는 그가 무슨 말을 하든 믿음이 가지 않았다. 그게 나한테 딱 맞는 상품인지는 더 이상 중요하지 않았다. 기분이 상했고, 그가 미덥지 못했던 것이다. 몇 주 후에 다른 보험회사 세일즈맨이 왔는데 그는 당연하다는 듯 이렇게 말했다.

"저는 100만 달러짜리 보험에 들었습니다."

그는 나에게 팔려는 상품을 확실하게 신뢰하고 있었고, 그래서 나는 고액의 보험증권을 샀다.

세일즈맨이 자기가 파는 물건을 사용하지 않을 때―그것이 자기 밥줄인데도―사람들은 매우 부정적인 반응을 보인다. 로스 페로는 〈포춘〉에 '나는 제너럴 모터스를 이렇게 바꿔 놓았다'라는 글을 기고한 적이 있다. 그는 고위 간부들이 출근할 때 손수 차를 운전하도록 지시했다. 출근하는 데 운전기사가 데려다 줘야 할 정도라면 일하기에는 너무 늙은 사람일 것이라는 이유에서다. 그리고 자동차 회사에서 일하는 사람이라면 직접 운전을 해야 마땅하다는 게 페로의 생각이었다. 차의 뒷좌석에 앉아서는 차가 제대로 잘 굴러가는지 알 수가 없기 때문이다. 자기가 파는 상품을 사용하지 않는다는 것은 이렇게 말하고 있는 것이나 다름없다.

"당신한테는 이 정도면 되지만, 나한테는 좀 미흡해."

이건 고객을 너무 푸대접하는 말이 아닐까.

자신이 파는 물건에 대해 고객에게 믿음을 보여 주는 것은 세일즈의 기본 자세이며, 이것은 비단 자동차뿐만 아니라 모든 상품에 해당되는 얘기다. 정장 신사복을 파는 가게에 들어갔는데, 싸구려 옷을 걸친 점원이 당신을 안내한다고 상상해 보라. 또는 화장품을 판매하는 여성이 전혀 화장하지 않은 맨얼굴이라고 생각해 보라. 또는 평생 회원을 모집하는 피트니스센터 직원이 뚱뚱보라면 어떻겠는가.

긍정적인 사고가 성공을 부른다

긍정적인 사고방식이 갖는 힘에 대해서는 길게 설명하지 않아도 되리라. 그 문제라면 나의 친구인 노먼 빈센트 필도 여러 책에서 이미 지적했다. 그러나 판매를 성사시키는 법에 관한 책에서 한마디도 언급하지 않고 지나갈 수는 없을 것이다. 분명한 사실은, 어느 분야에서든 성공한 사람치고 부정적인 사고를 하는 사람은 한 명도 없다는 것이다. 적극적이고 긍정적인 사고야말로 성공한 사람들의 유일한 공통점이었다.

성공적인 세일즈맨이 되기 위해서는 어떤 고객에게라도 상품을 팔 수 있다는 믿음을 가져야 한다. 그렇다고 단순히 판매가 성사되리라는 기대만으로 저절로 물건이 팔린다는 얘기는 아니다. 상품에 대한 지식도 없고, 세일즈 경험도 없고, 훈련도 받아본 적이 없는 사람이 무턱대고 판매를 자신하는 것은 한낱 허장성세일 뿐 긍정적인 사고라고는 볼 수 없다. 아침마다 거울을 쳐다보면서 거기 성공한 세일즈맨이 자기를 바라보고 있을 것이라고 기대해서는 안 된다. 강한 확신을 가질 수 있는 능력을 갈고 닦아야만 한다. 실력도 없이 큰소리만 치는 것은 단지 자기 자신을 속이는 것에 지나지 않는다.

판매를 상상하면 언젠가 현실이 된다

바이오피드백은 일종의 행동치료법으로서, 어떤 장치를 통해 나타난 환자의 생리적 변화를 읽고 어떤 반응을 유도하거나 다른 상태로 변화시키는 것이다. 예를 들어 심장 박동이 빠른 사람에게는 모니터를 통해 심장 박동의 변화를 지켜보면서 이렇게 지시할 수 있다. 긴장을 풀고 평화롭고 고요한 해변에 앉아 넘실거리는 파도를 바라보는 상상을 해보라고 말하는 것이다. "따뜻한 햇볕과 부드러운 바닷바람을 느껴 보세요." 긴장을 풀수록 그의 상상은 더 생생해진다. 이러한 정신 훈련의 결과 환자의 심장 박동이 느려진다. 여기서 매우 흥미로운 사실은, 바이오피드백 장치는 환자가 생각한 결과를 기록하는 것일 뿐 그 외엔 아무것도 하지 않는다는 것이다.

세계적으로 유명한 심리치료사인 스테파니 시몬튼은 특히 암 환자들을 전문으로 다룬다. 시몬튼은 환자들에게 상상 훈련법을 적용하여, 건강한 백혈구가 암세포를 공격하여 파괴하는 상상을 하도록 한다. 믿기 어려운 일이지만, 몇몇 환자들은 실제로 암세포의 수가 현저히 떨어졌다. 의학 치료와 이 훈련법을 병행하여 암이 퍼지는 것을 막고 심지어는 낫게도 한다고 한다. 이 방법이 암과 같은 불치병도 물리칠 수 있다면, 당신의 세일즈 기술을 발전시키고 향상시키는 데는 얼마나 큰 도움이 될지 생각해 보라.

이 방법은 결코 새로운 것이 아니다. 뛰어난 헤비급 권투 선수인 젠틀맨 짐 코벳은 이미 오래 전에 이 방법을 써먹었다. 1892년, 10년간 세계 챔피언이었던 존 설리번과의 타이틀전을 앞두고 이 방법을 썼던 것이다. 코벳은 거울에 비친 자신의 모습에 대고 수만 번의 펀치를 휘두르면서 왼쪽 잽을 연습했다. 권투 역사상 가장 중요한 사건의 하나로 알려진 이 챔피언 타이틀전에서 도전자였던 코벳은 이 훈련 방법으로 챔피언을 따내리라고 믿었다.

세계 헤비급 챔피언인 무하마드 알리도 이 상상 방법을 이용했다. 처음에 사람들은 그가 왜 그런 행동을 하는지 몰랐다. 라커룸에서, 링에서, TV 카메라 앞에서, 모든 대중매체 인터뷰에서 알리는 자기가 최고라고 큰소리쳤다. "나는 나비처럼 날아서 벌처럼 쏘리. 5회전 안에 그를 쓰러뜨리고 말 거야. 그러면 그는 다시는 살아서 가지 못하리."라는 시를 암송했을 때 사람들은 유치하다며 비웃었다. 그러나 알리는 챔피언을 따냈고, 사람들은 더 이상 그를 비웃지 않았다. 무하마드 알리는 최고의 헤비급 권투선수 중 한 명으로 스포츠 역사에 기록되었다.

이렇듯 상상하는 것만으로도 암세포를 죽이고 헤비급 챔피언을 쓰러뜨릴 수 있다면 거기엔 분명 어떤 힘이 있음이 분명하다. 스포츠 선수가 멋진 경기를 상상하듯—골프채를 휘두르거나 농구공을 던져 넣거나 축구공을 차넣는 등의—여러분도 판매를 성사시키는 상상을 할 수 있다. 고객을 방문하러 가는 길에 판매 프레젠테이션의 전 과정을 연습해 보라. 만약 매장 판매원이라면 출근하는 길에 그렇게 해보라. 당신이 서비스를 잘해 주어 고맙다고 고객이 감사를 표하는 모습을 상상해 보라. 그리고 그가 주문서에 사인을 하고, 계약금을 건네주는 모습을 그려 보라.

머릿속에 그려 보는 것이 언젠가는 현실이 된다. 어떤 거래든 이루어진다는 자신감을 가지면 자연히 판매 성공률도 극적으로 높아진다.

내가 아무리 상상 훈련법의 효과에 대해 강조해도 의심 많은 친구들은 받아들이려 하지 않았다. 그들은 이렇게 말한다.

"그건 꿈같은 얘기야, 조. 그러느니 그 시간에 차라리 딴 일을 하겠어."

이들은 자동차를 사러 전시장 안으로 들어오는 사람들의 흠이나 잡는 불평꾼들과 다를 바 없는 부류다. 그들은 누구에게 판다는 것에 대해 생각조차 하기 싫어하는 사람들이다.

세일즈맨의 이미지 메이킹

프랭클린 루스벨트 대통령의 영부인 엘리노어 루스벨트 여사는 이렇게 말한 적이 있다.

"당신의 동의 없이는 아무도 당신을 열등하게 느끼도록 만들지 못한다."

자신이 열등하다고 여기는 사람은 다른 사람을 만날 때도 그런 식으로 여길 것임에 틀림없다. 이 점은 세일즈 분야에서는 특히 더 그렇다.

유명한 증권 중개인인 샤피로는 거의 모든 주식을 전화로 세일즈하는데, 그가 중요하게 여기는 것은 자기 이미지다. 특히 전화로 하는 판매 프레젠테이션에서 이 이미지는 더욱 중요하다. 그의 말에 따르면, 세일즈맨들이 독자적인 판매 프레젠테이션을 할 경우 어느 정도 시간이 지나면 독특한 이미지를 연출하는 사람이 평범한 이미지의 사람에 비해 더 많은 성과를 올린다는 것이다. 각 개인이 스스로를 어떻게 여기느냐가 중요하다는 얘기다. "당신이 스스로를 아주 중요한 사람이라고 여기면, 다른 사람들 역시 당신을 귀빈으로 여길 것이다."라고 샤피로는 설명한다.

그는 최고 세일즈맨들 중 상당수가 사투리를 쓰기도 하고 발음이 부정확하거나 목소리가 걸걸하다는 등의 약점을 지니고 있다고 지적한다. 그렇지만 그들은 자기 이미지를 훌륭하게 연출한 덕에 높은 판매율을 기록했다. 샤피로는 이렇게 말한다.

"고객과 전화 상담을 할 때 자신을 중요하게 여기고 있다는 느낌을 주면 고객은 당신에 대해 긍정적인 이미지를 갖게 됩니다. 직접 만나는 경우라면 좋은 옷을 입고 외모를 단정히 하고 나가면 귀빈으로 대접받을 수도 있겠지요. 그러나 전화로는 당신을 보지 못하기 때문에 머릿속으로 그려 볼 수밖에 없습니다. 결국 당신이 어떤 이미지를 심어 주느냐에 달려 있죠. 고객이 생각한 이미지와 조금도 닮지 않은 경우도 있을 것입니다. 혹시 전화 통화만 했던 사람을 직접 만나 본 적이 있습니까? 나는 상상했던 것과는 아주 달라서 놀라는 일이 많습니다. 생각했던 것보다 나이 들었을 수도 있고, 키가 크거나 더 뚱뚱할 수도 있습니다. 당신이 상상했던 것과는 다른 옷차림을 하고 있을 수도 있지요. 이때 당신은 전화상의 이미지가 틀렸다고 생각하겠지요. 하지만 전화상의 이미지가 진짜 모습일 수도 있습니다. 흔히 우리는 겉모습을 보고 속기 쉬우니까요."

샤피로는 중요한 점을 지적하고 있다. 그러나 나는 세일즈맨의 자기 이미지는 몸짓이나 표정으로도 나타난다고 믿는다. 이는 전화로는 결코 전달될 수 없는 것들이다. 가령 자신의 이미지에 자신감이 없는 사람은 고객의 사무실을 방문하는 발걸음이 무겁다. 여러분도 아마 이런 사람을 본 적이 있을 것이다. 〈세일즈맨의 죽음〉에 나오는 윌리 로먼 같은 타입의 사람 말이다. 그러나 활기차고 정력적인 세일즈맨은 〈음악가〉에 나오는 해럴드 힐 교수처럼 힘차게 걷는다.

사람들은 저마다 긍정적이거나 부정적인 이미지를 전달한다. 자기 자신을 어떻게 여기느냐는 말과 몸짓, 걸음걸이에서 그대로 나타난다. 별 생각 없이 미소 짓거나 찡그리는 것만으로도 이미지가 전달된다. 모든 것이 당신의 얼굴에 환히 쓰여 있다.

거래가 잘 진척되지 않고 컨디션이 좋지 않을 때는 당신에게 만족했던 고객들에게 전화를 걸어 짤막하게 안부라도 묻는 게 좋다. 하지만 이때도 두 가지 목적을 잊어서는 안 된다. 그들에게 도움이 될 만한 정보를 전해 주거나, 간단히 그간의 서비스가 어떠했는지 물어보라. 그리고 그들의 말을 경청하라. 상품이나 서비스에 대한 고객의 생각을 듣는 것은 당신이 판 물건에 대한 믿음을 강화시키고, 당신의 긍정적인 이미지 형성에 기여한다. 그 외에 가외 소득으로 재주문이나 새로운 고객을 소개받을 수도 있다. 슬럼프에 빠졌을 때 의식적으로 자기 이미지를 향상시키는 판매 방법만큼 좋은 것은 없다.

철저한 사전 준비로 자신감을 키워라

'준비하라'는 말은 보이 스카우트의 모토 이상의 의미를 지니고 있다. 모든 세일즈맨들이 이 말을 가슴에 문신처럼 새기고 있을 것이다. 이제 막 세일즈 일에 뛰어든 초보자라면 판매 프레젠테이션을 완벽하게 준비해서 실전에 임할 수 있어야 한다. 팔고자 하는 제품과 회사, 경쟁 상품에 대해서 완벽하게 꿰고 있다는 자신감은 자기 이미지를 높이는 데 기적 같은 효과를 낼 것이다. 고객의 문제가 무엇인지를 정확하게 파악하여 사전에 해결책을 마련하는 것보다 더 좋은 판매 방법은 없다. 그래야 어떤 곤란한 문제가 닥쳐도 당황하지 않고 자신감 있게 대처할 수 있다.

예를 들어 최고의 부동산 중개인은 하루 중 많은 시간을 집을 둘러보는 데 쓸 것이다. 손님에게 집을 보여 주기 전에 그 집에 대해 완벽하게 알아야 하겠기에 그처럼 집을 살펴보는 데 많은 시간을 할애한다. 그런 뒤에야 부동산 중개인은 고객에게 건축자는 누구이고, 언제 지어졌으며, 융자와 세금 관계는 어떠하다는 식으로 세심하게 설명해 줄 수 있다.

미국의 최대 부동산 개발업자 중의 한 사람인 존 갤브레스 역시 사전 준비를 철저히 한다. 지금은 아들인 댄 갤브레스가 회사를 이끌고 있는데, 갤브레스 1세는 댄에게 판매 프레젠테이션을 철저하게 준비할 것을 강조했다.

"댄이 처음 우리 사업에 합류했을 때, 나는 사전 준비의 중요성에 대해 철저하게 주입시켰지요. 다행히도 그 녀석은 내 얘기를 제대로 받아들였습니다. 댄과 나는 우리가 개발 중인 600만 달러짜리 건물을 놓고 큰 기업체의 사장과 재임대 문제를 협상하고 있었죠. 이런 종류의 협상에서는 이자율과 임대료 문제를 아주 정확하게 해야 합니다. 임대기간이 10년에서 20년인 점을 감안하면 이자율에서 소수점 하나만으로도 엄청난 차이가 나니까요. 그래서 협상에 들어가기 전에 댄에게 3.5퍼센트에서 5.5퍼센트까지의 이자율을 쭉 계산해서 이자율 표를 뽑아놓으라고 충고했지요.

그리고 협상이 막바지에 이르렀을 때, 그 기업체의 사장은 우리더러 이자율이 이러이러할 때 임대료는 얼마가 되는지 질문하더군요. 그는 아마 우리가 계산기를 빌려 달라고 할 줄 알았을 거예요. 하지만 댄은 이자율에 따른 임대 금액을 줄줄이 읊어 대기 시작했습니다. 당연히 그 사장은 댄이 회의에 참석하기 전에 준비를 다 해 왔다는 것을 알았겠지요. 그렇게 빨리 이자율을 암산해 낼 수는 없었을 테니까요. 그는 댄이 철저한 준비를 하고 회의에 임했다는 사실에 적잖이 감동을 받은 눈치였어요. 그는 댄을 신뢰하게 되었고, 그렇게 해서 우리는 계약을 따냈죠."

갤브레스는 이렇게 주장한다.

"준비를 하십시오. 준비는 모든 일의 기본이니까요. 자기 일에 대해 누구보다 더 잘 알아야 합니다. 남의 사무실에 불쑥 찾아가서 그의 시간을 빼앗는 것만큼 무례하고 실례되는 일은 없습니다. 상대방의 질문에 성실히 답해 주지 못한다면 당신은 상대방의 시간은 물론 자신의 시간도 낭비하는 것입니다."

준비도 없이 누군가의 사무실을 방문하는 것은 결례일 뿐만 아니라 자기 자신도 산만해지고 불안하고 상대에게도 미안한 일이다. 결과적으로 당신은 거래를 주도하고 있다는 자신감을 잃게 되고, 자연히 실패하게 된다.

성공적인 세일즈를 위해서는 자기 자신을 믿는 것이 중요하다. 하지만 완벽하게 준비하는 것은 더 중요하다. 이것은 훨씬 더 구체적이고 실질적인 일이다. 당신은 고객에게 어떤 정보를 줄 수 있어야 하고, 그래서 고객이 현명한 구매 선택을 할 수 있도록 도와주어야 한다. 특별히 당신의 물건을 사야 하는 이유를 납득하지 못한다면, 그는 결코 지갑을 열지 않을 것이다.

예를 들어 당신의 물건이 어떠어떠한 것을 제공하며 경쟁사인 A회사 제품과 차별화되는 점이 무엇인지 설명하지 못한다면, 고객은 당신의 물건을 사는 것이 왜 경쟁사 물건을 사는 것보다 좋은지를 깨닫지 못할 것이다. 그러므로 당신은 미리 제품에 대해 완벽하게 알고 있어야 하고 경쟁사 제품과 비교해서 설명할 수 있어야 한다. 예를 들어 고객은 이렇게 말할지도 모른다.

"A회사의 세일즈맨이 무이자 할부를 제의해 왔는데 그쪽이 더 유리할 것 같은데요."

A회사의 강점과 약점을 모두 알아야만 당신만이 제공해 줄 수 있는 고유한 이점을 강조할 수 있다. 바로 그 점이 거래를 따낼 수 있는 포인트다. 그러나 당신이 고객에게 그 차이를 설명하지 못하는 한 고객은 굳이 당신 물건을 사야 할 필요성을 느끼지 못한다.

당신은 회계사나 의사와 같은 다른 분야 전문가들과 마찬가지로 세일즈 분야에서 전문가가 되어야 한다. 뛰어난 전문가들은 그 분야에서 끊임없이 일어나고 있는 변화를 읽고 적절히 대처하기 위해 매주 몇 시간씩 시간을 내어 책을 읽고, 같은 분야 사람들과 대화를 나누고, 정기적으로 세미나에 참여하곤 한다. 물론 비생산적인 잡담이나 나누며 시간을 축내는 모임이라면 별 도움이 되지 않겠지만, 같은 분야의 전문가들과 아이디어를 교환하는 것은 꼭 필요한 일이다. 성공하고 싶다면 당신의 분야에서만큼은 전문가가 되라. 그럭저럭 먹고사는 데 지장이 없다고 해서 현재 상태에 만족하고 머물러 있기만 한다면 금세 뒤처질 것이다.

옷차림이 세일즈맨의 첫인상을 좌우한다

우리는 책을 고를 때 표지를 보지 말고 내용을 보고 사라는 말을 항상 듣지만, 결국은 언제나 멋진 표지에 이끌린다. 사람들은 어쩔 수 없이 겉모습이 어떻게 생겼느냐에 영향을 받는다. 이것이 터무니없는 말이라면 출판사들은 책표지를 디자인하는 데 돈을 쓸 이유가 없을 것이다. 마찬가지로 식료품도 내용물에 맞게 디자인된 박스나 병에 담겨져 가게에 진열된다. 포장하는 데 드는 비용이 내용물보다 비싼 일도 흔히 있다. 아무튼 사람들은 물건을 멋지게 포장해서 판매하는 것의 효과를 분명히 알고 있다. 그와 마찬가지로 당신의 외모도 당신을 파는 데 큰 역할을 한다.

나는 자동차 세일즈맨들이 마치 일을 마치고 경마장에라도 가는 듯 요란한 옷차림을 하고 있는 것을 종종 목격한다. 그들은 치렁거리는 금목걸이에 유치한 커플 반지 따위의 액세서리를 하고 있다. 다시 말해 그들은 떠버리 세일즈맨의 옷차림을 하고 다니기 때문에 손톱만큼도 신뢰할 수 없는 인상을 풍긴다. 점입가경으로 사계절 내내 밤낮으로 선글라스를 끼고 다니는 사람도 있다. 그렇다고 그들의 인격이 낮다고 말하는 것으로 오해하지 않기 바란다. 옷차림이 반드시 그 사람의 성실성을 결정하는 것은 아니니까 말이다. 그러나 우리는 지금 성공을 바라는 세일즈맨의 옷차림에 대해 이야기하는 중이다. 그러니 만일 당신이 보편적인 기준에서 벗어난 옷차림을 하고 있다면, 고객들의 발걸음을 돌리게 하는 원인이 그 때문은 아닌지 한번쯤 점검해 봐야 하지 않겠는가?

옷을 잘 입는 방법을 잘 모르겠다면 가장 무난한 방법을 택하는 것이 좋다. 즉, 남들과 비슷하게 보수적으로 입는 것이다. 만약 당신이 고급 의상을 팔고 있다면 좀 더 세련된 취향을 가질 필요가 있겠지만 말이다. 물론 그때는 당신이 판매하는 옷을 입는 것이 좋다. 당신의 개인적 취향이 아무리 튀는 옷을 좋아하더라도, 그런 옷은 놀러갈 때나 입게 모셔 두어라. 지금 당신의 목표는 어디서나 튀는 세일즈맨으로 보이는 것이 아니라 거래를 성사시키는 것이다.

얼마 전에 아주 매력적인 여성 판매원이 어떤 면세상품을 팔러 온 적이 있었다. 그녀는 마치 파티에라도 초대받은 듯 미니스커트에다 가슴이 살짝 드러나 보이는 옷을 입고 있었는데, 솔직히 말해 나는 신경이 쓰여 불편하기 짝이 없었다. 점잖은 체하느라 하는 말이 아니다. 그녀의 차림새는 무척 아름다웠지만 세일즈하기에는 적절하지 못했다. 결국 나는 그녀의 판매 프레젠테이션에 정신을 집중하기가 어려웠다.

그 일을 겪고 나자 "여자가 옷을 잘 입지 못했을 때는 그녀의 옷이 보이고, 완벽하게 잘 입고 있을 때는 여자가 보인다."는 코코 샤넬의 말이 떠올랐다. 그러나 그 여성 외판원의 경우는 옷이 보인 것 이상이었음을 인정해야겠다.

당신의 옷차림이 하고 있는 일에 도무지 어울리지 않을 때, 고객은 이렇게 생각할 수도 있다.

'이 사람, 옷 입는 센스 하나 없다면 그 판단도 뻔할 거야. 내가 선택하는데 이 사람이 이래라 저래라 충고하는 건 듣고 싶지 않아.'

세일즈맨의 이미지 메이킹에는 옷차림뿐만 아니라 화장과 헤어 스타일까지도 포함된다. 심지어는 당신이 타고 다니는 자동차가 어떤 모델이며 몇 년도 형이며 깨끗하게 잘 유지하고 있는가에 따라서도 결정된다. 예를 들어 부동산 중개업자의 자동차는 움직이는 사무실이나 마찬가지다. 고객은 상담이 진행되는 동안 그 차를 타고 이 부동산에서 저 부동산으로 옮겨 다닌다. 만약 중개업자가 무척 오래된 낡은 차를 갖고 있다면, 그것은 새 차를 살 만한 능력이 없다는 표시로 비친다. 또한 차에 음식 봉지나 서류, 담배꽁초 따위가 지저분하게 널려 있다면 그는 일처리가 깔끔하지 못할 거라는 인상을 준다. 어느 누구도 자신의 고객이 이렇게 생각하기를 바라지는 않을 것이다.

마찬가지로 사무실의 모습도 큰 역할을 한다. 예를 들어 당신이 주택보험을 들려고 하는데, 똑같은 보험 상품을 운용하는 두 회사를 방문했다고 치자. 한 보험 설계사의 사무실은 근교의 고층 빌딩에 자리 잡고 있으며, 사무실 안에는 그의 성공을 말해 주는 장식물이 보기 좋게 놓여 있다. 한편 다른 보험 설계사의 사무실은 한바탕 폭풍이라도 지나간 듯이 지저분하고 낡은 동네에 위치하고 있다. 그렇다면 당신은 둘 중 어떤 보험 설계사를 선택하겠는가? 물론 두 사람 모두 똑같은 가격의 똑같은 보험 상품을 갖고 있다.

이처럼 사람들의 신뢰도는 그것이 옳든 그르든 겉모습의 영향을 강하게 받는다. '이 친구, 새 사무실(새 차, 새 옷 등)을 얻을 능력도 없다면 성공하긴 틀렸어.' 하는 사고방식을 갖고 있다. 대부분의 사람들은 성공한 것처럼 보이는 또는 실패한 것처럼 보이는 겉모습에 따라 그들이 좋은 서비스를 제공해 줄 수 있는지 평가한다. 결국 겉으로 비치는 이미지가 그 사람의 능력을 판단하는 중요한 척도가 되는 것이다.

고객 한 사람 한 사람은 모두 특별하다

메리 케이 화장품 설립자인 메리 케이 애시는 베스트셀러인《메리 케이의 인간관리*Mary kay on People Management*》에서 이렇게 말하고 있다.

"사람들은 누구나 특별하다. 나는 이 사실을 진지하게 받아들인다. 우리는 모두 자신이 중요한 사람이라고 느끼고 싶어 한다. 그런 만큼 다른 사람도 그렇게 느끼도록 해주어야 한다. 나는 누군가를 만날 때마다 그가 나에게 보이지 않는 신호를 보내고 있다고 생각한다. '내가 중요한 사람이라고 느끼게 해주세요!' 그러면 나는 이 신호에 즉각적으로 반응하고, 그것은 기적적인 효과를 나타낸다."

미국의 성공한 여성 사업가인 메리 케이 애시는 상대방에게 그가 중요한 사람이라고 느끼게 해줌으로써 자신을 파는 방법을 터득했다. 그것은 사람들에게 진정한 관심을 보이는 것과 같다. 예를 들어 어떤 고객이 철모를 쓰고 먼지를 뒤집어쓴 채 영업소에 들어서면 나는 밝은 목소리로 이렇게 말한다.

"건축 일을 하시는 분이군요."

사람들은 누구나 자기에 대해서 말하고 싶어 하는 법이다. 그래서 나는 그렇게 말문을 열어 고객과 대화를 주고받는다.

"그렇습니다."

그가 대답한다.

"어느 분야에서 일하시나요? 철강? 콘크리트?"

나는 이렇게 물으면서 자연스럽게 대화를 이어 나간다. 한번은 한 고객에게 어떤 일을 하느냐고 물었더니 이렇게 대답했다.

"나사 만드는 공장에서 일해요."

"농담하지 마세요. 무슨 일을 하십니까?"

"나사를 만든다니까요."

"정말입니까? 나사는 어떻게 만드는 건지 상상이 안 가는데요. 언제 한번 당신네 공장에 가서 어떻게 만드는지 보고 싶은데, 가능하겠지요?"

정말로 나사 만드는 방법이 궁금하냐고? 물론 아니다. 이를테면 나는 그런 식으로 상대방에게 관심을 표명한다. 아마 그렇게 관심을 가지고 그가 하는 일에 대해서 물어보는 경우는 드물 것이다. 전형적인 샐러리맨이라면 이렇게 썰렁한 농담을 했을지도 모른다.

"나사를 만든다구요. 그러면 당신은 나사처럼 배배 꼬여 있겠군요."

나는 업무가 좀 한가해지자 약속한 대로 그의 공장으로 찾아갔다. 그가 나를 보고 얼마나 기뻐했는지 모른다. 그는 동료들에게 나를 소개하고는 자랑스럽게 이렇게 말했다.

"이 친구한테서 차를 샀지."

나는 사람들에게 명함을 돌렸다. 내가 수많은 고객들을 거느리게 된 것은 이런 작은 일에서 시작되었다. 나는 이런 식으로 새로운 거래를 트곤 했다. 그리고 덤으로 새로운 경험들이 쌓여 갔고, 그것은 고객과의 관계를 돈독하게 해주는 얘깃거리를 제공해 주었다.

고객이 일단 자동차 영업소에 들어오면, 마치 엊그제 그를 만났던 것처럼 다정하게, 그리고 정말로 그가 보고 싶었던 것처럼 그를 맞이한다. 설령 5년 만에 얼굴을 보는 것이라 해도 말이다.

"여, 어디 갔었나? 빌?"

나는 따뜻하게 미소 지으면서 말한다. 그러면 그는 "어, 그래, 그동안에는 차를 살 일이 없어서 말야." 하며 괜히 미안해 한다.

"자네는 꼭 차를 살 때만 들르나? 나는 우리가 친구라고 생각했는데."

"그, 그럼. 우리는 친구지, 조."

"자네는 일하러 오가면서 우리 영업소 앞을 지나다니지? 앞으로는 잠깐씩 들러서 차도 좀 마시고 그러게. 자, 내 사무실로 들어와서 그동안 어떻게 지냈는지 얘기나 좀 해보게."

당신은 식사를 마치고 음식점을 나오면서 일행에게 "다시는 저 집엔 가지 말자고." 하고 말한 적이 있을 것이다. 잘되는 식당의 공통점이 무엇인지 아는가?

그것은 바로 사람들의 입소문에서 나온다. 그 집의 음식 맛은 어떻고, 서비스는 어떠어떠하더라는 식의 말이 입에서 입으로 전해진다. 시내의 이름난 식당에 가보면 한결같이 음식이 맛있고 정갈하기 그지없다. 그리고 손님들이 안심하고 먹을 수 있도록 청결을 유지하며, 전문 요리사들을 두고 있다.

나는 내 고객들이 소문난 식당에서 음식을 맛있게 먹고 나올 때처럼 만족스럽고 뿌듯한 기분으로 영업소 문을 나서기를 바란다.

한번은 한 중년 부인이 우리 전시장에 들어오더니 시간이 남아서 그러는데 그냥 차를 좀 둘러보고 싶다고 말했다. 그녀는 길 건너편에 있는 전시장에서 포드를 살 생각인데, 판매원이 한 시간 후에 오라고 했다는 것이다. 그녀는 자기 사촌동생이 산 차와 똑같은 흰색 포드 쿠퍼를 사기로 이미 마음을 정했다고 말했다. 그리고 이렇게 덧붙였다.

"내 생일을 자축하는 의미에서 사는 거예요. 오늘로 쉰다섯 살이 되거든요."

"그렇습니까? 생일을 축하드립니다."

나는 그렇게 말하고 잠깐 실례하겠다고 말한 뒤 잠시 자리를 떴다. 그러고는 돌아와서 이렇게 말했다.

"시간이 되신다면 우리 쿠퍼를 보여 드리고 싶은데요. 저희도 물론 흰색이 있습니다."

약 5분 뒤에 열두 송이의 장미꽃을 안은 아가씨가 들어왔다. 나는 그 꽃을 그녀에게 내밀었다.

"행복하세요."

그녀는 뜻밖의 선물에 감동을 받고는 눈물을 글썽거렸다.

"난 아직까지 생일에 꽃을 받아본 적이 없어요."

얘기를 나누면서 그녀는 자기가 원했던 포드에 대해서 말했다.

"하지만 그 판매사원은 별로 맘에 들지 않았어요. 그는 내가 싸구려 차를 끌고 온 걸 보고 새 모델을 살 돈이 없다고 생각한 것 같아요. 나한테 몇 가지 차를 보여 주고 있는데 다른 판매사원이 점심 먹으러 갈 건데 뭘 좀 사다 줄까 하고 물었어요. 그러자 그 판매사원이 차를 보여 주고 있다가 이렇게 말하는 거예요. '기다려, 나도 같이 갈 거야.' 그래서 이렇게 시간을 때우고 있는 거예요."

당신은 그녀가 포드를 사지 않았다는 것을 이미 눈치 챘을 것이다. 그녀는 내게서 시보레를 샀고, 대금 전액을 지불해 주었다. 이 이야기에서 무언가 교훈을 얻지 않았는가?

고객에게 그가 중요한 사람이라는 느낌을 갖게 해주면 고객은 차선의 것이라 할지라도 기꺼이 선택하게 마련이다.

내 사무실에서 고객을 만나면 판매가 쉬워진다

일반적으로 스포츠에서는 홈팀이 유리하다. 당신에게 선택권이 있다면 망설이지 말고 고객을 당신의 사무실로 초대하라. 물론 사무실이 너무 형편없어서 상대방이 민망할 정도라면 곤란하겠지만.

우선 당신의 사무실에서는 모든 일이 당신에게 유리하도록 조치를 취해 놓을 수 있다. 고객의 사무실에서라면 비서나 다른 직원의 제지를 받을 수도 있고, 미리 당신의 출입을 막도록 지시해 두었을 수도 있다. 그리고 고객의 사무실에서라면 다른 전화가 와도 연결시키지 말라고 지시할 수도 없다. 하지만 당신의 근거지에서는 가능하다.

둘째, 세계적인 스포츠 마케팅 회사 IMG(International Management Group)의 설립자이자 대표인 마크 맥코믹은 이렇게 말했다. "자기 근거지에서 회합을 갖게 되면 상대편 사람들은 적지에 들어왔다는 느낌을 갖기 때문에 당연히 긴장하게 된다. 이런 상황에서 당신은 회합을 얼마든지 좋은 방향으로 이끌어갈 수 있다. 그저 예의바르게 행동하고 다른 사람들을 편안하게 만들어 주는 것만으로도 상대방의 긴장을 완화시키고 어느 정도 믿음과 신뢰를 확보할 수도 있다."

셋째, 당신의 사무실이라면 몇 가지 소품을 적절히 이용할 수도 있다. 예를 들어 사무실 벽은 고객에게 어떤 메시지를 전달하는 역할을 톡톡히 한다. 사무실 벽을 자유게시판처럼 활용하는 것이다. 내 사무실 벽에는 판매 실적을 올린 공로로 받은 상패들, 신문이나 잡지에 실린 나에 관한 기사 사본, 유명인사들과 함께 찍은 사진 등이 걸려 있다. 심지어 나는 제럴드 포드 전 대통령과 함께 찍은 사진도 벽에 걸어 두고 있다. 모두 내 입으로는 쑥스러워서 하지 못하

조 지라드 세일즈 불변의 법칙 12

는 이야기들이지만 조 지라드를 아낌없이 홍보해 준다.

하지만 고객의 주의를 산만하게 해서는 안 된다. 나는 고객이 내가 팔려는 모델 외에 다른 모델에 관심을 두지 않기를 바라기 때문에 심지어 자동차 사진도 걸어두지 않았다. 내 책상 위에는 신경을 흐트러뜨릴 만한 것은 하나도 널려 있지 않다. 정치나 종교에 관련된 것도 없다. 한 영업소에 근무하는 세일즈맨이 사무실 벽에 교황의 사진을 걸어 놓았기에 나는 그에게 백 번도 더 말했다.

"모든 사람들이 가톨릭 신자는 아니라구. 그러니까 저 사진은 가톨릭 신자가 아닌 사람들과 거래할 때는 전혀 도움이 안 돼."

나의 말에 그가 뭐라고 대답했는지 아는가?

"그건 그 사람들 문제야. 가톨릭이 싫다면 다른 데 가서 사라지 뭐."

내가 책상 위에 놓아 두는 것이 한 가지 있는데, 바로 **주문서**다. 다른 세일즈맨들도 모두 그래야 하리라. 고객이 내 사무실에 무엇 때문에 들어왔는지 일부러 감출 필요는 없다. 나는 사무실에서 주문을 받는다는 사실, 그리고 고객이 그 사실을 잊지 않도록 항상 주문서를 보이는 곳에 비치해 둔다.

부동산 중개인도 마찬가지다. 대부분 구매자와 중개인 간에 상담이 이루어지고 있는 동안 부동산 거래계약서는 잘 보이는 장소에 비치되어 있다. 예를 들어 고객이 이렇게 말할 수도 있다.

"건물 검사를 할 수 있도록 해준다는 조건으로 40만 달러에 계약을 하면 하겠습니다."

"좋습니다. 건물주는 45만 달러를 요구하고 있지만, 40만 달러도 별 무리는 없을 겁니다."

중개인은 그렇게 말하면서 계약서에다 40만 달러라고 적어 놓는다.

"그리고 계약 후 10일 동안의 검사 기간을 달라고 얘기하세요."

그것은 수술하기 위해 환자를 수술실로 밀고 들어가는 일과 똑같다. 모든 수술 도구들이 가지런히 놓여 있는 상황에서 환자가 거기에 있는 이유는 명백하다. 마찬가지로 고객의 요구 사항을 주문서에 이것저것 적어 두면 프레젠테이션의 흐름이 끊기지 않고 자연스럽게 계약 단계로 이행할 수 있다.

많은 세일즈맨들이 이전 단계로 고객이 말하는 내용을 메모지에 기록한다. 예를 들어 고객이 차에다 어떤 것들을 부착했으면 좋겠다고 말할 때마다 메모지에 일일이 받아 적는 것이다. 그러다 메모지에 적힌 내용을 나중에 주문서에 옮겨 적을 때면 곤란한 상황이 벌어지기도 한다. 막상 계약을 앞둔 상황에서 고객이 "이봐요, 뭐하고 있는 거요? 주문서에다 그걸 적어 넣으라는 얘기는 하지 않았는데."라고 맥 빠지는 소리를 하면서 프레젠테이션을 중단시키는 것이다.

그런 일을 막는 방법은 직접 주문서에다 적는 것이다. 만일 고객이 물으면 원하는 특성들이 어떤 것인지 잊어버리지 않기 위해서 적는 것이라고 설명한다. 그래서 이젠 계약을 할 때다 싶으면 서명만 하면 된다. 주문서는 이미 다 채워져 있으니까.

적절한 유머는 프레젠테이션의 윤활유

누구나 조금씩은 유머 감각을 갖고 있을 것이다. 판매 프레젠테이션을 할 때 코미디나 익살을 약간씩 섞으면 자신을 파는 데 도움이 된다. 거래도 좀 더 재미있게 느껴질 테고, 그렇게 하면 적어도 고객이 잠들어 버리는 일은 없다. 실제로 나는 어떤 지루한 보험 설계사의 말을 듣다가 곯아떨어진 적이 있다. 말할 필요도 없겠지만 잠들어 버린 고객이 무엇을 사겠는가?

적절한 시기에 유머를 구사하면 긴장을 푸는 데 탁월한 효과가 있다. 유머는 사람을 편안하게 만들어 주고, 때로는 긴장된 순간에 어색함을 없애 주기도 한다. 예를 들어 고객이 주문서에 서명하기 직전까지 마음을 정하지 못한 채 앉아 있으면 나는 이렇게 말한다.

"왜 그러세요. 관절염이나 뭐 그런 병이라도 앓고 계시나요?"

그러면 고객은 보통 껄껄 웃으면서 미소를 짓게 마련이다. 이때를 놓치지 않고 나는 그의 손에다 펜을 쥐어 주고 말한다.

"네, 거기다 서명하십시오."

물론 그럴 때 나는 미소를 띠고 있지만, 동시에 아주 진지한 태도를 잃지 않는다. 확실히 이 방법은 효과가 있다. 사람들을 웃게 만들기 때문이다. 결국 사람들은 서명란에 사인을 하게 된다.

그래도 고객이 마음을 정하지 못하면 나는 이렇게 말한다.

"제가 어떻게 해야 계약을 하시겠습니까? 무릎을 꿇고 빌까요?"

그러면서 나는 정말로 무릎을 꿇고 그를 올려다보면서 말한다.

"그래요. 당신한테 빌지요. 무릎까지 꿇고 부탁하는데 설마 거절하지는 않겠지요? 자, 이리 와서 서명하세요."

이래도 꿈쩍 않는 고객한테는 이렇게 말한다.

"이제 어떻게 할까요? 드러누울까요? 좋아요. 드러눕습니다."

이런 식으로 하면 대부분의 사람들은 마음이 약해져서 말한다.

"조, 제발 그러지 말아요. 어디에다 서명하면 되죠?"

그러면서 우리는 같이 웃는다.

이보다 한술 더 뜬 적도 있다.

"이거 아나, 프랭크? 나는 자네가 시시한 걸 샀으면 좋겠네."

이럴 때 나는 심각한 표정을 짓는다.

"무슨 말인가? 내가 시시한 걸 샀으면 좋겠다니?"

"정말이야. 자네가 시시한 걸 사서 내가 자네한테 잘 보일 수 있었으면 좋겠다구. 내가 서비스를 기가 막히게 잘해 줘서 시시한 게 아주 근사해지면 자네는 평생 나한테 감사할 테니까 말일세."

그렇다. 나는 물건을 팔 때 한 편의 연극을 연출한다. 그래서 당신에게도 이렇게 말할 수 있다. 고객은 나에게 자동차를 사면서 즐거운 시간을 보낸다고. 어떤 사람은 자동차를 사러 나서기가 무척 두렵다고 말하는 것을 들은 적이 있다. 그러나 내 고객은 그렇지 않다. "조 지라드와 거래하는 기쁨을 누리세요."라고 말하는 것은 괜히 하는 실없는 소리가 아니다.

그러나 농담도 신중하게 해야 한다. 나이 드신 분한테, 더구나 진짜로 관절로 고생하고 있다면 관절염 어쩌고 하는 것은 더 이상 농담이 아니다. 사람들의 기분을 상하게 만들었다간 그들과 영원히 이별하는 결과를 낳을 것이다. 만약 당신이 정형외과용 기구나 보철기구를 판다면 시시한 것을 샀으면 좋겠다는 식의 농담은 통하지 않을 것이다. 그리고 생명보험 상품을 판답시고 죽음과 관련된 농담을 하는 것은 절대 금물이다.

요컨대 유머도 시의 적절하게 사용하라는 말이다. 혹시라도 기분을 상하게 할 수 있는 유머를 써먹을 때는 그런 말을 하기 전에 당신이 파는 물건의 특성이나 고객의 성향에 대해 잘 생각해 봐야 한다. 어떤 사람들에게는 유머가 전혀 통하지 않는 경우도 있다. 거래 상대가 은행원일 경우, 그들은 곧바로 실질적인 문제로 들어가기를 원한다. 그들에게 거래는 진지한 것이고, 또 그렇게 다루어져야 마땅한 것이다. 그 은행원이 당신의 태도가 전혀 진지하지 않다고 생각한다면 더 이상 어떻게 거래를 진척시키겠는가? 그러니 유머를 사용하되, 현명하고 조심스럽게 잘 선택해서 쓰라.

마음을 사로잡는 작은 선물을 준비하라

나는 내 사무실에 들어오는 사람마다 '당신을 사랑합니다.'라는 글이 쓰인 사과 모양의 배지를 준다. 그리고 또 '당신은 조 지라드와의 거래를 좋아하게 될 겁니다.'라고 쓰인 하트 모양의 풍선도 선물한다.

사람들은 누구나 다른 사람이 자기 아이들한테 잘해 주면 좋아한다. 그래서 나는 무릎을 굽히고 앉아서 아이들에게 말하곤 한다.

"꼬마야, 이름이 뭐니? 자니라구? 마이클, 당신은 정말 똑똑한 아이를 두셨군요. 정말 귀엽게 생겼네요."

그리고 나서 나는 무릎걸음으로 자니와 함께 내 캐비닛으로 간다.

"자니, 조금만 기다려라. 너한테 줄 선물이 있단다."

그리고 캐비닛에서 막대사탕을 한 움큼 집고는 똑같이 무릎걸음으로 고객의 부인에게 가서 말한다.

"자, 자니 넌 한 개만 갖고 나머진 엄마한테 맡겨두자. 그리고 이 풍선은 아빠가 널 위해서 들고 계실 거야. 자, 이제 아저씨가 엄마랑 아빠랑 애기할 동안 착하게 있어라."

이 모든 일을 하는 동안 나는 여전히 무릎을 꿇은 자세다. 이런 행동들은 모두 고객의 마음을 사로잡는 선물이고, 판매 도구의 하나다. 자, 자기 자식에게 이렇게 온갖 정성을 다해 주는 사람에게 '아니오'라고 말하기가 어디 쉽겠는가?

담배를 찾느라 주머니를 뒤지면서 이렇게 말하는 손님도 있을 것이다.

"담배가 있는 줄 알았는데."

그러면 나는 "잠깐만 기다리십시오."라고 말하고는 열 가지 종류의 담배를 꺼내서 묻는다.

"어떤 걸 피우십니까?"

"말보로요."

"여기 있습니다."

그리고는 담뱃갑을 뜯어 담뱃불을 붙여 주고는 남은 담뱃갑은 그의 주머니에 넣어 준다. 그럴 때 내 이름이 인쇄된 성냥갑도 잊지 않고 챙겨 준다.

"어, 이거 고맙소. 조, 신세를 져서 어떡하지."

그러면 나는 "별 말씀을 다하십니다." 하고 대답한다.

무엇을 하는 거냐고? 나는 그를 내게 꼭 붙들어 매는 중이다.

내가 하는 선물은 통 큰 사람들의 것에 비하면 아주 작은 것이다. 예를 들어, 나는 어떤 고위 간부들이 슈퍼볼이나 챔피언전 권투 시합 표를 사느라 몇천 달러는 족히 쓰는 것을 본 적이 있다.

아마 고객을 꽉 붙드는 데 둘째가라면 서러워할 사람들은 라스베이거스의 카지노 호텔 종사자들일 것이다. 그들은 일등석 비행기 티켓에다 호텔 특실 이용권, 최고급 레스토랑 식사권 등의 혜택과 함께 무료 도박 우대권을 선물한다. 이들은 사람의 심리를 잘 알고 있고, 과학적으로 일을 한다. 고객들에게 최고의 대우를 베풀어 그들 스스로 귀빈이라고 느끼게 만드는 것이다. 그들은 한껏 우쭐해져서 마치 거물처럼 행세하게 된다. 결국 100달러짜리 칩을 잔뜩 쌓아 놓고 주사위를 굴림으로써 자기가 대단한 인물임을 과시하는 것이다. 이렇게 해서 도박 업소는 여러 차례에 걸쳐 자신들이 쓴 돈을 도로 챙긴다.

우리도 그들을 따라갈 필요는 없다. 오히려 값싼 선물이 좋다. 너무 비싼 선물을 받으면 바가지라도 씌운 게 아닌가 해서 역효과를 일으킬 수도 있기 때문이다. 고객의 심사를 건드려서 불필요한 오해를 사고 싶지는 않을 것이다. 어떤 회사는 이런 문제에 아주 민감해서 판매사원이 고객들에게 점심 한 끼 사는 것조차 막는 경우도 있다. 그러므로 사전에 잘 연구해서 고객에게 어떤 것은 해도 되고 어떤 것은 안 되는지를 정확하게 알아 둘 필요가 있다. 또 만일 당신이 고객들한테 몇 가지 서비스를 해주고 있다면 고객들은 선물보다 그것을 더 좋아할지도 모른다. 고객들은 값을 적게 지불하는 것을 더 좋아하니까.

성실한 말과 행동이 신뢰를 낳는다

성실해야 한다는 것은 두말할 필요도 없는 미덕이다. 성실하지 못한 사람은 언제고 고객들에게서 외면을 받게 마련이다.

성실하게 행동하는 것은 가장 쉬운 세일즈 방법이다. 고객 편에서서 생각해 주고 당신이 파는 물건을 신뢰하게끔 확신시켜 주면 된다. 그렇게 할 자신이 없다면 차라리 다른 직업을 찾거나 판매 상품을 바꿔 보라고 충고하겠다.

성실은 곧 정직을 의미한다. 임기응변으로 거짓말을 할 생각은 아예 하지 않는 게 좋다. 일단 거짓말을 하게 되면 신용을 모두 잃어버린 것이나 마찬가지다. 나 같으면 그런 사람과는 끝장이다. 그리스의 우화작가 이솝이 말했듯이 거짓말쟁이의 말은 그가 설령 진실을 말한다 해도 아무도 믿어 주지 않는다.

또 하나는 지킬 수 없는 약속은 하지 말라는 것이다. 컴퓨터 시스템을 설치하는 데 3개월은 걸리는데 그저 팔 목적만으로 한 달이면 된다는 식의 둘러대기는 금물이다. 한 번 지키지 못한 약속은 언제나 당신을 따라다니며 괴롭힌다. 고객에게 사실 그대로 털어놓아라. 한 번 약속이 틀어지면 다시 거래를 트고 소개를 받을 가능성까지 없어진다.

나는 한발 더 나아가, 자동차 재고가 없을 경우 고객에게 인수되기까지 실제로 걸리는 시간보다 좀 더 여유를 두고 말한다. 물론 자동차가 내가 말한 날짜보다 며칠 일찍 출고되었을 때 나는 확실히 믿을 만한 사람이 된다. 조 지라드는 약속을 꼭 지키는 사람이라는 인식을 고객의 마음속에 심어 주었다는 사실이 중요하다.

성실하다는 것은 단순히 정직하다는 것 이상의 의미를 갖는다. 정직한 사람도 때로는 입에 발린 소리를 하게 되는 경우가 있다. 하지만 사람을 칭찬하는 것은 좋지만, 지나친 칭찬은 오히려 화를 부를 수도 있다. 상대방은 십중팔구 당신의 심중을 꿰뚫어 볼 것이다. 그리고 당신이 어떻게 프레젠테이션을 하든 믿으려 들지 않는다. 결국 당신 스스로 사기꾼이라고 말해 버린 꼴이 된다. 사람들이 입에 발린 칭찬을 곧이곧대로 믿을 것이라고는 생각하지 마라. 그들은 세일즈맨들이 생각하는 것보다 훨씬 영리하다. 정말 차를 살 고객이라면 꾸며내거나 거짓된 아첨에는 속지 않는다. 그리고 꼭 기억해야 할 것은, 고객들은 처음에는 의심부터 하기 쉬우므로 그 의심을 가중시킬 만한 빌미를 제공하지 말라는 것이다.

당신에게 가장 중요한 일은 물건을 파는 것이란 사실을 잊어선 안 된다. 고객에게는 시간이 매우 귀중하고, 쓸데없는 아첨에는 관심이 없다. 그는 바로 거래로 들어가 당신이 자신에게 무엇을 해줄 수 있는지 알고 싶어 한다.

철저한 사전 준비의 중요성에 대해서는 이미 강조했지만, 아주 전문적인 세일즈맨조차 제대로 대답하지 못할 때가 종종 있다.

만약 고객의 질문에 정확한 대답을 해줄 수 없을 때는 그냥 이렇게 대답하라.

"죄송합니다. 그 점은 제가 지금 대답해 드릴 수가 없군요. 하지만 사무실에 돌아가는 대로 알아보고 바로 연락해 드리지요."

이렇게 말하는 편이 성실한 사람이라는 인상을 준다. 물론 이런 일이 자주 발생한다면 준비가 덜 된 사람으로 찍히겠지만, 어쨌든 솔직하게 말하는 것이 틀린 대답을 해주면서 허세를 부리는 것보다 훨씬 낫다. 엉뚱한 답을 해줄 경우 결국 당신만 난처해질 뿐이다.

물론 고객이 질문을 해올 때 당장 답을 알아낼 방도가 있다면 그렇게 하라. 예를 들어 어떤 고객이 자동차의 기어비가 어떻게 되는지 물으면 나는 이렇게 말한다.

"기술자한테 물어보지요."

그러고는 그가 확실하게 이해할 수 있도록 그를 자동차 수리공에게 데리고 간다.

성실한 사람으로 보이는 비결에는 두 가지가 있다. 첫째는 절대 선글라스를 끼지 말라는 것이다. 당신이 사막 한가운데서 땅을 팔든 무엇을 팔든, 어쨌든 고객을 만났을 때는 직접 눈을 보면서 말을 해야 한다. 선글라스는 두 사람 사이에 가로놓인 벽과 같다.

둘째, 사람들에게 말을 할 때는 그들의 눈을 똑바로 쳐다보고, 그들의 말을 경청할 때는 입술을 바라보라. 이렇게 똑바로 보지 않으면 종종 불성실한 사람으로 비치게 된다. 정직하지만 수줍어서 똑바로 쳐다보지 못하는 사람들도 많이 있지만, 고객들은 세일즈맨이 수줍어할 수 있다고는 생각하지 않으므로 아무리 어렵더라도 눈을 똑바로 쳐다보아야 한다.

또한 판매 프레젠테이션을 하는 동안에는 딴 데 정신 팔지 말고 고객에게만 집중해야 한다. 내가 말을 하고 있는데 상대방이 주위를 두리번거리고 있다면 기분이 불쾌해질 것이다. 대화 중에 연신 여기저기 기웃거리는 사람과 함께 레스토랑에 가본 적이 있다면 그게 어떤 기분인지 알 것이다. 나는 세일즈맨들이 예쁘장하게 생긴 웨이트리스나 멋쟁이 비서, 심지어는 고객의 매력적인 부인이나 딸까지 흘끔흘끔 쳐다보는 것을 본 적이 있다. 그것은 저속한 취향일 뿐만 아니라 물건을 살 만한 고객에게 별 관심 없다고 털어놓는 것이나 다름없다.

딴 데 한눈을 팔거나 주의를 기울이지 않으면 고객은 이렇게 생각한다.

'이 친구 나를 어떻게 보는 거야? 당신이 나한테 관심 없으면 나도 당신이 파는 물건에 관심 없다고.'

당신은 말로만 대화하는 게 아니라 눈과 얼굴 표정을 통해서, 그리고 몸짓을 통해서 고객과 대화한다는 사실을 명심하라. 불성실한 태도는 '비언어적인' 대화를 통해 곧 드러난다. 고객과 얘기할 때는 고객에게 집중하라.

또한 성실한 세일즈맨은 탐욕스럽게 자기 이익만을 챙기지 않는다. 자신의 이익에만 너무 집착한 나머지 고객이 다시는 당신과 거래하고 싶지 않다는 인상을 주어서는 곤란하다. 나는 나에게 자동차를 구입하는 고객이 다른 데서라면 좀 더 싸게 샀을 거라고 후회하지 않도록 최선을 다했다. 한 명의 고객이라도 그렇게 생각한다면 그동안 공들여 쌓은 명성은 실추될 게 뻔하고, 결국 앞으로의 기회도 잃어버리게 될 테니까. 나는 차 한 대만 팔고 끝낼 생각이 아니었으며, 지속적인 거래를 원했다. 사업상의 거래는 쌍방이 그런 생각을 할 때 비로소 믿을 만한 거래가 성립된다.

당신의 전도유망한 명성에 먹칠을 하는 것은 당신에게 속았다고 느낀 단 한 명의 고객의 말에서 비롯될 수도 있다. 그 사람이 다른 사람에게 말을 옮기고, 다른 사람은 또 다른 사람에게 주의를 줄 것이다. 한 번의 실패는 단지 한 명의 고객을 잃는 것으로 끝나지 않는다. 내 말을 믿으라. 말이란 돌고 도는 것이다. 한 번의 거래에서 조금 더 이익을 본다고 하더라도 미래의 고객을 경쟁사로 쫓아 보낸 것이나 다름없다. 그 손실은 작은 이득에 비하면 아무것도 아니다. 거꾸로 한 사람에게 좋은 조건으로 거래를 해주면 그 효과는 눈덩이처럼 커진다. 그리고 당신의 지갑과 명성도 따라서 불어날 것이다.

제품이 아니라 자기 자신을 팔아라

• 무엇을 팔든 자신부터 그 제품을 구입하라

당신이 파는 물건이 그 분야에서 가장 값어치 있는 것임을 자신부터 믿어야 한다. 시보레를 팔면서 캐딜락을 몰고 다닌다면 누가 그 사람에게서 차를 사겠는가. 자신이 파는 물건에 대해 고객에게 믿음을 보여 주는 것은 세일즈의 기본 자세다.

• 고객과 미팅 전 철저한 사전 준비를 하라

팔고자 하는 제품과 회사, 경쟁 상품에 대해서 완벽하게 꿰고 있다면 어떤 곤란한 문제가 닥쳐도 당황하지 않고 자신감 있게 대처할 수 있다. 고객이 현명한 구매 선택을 할 수 있는 정보를 주지 못한다면 고객은 지갑을 열지 않을 것이다.

• 사무실 책상 위에 주문서를 올려 두어라

사무실에서 고객을 만날 때는 모든 일이 자신에게 유리하도록 조치를 취해 놓아라. 책상 위에는 주문서와 펜만 있으면 된다. 이는 고객이 사무실에 들른 이유를 잊지 않도록 일깨워 줄 뿐 아니라 계약 성사를 수월하게 만든다.

• 성실함과 정직은 세일즈맨의 재산이다

고객에게 지킬 수 없는 약속은 하지 마라. 한 번 약속을 어기면 거래를 트고 소개를 받을 가능성까지 없어진다. 임기응변으로 거짓말을 하는 것 역시 신용을 잃는 행동이다. 성실하게 행동하는 것이야말로 가장 쉬운 세일즈 방법이다.

3

고객에게 판매가
된 것처럼 행동하라

사고 싶어 하는 고객의 잠재의식을 끌어내라

사겠다고 하기도 전에 거래를 성사시키는 법

'아니오'라는 대답이 나올 질문은 하지 마라

고객이 제품이나 서비스를 미리 체험하게 하라

때로는 무반응이 긍정의 표시다

판매 간주에 실패할 수 있는 표현

재주문으로 이끄는 판매 간주하기

당신을 찾은 고객은 이미 뭔가를 사기로 마음먹은 것이다. 고객이 살까 말까 망설이고 있는 눈치라면 적절한 순간에 다음과 같이 말하라. "자동 대출 특혜를 드리겠습니다." "자, 여기 주문서에 서명하시죠." "절대 후회하지 않으실 겁니다." 이러한 말들은 언제 어디서든 꺼내 쓸 수 있도록 늘 머릿속에 저장해 놓아야 한다.

판매로 간주하는 것은 아주 기본적인 사항이기 때문에 여러분도 이미 이 개념에 대해서는 알고 있을 것이다. 그러나 구체적으로 어떤 경우를 '판매로 간주하는지' 명확하게는 말하지 못할 것이다. 그러므로 웬만큼 잘 알고 있는 경우라 하더라도 이 장을 꼼꼼히 읽어 주기 바란다.

우리는 어디를 가나 판매로 간주하는 사람과 맞닥뜨리게 된다. 주유소 직원이 "꽉 채울까요?"라고 물을 때, 그는 당신이 휘발유를 사기로 했을 뿐 아니라 주유통을 꽉 채우기를 원한다고 간주한다.

당신은 자동차가 주유기 앞에 멈춰 섰는데 그 운전자가 휘발유를 사려고 한다는 걸 모를 바보가 어디 있느냐고 반문할지 모른다. 그리고 손님이 식당에 들어왔다면 그는 당연히 배가 고프다는 것도 알 것이다.

무엇을 팔든 마찬가지다. 사람들이 문을 열고 들어올 때는 당신이 파는 물건에 관심이 있기 때문이다. 관심이 없다면 아예 들어오지도 않았을 것이다. 더 나아가, 집이나 사무실을 찾아와서 얘기하는 방문 세일즈맨의 말을 유심히 듣는 사람에 대해서도 똑같이 생각할 수 있다. 관심이 없다면 그렇게 듣고 있을 리가 없다. 그냥 예의상 들어 주는 사람은 거의 없다. 당신의 프레젠테이션을 듣고 싶지 않다면 그들은 바쁘다는 핑계를 대거나 대놓고 필요 없으니 나가 달라고 말할 것이다.

사람들은 항상 내게 이렇게 묻는다.

"조, 당신은 어떨 때 판매가 되는 것으로 간주합니까?"

"내 앞에 내 말을 들어 주는 사람이 있다면 언제나지요."라고 나는 대답한다.

"그렇다면 조, 당신은 누구나 다 물건을 살 거라고 가정한다는 얘긴가요?"

"당연하죠."

나는 심지어 말도 꺼내기 전부터 거부반응을 나타내는 사람들까지도 고객으로 간주한다. 나는 이렇게 생각한다. '사람들은 자신이 세일즈맨을 단호하게 물리치지 못한다는 것을 안다. 일단 프레젠테이션을 듣기만 하면 물건을 사게 되리라는 것을 알기 때문에 기를 쓰고 세일즈맨들을 피하려고 하는 것이다.' 그래서 나는 일단 프레젠테이션을 할 기회만 주어진다면 그들은 사지 않겠다는 말을 못할 것이며, 따라서 쉽게 판매를 할 수 있다고 확신한다.

한 보험 세일즈의 권위자는 고객이 약속을 지키지 않을 때조차도 판매가 될 것으로 간주한다고 말했다.

"나는 다음날 저녁에 다시 방문하지요. 그러고는 어제 저녁에 약속을 못 지켜서 미안하다고 사과합니다. 물론 나는 그 시각에 거기 갔었지요. 그는 그 사실을 모를 겁니다. 설사 집에 있었으면서도 문을 안 열어 준 경우라 하더라도 솔직히 말하고 싶지는 않을 겁니다. 일부러 약속을 어겼다고 말할 만큼 뻔뻔한 사람이 아니라면 그는 판매에 대한 거부반응을 가지고 있지 않습니다. 내가 일단 말문을 열기만 하면 그는 확실한 구매자가 되는 것이지요."

사고 싶어 하는 고객의 잠재의식을 끌어내라

나는 프레젠테이션을 할 때마다 계속해서 판매로 간주한다. 당신도 그렇게 해야 한다. 첫 프레젠테이션부터 계약을 체결할 때까지 줄곧. 내 생각 같아서는 아무리 간주하고 간주해도 모자란다.

흔히 초보 세일즈맨들은 주문받을 시점이 되어서야 판매로 간주하는데, 그렇게 해서는 안 된다. 당신의 행동 하나하나가 고객이 물건을 살 것이라는 가정하에 이루어져야 한다. 계속해서 거듭 판매로 간주해야 하는 것이다. 그러면 고객 역시 자신도 모르는 사이에 당신의 제품을 살 것이라고 생각하게 된다. 어떤 사람들은 이것을 '세뇌'라고 부른다. 뭐라 이름 붙이든 상관없다. 솔직히 나는 사람들에게 유익한 물건을 사도록 권유하는 것이라면 다소 세뇌시키는 것이라 한들 나쁠 게 없다고 본다.

텔레비전이나 극장에서 보는 스팟 광고도 이처럼 잠재의식을 이용하는 것이다. 그 메시지는 너무나 빨리 지나가지만 여러 번 반복

되면서 잠재의식 속에 깊이 새겨진다. 얼마 전에 잠재의식을 이용한 광고 실험이 한 극장에서 있었다. 관객들의 잠재의식에 다음과 같은 메시지가 전달되었다.

"목이 마르다, 목이 마르다."

그러자 몇 분 안에 사람들은 청량음료를 사기 위해 구내매점 앞에 길게 줄을 늘어섰다. 마찬가지로 세일즈에서도 반복해서 판매로 간주하면 같은 경험을 하게 될 것이다. 당신이 고객에게 당신의 물건을 살 거라는 신호를 보내면, 고객의 잠재의식은 '사라'는 메시지를 잡는 것이다.

특별히 살 것은 없지만 그냥 한번 둘러보려고 가게에 들어간 적이 없는가? 나는 가끔 비행기를 갈아탈 때 한두 시간쯤 시간을 때우기 위해 공항 내 남성복 가게에 들어가 최신 패션을 둘러보곤 한다. 그저 둘러보기만 할 생각이었는데, 옷가방을 들고 나온 적이 한두 번이 아니다. 금세 나는 후회하며 자문한다. "도대체 내가 뭣 때문에 이 옷을 샀지?" 1만 5천 피트 상공에서 나는 비행기 좌석에 기대앉아 씩 웃는다. "치사한 자식 같으니라고! 도대체 그 작자는 왜 줄곧 내가 뭘 살 거라고 몰아가는 거야? 나는 또 왜 진짜로 사 버린 거고!" 나는 주위 사람의 시선은 아랑곳하지 않고 기분 좋게 껄껄 웃는다. 내가 바로 그런 방식으로 수천 대의 차를 팔았기 때문이다.

사겠다고 하기도 전에 거래를 성사시키는 법

판매로 간주할 때 세일즈맨들이 하는 교묘한 말들은 수없이 많다. 그 중에서 각기 다른 분야의 세일즈맨들이 공통적으로 사용하는 몇 가지 예를 들어보자.

- 사무실로 직접 탁송표를 보내 드리지요.
- 자, 여기 주문서에 서명하시지요.
- 주문서에 서명하실 때 꾹 눌러 써주십시오. 세 장이 복사되도록 돼 있거든요.
- 다음 주쯤에 물건을 받으실 수 있을 겁니다.
- 지불은 네 번에 나누어 하실 수도 있습니다.
- 손님의 한 달 예산에 맞춰서 해드리지요.
- 가격이 오르기 전에 오늘 구입하시는 게 잘하시는 겁니다.
- 현명한 선택을 하신 걸 축하드립니다.
- 잘 포장해 드리겠습니다.
- 절대 후회하지 않으실 겁니다.

위의 말들은 고객이 당신의 물건을 사겠다고 말하기 전에 하는 말이다. 이런 말들은 거래를 아주 부드럽게 이끌어 준다. 당신은 단지 고객이 물건을 살 것이라고 간주하기만 하면 된다. "탁송표는 어디로 보내 드리면 좋겠습니까?" 또는 "오늘 지불하시겠습니까?" 라고 질문하지 않는다. 그냥 살 것으로 간주하고 계속 프레젠테이선을 하는 것이다.

당신이 판매하는 물건에 관해서 판매로 간주할 만한 교묘한 말투를 스무 가지쯤 작성해서 기억해 두도록 한다. 예를 들어 보험 설계사는 이렇게 말할 수 있을 것이다.

"자동 대출 특혜를 드리겠습니다."

또 텔레비전 판매사원은 이렇게 말할 것이다.

"이제 케이블이 없이도 열네 개의 채널을 선택할 수 있습니다."

개 사료 도매업자는 "두고 보십시오. 우리 물건은 날개 돋친 듯이 팔릴 테니까요."라고 말할 것이다.

당신은 이러한 말들을 언제 어디서든 꺼내 쓸 수 있도록 늘 저장해 놓고 있어야 한다. 이러한 말들은 '가계약 체결trial close'이라고 부르기도 한다. 솔직히 나는 이 표현이 마음에 들지 않는다. 고객이 살 준비가 되어 있는지 그렇지 않은지를 시험한다는 의미가 느껴지기 때문이다. 고객이 사기로 마음먹었다고 여겨지면 그냥 계약을 맺으면 된다. 그러나 판매로 간주하는 방법이 먹히지 않을 때는 그저 단순히 왜 지금 차를 사야 하는지를 다시 얘기해 주면 된다.

예를 들어 고객이 주문서에 서명하지 않고 머뭇거리고 있으면 왜 지금 구입하는 것이 더 유리한지를 차근차근 설명하면서 그를 설득한 다음 다시 주문서에 서명해 달라고 말한다. 그래도 서명하지 않으면 판매를 성사시키기 위한 시도를 거듭한다. 그리고 적절한 순간에 다음과 같이 간주하는 말을 한다.

"수요일까지 차를 준비해 놓겠습니다. 차를 인수하는 시간은 오후 네 시쯤이면 어떻겠습니까?"

"밑칠은 되어 있는 게 좋으십니까?"

'예'라는 대답을 듣자마자 나는 그에게 주문서를 내밀고 다시 한 번 서명해 주기를 원한다고 말한다. 때로는 서명란을 가리키면서 가만히 기다린다. 그러면 보통은 아무 말 안 해도 서명을 한다.

물론 고객이 반대 의사를 표명하면 나는 곧바로 그가 사고 싶어 하지 않는 이유와 관련된 문제들을 다룬다. 그리고 나의 설명에 고객이 만족했다고 여기면, 그가 사기로 마음먹었다고 간주하고 판매를 성사시키려는 시도를 거듭한다.

'아니오'라는 대답이 나올 질문은 하지 마라

로스쿨에서는 누구나 이런 교훈을 배운다고 한다.

"증인석에 서 있는 사람을 반대 심문할 때는, 그가 어떤 대답을 할지 미리 알지 못하면 결코 질문하지 마라."

이 같은 교훈은 판매에도 적용된다. 변호사들은 증인에게서 어떤 대답이 나올 것인가를 미리 예측하지 않고 질문을 했다가는 당장 곤경에 처한다. 세일즈맨도 마찬가지다. '예'라고 대답할 것이 확실하지 않다면, '예 또는 아니오'라는 대답을 요구하는 질문은 피하는 게 좋다. 예를 들어 "2도어 모델을 원하십니까?"라고 묻지 않고 "2도어 모델을 원하십니까, 4도어 모델을 원하십니까?"라고 묻는다. 뒤의 질문은 이것이냐 저것이냐를 묻는 것이기 때문에 '아니오'라는 대답을 할 수가 없다. 반면에 앞의 질문을 하면 고객은 쉽게 '아니오'라고 대답한다.

이것이냐 저것이냐를 묻는 유형의 질문에는 다음과 같은 것들이 있다.

- 3월 1일에 보내드리면 좋겠습니까, 아니면 3월 8일이 좋겠습니까?
- 이 수령증을 직접 받도록 해드릴까요, 아니면 비서 앞으로 보내드릴까요?
- 결제는 신용카드로 하시겠습니까, 아니면 현금으로 하시겠습니까?
- 빨강색이 좋으세요, 아니면 파랑색이 좋으세요?
- 화물로 보내드릴까요, 항공으로 보내드릴까요?

위의 질문들은 거래를 마무리하기 위해 고객에게 어떤 것을 선택할지 묻는 것이다. 이후엔 고객이 하자는 대로 따르면 된다. 판매원에게 파랑색 모델이 맘에 들고, 카드로 결제할 것이며, 8일에 집으로 보내 주었으면 좋겠다고 말해 놓고 "아, 오늘 사겠다는 게 아닌데⋯⋯. 좀 더 생각해 봐야겠어요."라고 말하기는 어려울 것이다. 왜냐하면 앞의 질문들에 대답함으로써 이미 사겠다고 말한 것이나 다름없기 때문이다.

그것은 마치 변호사가 "당신은 이제 아내를 구타하지 않습니까?"라고 묻는 것과 같다. 이 질문은 명확한 가정을 전제하고 있다("당신은 아내를 구타했습니까?"라고 물은 것이 아니다). 위의 질문에 대답하려면 피고인은 자신의 죄를 자동적으로 인정해야 한다.

거래를 진척시키는 좋은 습관 중의 하나는 자주 "그렇지요?" 하고 묻는 것이다. 예를 들어 "고객님, 정말 멋있는 차지요. 그렇죠?" "정말 환상적인 부엌이에요. 그렇지요?" "이 밍크 코트 입어 보니까 어떠세요? 굉장히 따뜻하죠, 그렇죠?" "값어치가 있어 보이지 않습니까, 그렇죠?" 이렇게 '예'라고 대답할 만한 질문을 던져 고객의 동의를 이끌어 낸다.

특히 두 사람 이상을 상대로 세일즈를 할 때는 '예'라는 대답을 유도하는 질문이 아주 효과적이다. 예를 들어 한 쌍의 부부가 대여섯 명의 어린 자녀들을 데리고 함께 차를 구입하러 왔을 때 나는 부인에게 이렇게 말한다.

"부인 가족에게는 원격 문 잠금장치가 있는 것이 좋겠지요?"

그러면 십중팔구 그렇다고 대답한다. 나는 바로 이어서 이렇게 말한다.

"그리고 반드시 4도어라야 하겠지요?"

대가족의 특성상 4도어 모델을 생각하는 건 당연했다.

"네, 맞아요. 4도어라야 해요." 하고 부인은 대답한다.

이런 식으로 몇 마디를 주고받는 동안, 남편은 아내가 내 말에 계속 동의했기 때문에 그녀가 차를 사고 싶어 한다고 믿게 되고, 차 구매는 기정사실화된다. 이렇게 해서 계약을 할 때가 되었을 때 남편은 굳이 아내의 동의를 구할 필요가 없어진다. 이때 나는 남편에게 '예'를 유도하는 질문을 던진다. 그러면 그들은 둘 다 상대방이 차를 사고 싶어 한다고 생각하게 되고, 내가 주문서를 내밀 때 가족의 합의를 일일이 구할 필요가 없다.

이 방법은 두 사람이 함께 사러 왔을 때나 한 무리의 회사원들에게 세일즈할 때 효과가 있다. 이때 판매 프레젠테이션의 포인트는 그 중에서 우두머리인 듯한 사람을 겨냥해서 그에게서 '예'라는 대답을 이끌어 내는 것이다. 그러면 다른 사람들은 자연히 따라오게 마련이다. 물론 이럴 경우 누가 통솔자인지를 잘 파악해야 한다. 보통 그 사람만 설득하면 계약은 성사된 것이나 마찬가지다.

고객이 제품이나 서비스를 미리 체험하게 하라

자동차 업계에서는 고객이 직접 차를 몰아 보게 한다(나는 질문을 하기 위해 항상 같이 탄다). 그들은 핸들을 잡으면 마치 차 주인이 된 듯한 느낌을 갖는다. 그 점이 바로 내가 노리는 것이다. 나는 그들이 우리 제품을 소유하는 데 익숙해지기를 바란다. 일단 소유했다는 느낌을 갖게 되면 계약 성사는 시간 문제이기 때문이다.

예를 들어 뛰어난 보석 판매원은 여성 고객의 손가락에 다이아몬드 반지를 끼워 주고는 반응을 살핀다. 그녀가 반지를 좋아하는 반응을 보이면 판매가 될 것으로 간주하고 다음과 같이 말한다.

"사이즈가 너무 크군요. 손님한테 꼭 맞춰 드리죠. 성함의 첫 글자가 어떻게 되나요? 반지 안쪽에다 새겨 넣어 드릴게요."

마찬가지로 뛰어난 의류 판매원은 고객이 진열대에 걸려 있는 옷을 맘에 들어 하면 그것을 내려서 입어 보도록 권한다.

"탈의실은 저쪽입니다. 가서 입어 보세요."

그리고 고객이 탈의실에서 나오자마자 거울 앞으로 데려간다.

"색상이 참 잘 어울리시네요."

고객에게 거울에 비친 자기 모습을 감상할 시간을 주고 나서 판매원이 말한다.

"재단사에게 좀 봐달라고 하지요."

고객이 고개를 끄덕이면 판매는 성사된 것이나 다름없다. 기다렸다는 듯이 재단사가 나타나 줄자로 치수를 잰다.

"어깨는 딱 맞네요. 하지만 등쪽은 조금 줄여야겠는데요."

그러고는 수선을 하기 위해서 초크로 표시를 한다.

"소매도 약간 길군요." 재단사는 중얼거리듯이 말한다.

"와이셔츠 소매가 약간 보이게 할까요?" 그러면 고객은 수긍의 뜻으로 고개를 끄덕인다.

"좋습니다. 이 치수대로 수선을 해드리지요."

"바지 길이도 좀 줄여야겠군요." 그렇게 말하고 바지에도 초크 표시를 한다.

판매원은 고객이 "이 옷이 마음에 들어요. 이걸로 사겠어요."라고 말할 때까지 기다리지 않는다는 것에 주목하라. 고객이 거절하지 않고 판매원의 말에 따르는 것을 옷을 사겠다는 의사 표시로 받아들인다. 판매원이 수선할 위치까지 표시했는데 "아, 이 옷을 사겠다고 한 건 아닌데요. 나는 그저 구경한 것뿐이에요!" 하고 말하기는 쉽지 않을 것이다.

언젠가 한번은 스키를 타러 갈까 하는 생각에 막연히 스키용품

점에 들어갔던 적이 있었다. 그런데 그들은 내가 생각해 볼 겨를도 없이 스키 신발을 신어 보게 했다. 그 다음엔 경스키를 고르러 다른 코너로 이끌었고, 그러고는 새로 산 스키화가 꼭 죄게 하기 위해 바인더를 구입하라고 졸랐다.

"이젠 스키복이 있어야겠군요. 고글과 폴만 있으면 완벽하네요."

나는 마치 올림픽에라도 출전하는 사람 같았다. 그 친구들은 정말 수완이 좋았다.

내가 아는 가게 중에서 수완이 뛰어난 곳 중에 하나는 클리블랜드의 베이비랜드 양배추 인형의 집이다. 그 가게는 고객이 직접 가져 보게 하는 방법을 가장 멋지게 활용할 줄 아는 곳이다. 설립자인 자비에르 로버츠는 나중에는 대량 판매를 했지만 처음에는 사람들에게 헝겊 인형을 양자로 맞아들이게 하는 기발한 방법으로 인형 한 개당 20달러에 팔았다. 사람들은 아기 인형을 마치 양자처럼 맞아들였던 것이다. 소박한 분만실처럼 꾸며진 월세 250달러짜리 목조 가옥에서 로버츠의 스태프들은 마치 진짜 의사나 간호사들처럼 흰 가운을 입고 일했다. 고객들이 인형을 사는 게 아니라 아기를 입양하는 느낌이 들도록 분위기를 꾸몄던 것이다. 만일 어떤 고객이 인형이라는 말을 쓰면 직원들은 얼른 이렇게 정정해 주었다.

"이 아이들은 인형이라고 말하면 싫어해요!"

게다가 그 인형들은 구입하는 것이 아니라 출생증명서와 함께 양자 결연을 맺는다. 당연히 그 인형들에겐 값을 매길 수 없고, 단지 양자 채택료가 있을 뿐이었다.

양자 결연실에서는 한 무리의 사람들이 오른손을 들고 아이를 양자로 맞아들이겠다는 서약을 한다. 어떤 고객은 눈물까지 글썽이며 기뻐한다고 한다. 인형을 안아 보고 씩 웃으면서 "아들이야." 또는 "딸이야."라고 말하며 자랑스러워 하는 아버지를 보는 것은 아주 흔한 일이다.

그곳에 근무하는 보조 간호사의 말이다.

"어떤 사람들은 잔뜩 의심을 품고 옵니다. 그러나 금세 이곳 분위기에 동화되지요. 때로는 어떤 아이를 특별히 맘에 들어 하기도 해요. 붉은 고수머리에 주근깨가 있는 아이가 자기 남편을 꼭 닮았다는 거예요. 그러면 그때까지 무관심했던 남편도 흥미를 가지고 아내를 닮은 푸른 눈에 보조개가 있는 아이를 찾기 시작해요. 그들은 어느새 두 아이의 자랑스러운 부모가 되어 걸어 나가죠."

"사람들이 새로 양자로 맞아들인 아이들을 데리고 가는 모습은 아주 흥미롭습니다." 젊은 인턴사원의 말이다.

"두 번째 방문한 고객들도 마치 직접 낳은 첫아이를 안고 가는 것처럼 행동합니다. 그들의 눈에는 사랑이 충만해 있지요. 심지어 도마(예수의 열두 제자 중 한 명으로, 처음에는 의심이 많은 인물이었으나 예수의 부활을 보고 확실한 믿음을 갖게 됨—역자주)처럼 의심 많은 남편들까지도 달라집니다."

가게를 온통 환상의 섬으로 만들어 놓고 모든 판매원들이 그러한 분위기를 연출함으로써 베이비랜드는 고객이 직접 체험할 수 있는 기회를 마련했던 것이다. 그렇게 하여 양배추 인형들은 날개 돋친 듯 팔려 나갔다. 유례를 찾아 보기 힘든 히트 상품이었다.

하지만 이 같은 고객 체험 방법이 어려워 보이는 분야도 있다.

가령 부동산 중개인은 이렇게 말한다.

"허허벌판인 땅을 팔 때는 고객이 피부로 느끼게 하기가 어려워요."

나는 그 말에 동의하지 않는다. 인간의 상상력에 호소한다면 주인이 된 모습을 꿈꿔 보게 하는 것도 얼마든지 가능하다. 예를 들어 주택지를 소개하는 부동산 중개인이라면 이렇게 말할 수 있다.

"거실은 우리가 서 있는 바로 여기쯤이 되겠지요. 여기 소파에 앉아서 밖을 내다본다고 생각해 보세요. 경치가 얼마나 멋있겠습니까. 그리고 수영장은 저 남쪽에다 만들고요. 그러면 마음껏 햇볕도 즐길 수 있을 겁니다."

보험 설계사라면 고객에게 연금보험에 가입하면 노후를 얼마나 풍요롭게 보낼 수 있는가를 생생하게 그려 준다. 연금보험이 어떻게 미래를 보장해 주는가를 안내함으로써 그에게 멋진 삶을 파는 것이다. 그는 고객에게 플로리다의 저택에서 나오면서 아내에게 키스를 하고 친구와 골프 치러 가는 모습을 상상하게 한다. 아니면 가난하고 쓸쓸한 노년을 상기시킴으로써 부정적인 미래의 모습을 그려 보게 한다. 보험에 가입하지 않았을 때 닥칠 수 있는 일을 보여 줌으로써 그런 상황에 처해 보게 하는 것이다.

"식료품 인상으로 수백만 명의 노인들이 목숨을 부지하기 위해 개 사료를 먹고 있습니다. 그리고 당신이 은퇴하기 전에 연금이 고갈될 거라고 추측하는 사람도 있어요."

위의 예들에서 고객은 상상을 통해 직접 체험하게 된다. 고객에게 상상의 그림을 그려 보도록 하라. 그러면 고객은 자동차 시승 때처럼 구매 후의 자기 모습을 피부로 느끼게 될 것이다.

때로는 무반응이 긍정의 표시다

내가 생각하기에 판매로 간주하는 데 진짜 뛰어난 사람들은 고객이 사지 않겠다고 말하기 전에 실제로 그것을 가져 보게 하는 사람들이다. 예를 들어 자동차를 빌릴 때 보험에 들기 싫으면 신청서에 서명을 하라고 말한다. 그들은 고객이 이렇게 생각하기를 바란다. '서명하면 안 되겠군. 서명을 했다가 사고가 날지 어떻게 알아!' 또 월례 독서회원이나 월례 레코드 회원, 월례 과일 동호인 클럽에 가입할 경우 그들은 원치 않는 달에는 통지를 하도록 주문받는다. 정기 구독을 중단하고 싶을 때는 서면 통지를 요구하는 잡지사는 또어떤가? 이들 모두 그만두기 어렵게 만드는 장치다. 이러한 절차를 매우 번거로워 하는 대부분의 사람들은 편한 쪽을 택하고 만다.

아무 의사 표시도 하지 않는 고객은 자동적으로 물건을 사게 되는 것이다. 또 보험회사는 계약 기간이 만료될 경우 계약을 갱신하는 것으로 간주하고 고객에게 계약 통지서를 보낸다. 보험회사에서 보험을 1년 더 연장할 것인지 의사를 물어 온 적이 있는가? 그들은 일단 고객 명단에 오른 사람을 평생 고객으로 간주하고 죽는 날까지 계속 보험료 청구서를 발송한다. 보험회사는 이런 방식으로 일을 하고, 고객은 무슨 일이 일어나는지 전혀 깨닫지 못한다.

열흘 동안의 무료 제품 사용을 제공하는 회사 역시 같은 수법을 쓴다. 그들은 사람들이 게을러서 구입한 물건을 반송하지 않으리라는 것을 알고 있다(수취인이 운임료까지 부담하는 것은 물론이다). 어떤 물건은 상자를 조각조각 찢지 않고는 꺼낼 수 없도록 만든다. 결국 물건을 돌려보내려면 다른 상자를 구해야 하는데, 그것은 대개 특이하게 생긴 상자라서 구하기도 어렵다. 그래서 다시 한 번 그들은 편한 쪽을 택하도록, 즉 아무런 의사 표시도 하지 않도록 유도되고, 그들은 반품하지 않았다는 이유로 무슨무슨 신제품의 자랑스러운 소유자가 되는 것이다.

판매 간주에 실패할 수 있는 표현

판매로 간주하려면 말 한마디도 잘 사용해야 한다. 어떤 말은 판매로 간주되지만 어떤 말은 실패를 유도할 수 있다. '……하시면' 대신 '……하셨으니'라는 말을 쓰는 것이 좋다. 예를 들어 '이 자동차를 사시면'이 아니라 "이 자동차를 사셨으니, 보장합니다만 이 차를 굉장히 좋아하시게 될 겁니다."라고 말하라. '……하시면'이라고 말할 때 고객은 마음속으로 이렇게 반응하게 된다. '그래, 나는 살 수도 있고 안 살 수도 있어.'

또한 1인칭 복수 대명사 '우리'와 '합시다'라는 말을 쓰는 것이 훨씬 효과적이다. 예를 들어 "우리는 이 가격에 2천 주를 사야 됩니다. 그러니까 20달러에 5천 주를 신청합시다." 이런 식으로 말하면 고객은 혼자 어떤 결정을 내려야 하는 부담감에서 벗어날 수 있다.

사람들은 다른 사람과 함께 결정을 하게 되면 심리적으로 더 편안하게 받아들인다. 왜냐하면 그 결정이 잘못된 것으로 판명 나더라도 자기 혼자 책임을 져야 한다는 부담감이 없기 때문이다.

재주문으로 이끄는 판매 간주하기

한 번 만족스러운 거래를 한 고객과는 다음 거래도 대체로 즐거운 법이다. 두 번째는 훨씬 수월하기 때문이다. 그렇다고 이것을 당연한 일로 여겨서는 안 된다. 이런 경우일수록 어떻게 해야 재계약을 맺을 수 있는가에 골몰해야 한다.

이미 당신의 물건이나 서비스를 이용한 적이 있는 고객에게 판매를 할 때는, 그들이 당신 물건의 가치를 잘 알고 있기 때문에 당연히 당신의 물건을 다시 살 것이라고 간주하게 마련이다. 이것은 논리적이고 지적인 가정이다.

당신의 물건에 만족하는 고객을 재차 방문할 때는 선수를 치고 들어가는 것이 좋다. 예를 들어 당신이 드레스 셔츠 회사의 영업자라면 고객인 남성복 가게의 재고 목록을 파악해서 이렇게 말하는 것이다.

"흰색 셔츠가 라지 사이즈로 한 다스, 중간 사이즈 반 다스, 스몰 사이즈 네 벌이 필요하시죠? 그리고 파란색은……"

여기서 당신은 "판매분만큼 더 주문하시지 않겠습니까?"라고 물어서는 안 된다.

마찬가지로 증권 중개인은 이렇게 말한다.

"아주 좋은 기회입니다. A사 주식을 40달러에 2천 주 팔고, 그 수익으로 B사 주식을 8천 주 매수할 수 있는 좋은 기회예요."

이때 역시 "A사 주를 파시겠습니까?"라거나 "B사 주를 8천 주 사시겠습니까?"라고 묻지 않는다는 것에 주목하기 바란다.

모든 거래를 판매가 될 것이라고 간주해야 하지만 현재 장부에 올라 있는 사람이 언제까지고 당신의 고객이 되리라고 안심해서는 안 된다. 당신이 그들을 소유하는 것은 아니기 때문이다. 다른 세일 즈맨도 당신과 똑같이 그들에게 제의할 가능성은 언제나 있다. 일단 한 고객과 인연을 맺었다면 계속해서 그에게 더 나은 서비스를 제공하라. 당신에게 만족한 고객이 항상 당신에게로 돌아오도록 하기 위해서는 사후 고객 서비스를 잘 해야 한다.

고객에게 판매가 된 것처럼 행동하라

• **판매가 된 것처럼 말하고 행동하라**

유능한 세일즈맨이라면 고객이 구매 의사를 결정하지 못했을 때, 아직 사겠다고 말하지 않았더라도 판매가 된 것처럼 여기고 고객을 응대해야 한다. 그러면 고객은 자기도 모르는 사이에 제품을 사게 된다.

• **'아니오'라는 대답이 나오지 않게 질문하라**

고객이 '예'라고 대답할 것이 확실하지 않다면 '아니오'라는 대답이 나오지 않도록 선택형의 질문을 해야 한다. "결제는 현금과 카드 중 어떤 것으로 하시겠습니까?"와 같이 이것이냐 저것이냐를 물으면 고객의 동의를 끌어내기가 쉬워진다.

• **제품이나 서비스를 고객이 체험할 수 있게 하라**

자동차나 옷처럼 유형의 상품은 고객이 미리 체험해 볼 수 있게 하면 판매 성사가 쉬워진다. 보험처럼 미리 체험하기 힘든 상품은 고객이 상상을 통해 미리 체험할 수 있도록 가입 시 누리게 될 미래의 모습을 생생하게 그려 준다.

• **고객이 구매 결정에 대해 부담감을 느끼지 않게 하라**

고객에게 말할 때 주어로 '우리'를 사용하고, 어미를 '합시다'로 하면 구매 결정에 따른 고객의 심리적 불안감을 줄일 수 있다. 그러면 결정이 잘못된 것으로 판명 나더라도 혼자 책임을 져야 한다는 부담이 없어진다.

4

고객의 구매 의사를
재빨리 읽어라

고객의 사소한 표정이나 몸짓만으로 지금 물건을 살지 안 살지를 알아차릴 수 있을까? 사람들은 조 지라드는 판매 1위의 세일즈맨이니까 이런 걸 기가 막히게 알아차릴 거라고 생각한다. 하지만 나는 어설픈 심리학을 적용한다면 오히려 낭패 보기 십상이라고 생각한다. 고객의 마음을 읽는 것은 타고난 감각이 아니라 세일즈 경험을 통해 습득해야 할 기술이다.

미리 말하지만, 구매 기미를 읽는 방법에서 나와 여러분은 생각이 다를지도 모른다. 사람들은 내가 판매 성사를 보장해 주는 무슨 요술 주머니라도 차고 있는 줄로 생각하겠지만, 그렇지 않다. 더욱이 나는 어설픈 심리학을 적용하는 것은 마치 살얼음판 위를 걷는 것과 같다고 생각하는 사람이다.

구매의 기미 같은 것은 없다고 말하는 게 아니다. 물론 있다. 가령 음식을 만들어 팔고 있는데 손님이 군침을 흘린다면 그가 사먹고 싶다는 기미로 보지 않을 사람이 누가 있겠는가. 그러나 그러한 기미가 명백할 때도 그것을 해석하는 것은 미묘하고 어려운 일이다.

그래서 그 기미를 읽는 것을 둘러싸고 수많은 해석이 존재하며, 때론 오해도 불러일으킨다. 어설프게 심리학을 적용하려 들었다간 사람을 제대로 읽어 내기보다는 헛짚는 경우가 생기기 쉽다. 요컨대 우리는 정확한 과학을 다루고 있는 게 아니다.

조 지라드 세일즈 불변의 법칙 12

많은 세일즈맨들이 잘못 알고 있는 정보 중의 하나가 구매의 기미를 읽는 재주는 타고나는 것이지 배워서 아는 게 아니라는 믿음이다. 솔직히 말해서 사람을 읽는 재주를 타고난다는 얘기는 내게는 허풍으로 들린다. 더러 어떤 사람은 그림을 그리는 재주나 작곡을 하거나 야구공을 던지는 재주를 타고나기도 한다. 그러나 치과의사가 되거나 법률가나 정치가가 될 재주를 타고나는 사람은 없는 것처럼 구매의 기미를 읽는 감각을 타고나는 사람은 없다. 구매의 기미를 읽는 것은 하나의 습득된 기술이다.

고객의 반응을 넘겨짚지 마라

파리에서 마드리드로 가는 열차 안에서 있었던 일이다. 한 객차에 네 명의 승객이 타고 있었다. 젊고 아리따운 아가씨와 그녀의 일행인 나이 지긋한 할머니, 그리고 나이 들고 품위 있는 장군과 그를 수행하는 젊고 잘생긴 소위, 이렇게 넷이었다. 열차가 프랑스와 스페인의 경계에 뻗어 있는 피레네 산맥의 한 터널로 들어섰을 때였다. 깜깜한 어둠 속에서 갑자기 쪽 하는 키스 소리가 울리더니 뒤이어 철썩 하고 따귀 때리는 소리가 크게 났다. 열차가 터널을 빠져나왔을 때 네 사람은 아무 일도 없었다는 듯이 조용히 앉아 있었다.

젊은 아가씨는 속으로 이렇게 생각했다. '저 잘생긴 소위가 해준 키스는 정말 멋졌어. 하지만 할머니가 그를 때렸으니 다음 터널에선 아무 행동도 하지 못할 거야. 쳇, 할머니는 도대체 왜 그러신담?'

반면 할머니는 이렇게 생각했다. '저런 못된 녀석 같으니라구! 저 녀석이 감히 우리 손녀딸한테 키스를 하다니. 하지만 내가 교육을 잘 시켰지. 손녀딸이 냅다 한 대 갈겨 주었잖아. 손녀딸이 자랑스러워. 그러니 다음 터널에선 손도 대지 못할 거야.'

한편 장군은 속으로 생각했다. '참을 수가 없군. 부관은 최고의 사관학교를 나왔고 내가 직접 뽑았는데 말야. 정규 과정까지 다 거친 엘리트가 저런 무례한 짓을 하다니. 그런데 저 아가씨는 내가 키스한 줄 알았던 모양이야. 그랬으니 날 때렸겠지. 암튼 돌아가면 혼 좀 내주어야지.'

그리고 젊은 소위는 이렇게 생각했다. '좋았어, 아주 멋졌어. 예쁜 아가씨한테 키스도 하고 상관의 따귀도 때리는 게 어디 흔한 일이야?'

위의 이야기가 시사하는 것은 사람들은 하나의 사실을 놓고도 서로 다른 결론에 이를 수 있다는 점이다. 언젠가 이런 일이 있었다. 한 신출내기 세일즈맨이 나에게 와서 부탁하기를, 자신이 고객에게 프레젠테이션을 해볼 테니 보고 뭐가 잘못됐는지 얘기해 달라는 것이었다. 그는 아주 심각한 슬럼프에 빠져 있었고, 그래서 나는 그를 도와주기로 했다. 대신 지켜보기만 하고 그가 거래를 하는 동안에는 한 마디도 거들지 않기로 했다. 약속대로 나는 그가 프레젠테이션을 하는 동안 내내 조용히 관찰자가 되었다. 그런데 그가 자동차 가격을 말할 때가 되자 고객은 전자계산기를 꺼내서는 수첩에다 숫자들을 적어 넣기 시작했다. 그러자 세일즈맨은 당황하고 머뭇거리기 시작했다. 그는 갑자기 완곡하게 말하기 시작했고, 그래서 결국 거래를 망쳐 버리고 말았다. 고객이 영업소를 나간 뒤 그는 내게 이렇게 말했다.

"보셨죠?"

"뭘 말인가?"

"그가 계산기를 꺼내서 어떻게 했는지 말입니다. 그 작자는 자동차를 살 마음이 조금도 없었어요. 그저 둘러보러 왔을 뿐이라구요. 장담하건대, 그는 시내에 있는 자동차 영업소란 영업소는 다 둘러볼 겁니다. 난 그렇게 둘러보는 사람하고는 일이 영 잘되지가 않아요."

"당연하지."

나는 전자계산기로 계산하는 고객의 행동을 보고 내릴 수 있는 해석은 아마 수십 가지는 될 거라고 말했다. 솔직히 나라면 이렇게 해석했을 것이다. 그는 분명히 관심을 갖고 있는 것이라고. 그렇지 않고서야 군이 애를 써가면서 숫자를 적어 넣을 이유가 있겠는가 말이다. 내가 보기에 그것은 긍정적인 기미이지 부정적인 기미가 아니다. 그러니 행간을 읽는 데도 주의하기 바란다. 사려는 기미뿐만 아니라 사지 않으려는 기미로 보이는 것에 대해서도 잘못 대처할 수 있다.

서점에 가보면 보디랭귀지 및 그와 관련된 문제들을 다룬 책들이 많이 나와 있다. 어떤 사람이 팔짱을 끼고 있거나 다리를 꼬고 있거나 턱수염을 쓰다듬는 행위들이 무엇을 의미하는지 알려주면서 거기에 따라서 어떻게 대응할지를 조언해 준다. 그러나 나는 솔직히 그렇게 똑똑한 사람은 못 된다. 나는 행동이나 얼굴 표정은 판매 프레젠테이션과는 아무 관계가 없다고 생각하는 사람이다. 그리고 지나치게 몸짓이나 행동의 의미를 읽으려 들면 엉뚱한 결론에 도달하는 경우도 흔하다. 고객들은 단지 코가 가려워서 긁적거리고, 편하기 때문에 다리를 꼬고 앉을 수도 있는 것이다.

소위 전문가들은 말로는 사람들을 속일 수 있어도 감정은 몸짓이나 얼굴의 실룩거림 따위로 모두 드러나기 때문에 결코 속일 수 없다고 주장한다. 정말 그렇게 표시가 날 수도 있다. 그러나 훈련받은 사람들이 아닌 한 고객의 마음속에서 어떤 일이 일어나고 있는지를 명확하게 읽어 내기는 어렵다.

예를 들어 연사들은 강연을 할 때 청중들에게 끊임없이 이렇게 말한다. 입이 마른다거나, 이마에 땀방울이 맺힌다거나, 손을 떤다거나, 발을 신경질적으로 질질 끈다거나, 눈을 씰룩거린다거나, 말을 더듬는다거나, 어조가 갑자기 달라진다거나, 손가락으로 어디를 툭툭 두드린다거나, 눈썹을 치켜 올린다거나, 귀를 잡아당긴다거나, 집게손가락을 관자놀이에 갖다 댄다거나, 안경을 닦는다거나, 이리저리 왔다갔다 한다거나, 주머니의 동전을 짤랑거린다거나, 손톱을 물어뜯는다거나, 갑자기 신경질적으로 기침을 한다거나 하는 등의 행동을 잘 관찰하라고 말이다. 당신도 알다시피 나는 이런 행동들이 바로 뚜렷한 기미들이며, 이에 근거해서 계약을 추진하라고 말할 수 있을 만큼 똑똑한 사람은 아니다. 게다가 어떤 행동들은 그저 우연히 판매 프레젠테이션을 하는 동안에 일어날 수도 있다.

그렇다고 몸짓으로 하는 표현을 전부 무시해도 좋다는 얘기는 아니다. 때로는 지나칠 수 없을 만큼 뚜렷할 때도 있다. 가령 고객이 당신이 하는 말에 귀를 기울이지 않고 실내를 두리번거린다면, 그것은 당신이 고객의 관심을 놓쳐 버렸다는 증거다. 그리고 고객이 계속 하품을 해댄다면 그를 지루하게 했음이 분명하다. 이럴 경우 뭔가 프레젠테이션에 변화를 주어 그의 주의를 붙들어 매지 못하면 계약에 실패하리라는 것을 아는 데는 굳이 심리학 학위까지 필요하지는 않을 것이다.

앞서 2장에서 말했던 것처럼 고객과 얘기할 때는 눈을 똑바로 마주보고 하는 것이 중요하다. 고객은 그것을 정직함의 표시라고 생각하기 때문이다. 제대로 마주보지 못하고 사람의 시선을 피하는 세일즈맨은 왠지 미덥지 않고 부정직하게 보인다. 거꾸로 고객이 당신과 시선을 맞추지 않는다고 해서 프레젠테이션이 잘되지 않는 것이라고 속단해서는 안 된다. 정직한 사람인데도 상대방의 눈을 똑바로 쳐다보지 못하는 경우도 있기 때문이다. 물론 거기에는 이유가 있다. 너무 수줍어서 그런 경우도 있고, 어떤 문화에서는 윗사람을 똑바로 쳐다보는 것을 불손하게 여기기 때문인 경우도 있다. 따라서 고객의 반응을 공연히 넘겨짚어서는 안 된다.

고객을 유형화하면 편견이 생긴다

어떤 사람들은 구매의 기미를 잘못 읽는가 하면, 어떤 사람들은 고객을 전형적인 타입으로 유형화하는 어리석음을 범한다. 인종에 대한 잘못된 편견은 너무나 흔한 일이어서 재론할 여지조차 없다. 고정된 편견을 가지고 대했다가는 난처한 지경에 빠질 뿐이다. 어떤 고객이 당신의 물건을 필요로 하고 또 돈도 가지고 있다면, 조상이 어디서 왔든 피부가 어떤 색이든 종교가 무엇이든 무슨 상관이란 말인가. 당신에게 그런 것이 문제가 된다면, 당신은 세일즈에서 비싼 대가를 치러야 한다.

어떤 세일즈맨들은 고객들을 직업에 따라 유형화하기도 한다. 가령 이런 식이다.

- **회계사** : 의심이 많고 보수적. 오직 상품의 경제성만 따짐.
- **치과의사** : 심사숙고형이며 충동구매는 하지 않는 유형. 엄격하게 사실만을 보고 구매한다.
- **엔지니어** : 조직적이고 논리적인 계산에 따라 결정을 내린다. 숫자에 관심이 많고, 동기를 유발하기가 매우 어려움.
- **농부** : 보수적인 개인주의자. 뭔가를 판매하려면 그들의 독립적인 정신에 호소할 것. 일반적으로 호탕하고 이해심 많음.
- **사업가** : 열린 마음의 진취적인 사고가. 구매 결정도 빠르게 내린다. 세일즈맨들은 열성적으로 프레젠테이션을 해서 그들의 자아를 충족시켜 줘야 함.
- **회사 임원** : 자기 동기에 의해 움직이지만 안내를 해줄 필요가 있음. 리더십이 부족한 경우가 종종 있기 때문이다. 세일즈맨들은 그들의 자아를 이용해야 함.
- **법률가** : 모든 문제에 전문가가 되려고 하는 경향이 강함. 행동

으로 옮기는 데 시간이 걸리고 자아가 강하며 스스로 통제하기를 좋아한다.

- **의사** : 중심 인물이 되어 사람들이 자기를 떠받들어 모시기를 바라는 경향이 있음. 심사숙고형이며, 타인의 권유를 받아들이기 싫어함.
- **세일즈맨** : 긍정적 사고가이며 열성적. 끈질기게 권유하면 산다.
- **기술자** : 방향을 잡아 주어야 산다. 세일즈맨이 판매 프레젠테이션을 잘 조절하면 기분 좋게 대응할 것임.

이 같은 유형 분류는 세일즈맨들의 말과 책에 나오는 내용, 그리고 전문 연사들의 말들을 취합한 것이다. 그러나 이 문제에 관한 한 나의 원칙은 고객을 절대로 유형화하지 말라는 것이다. 만일 그런 사람이 있다면 그에게 묻겠다. 유태계 이탈리아인 흑인 치과의사인데다 애연가라면 어떻게 다루는 게 좋은지 전문적인 견해를 듣고 싶다고.

구매 습관을 알 수 있는 증거에 주목하라

나는 표정이나 몸짓언어 같은 것의 의미에 대해서는 그다지 신경 쓰지 않지만 확실하고 물질적인 증거들에는 관심을 기울인다. 사람들이 전에는 어떤 것을 구매했는지 관찰함으로써 그들의 구매 습관을 파악하는 것이다.

가령 어떤 고객이 화려한 옷차림에 값비싼 보석으로 치장을 했다면, 그녀는 아마 아무런 부품도 안 달린 보수적인 자동차보다는 좀 특별한 모델을 원할 것이다. 또 고객의 사무실이나 집을 방문했는데 여러 가지 장치들을 많이 해놓고 있다면, 대개는 부속품이 많이 달린 차를 원할 것이다. 벽에 걸린 그림 액자에서 책상에 놓인 사진까지 모든 것이 그 사람의 개성을 알려 주는 정보다. 예를 들어 오리지널 예술품을 갖고 있는 사람이라면, 고액이라 할지라도 좋은 투자라고 생각되는 것에는 기꺼이 투자할 것이다. 아내와 아이들과 함께 찍은 사진은 그가 가정적인 사람임을 말해 주며, 거기에서 그가 어떤 차를 선호할지 힌트를 얻을 수 있다. 반면 수수한 옷차림에다 사무실에도 특별한 장식을 해놓지 않았다면 아마 소박한 모델을 좋아할 것이다. 물론 이러한 것들은 모두 추측일 뿐이다.

어떤 사람들은 일류를 좋아하지만, 또 어떤 사람들은 경제적인 선택을 한다. 그것은 때로 그들의 호주머니 사정이 어떠한가에 달려 있기도 하지만, 때로는 어떤 생활방식을 좋아하느냐에 달려 있기도 하다. 이런 특징들을 잘 판단하지 못할 경우 어리석은 결과를 초래할 수도 있다. 내가 본 고객들 중에는 단돈 1달러도 없어 보였지만 매장에서 가장 비싼 모델을 사고 현금으로 지불한 경우도 종종 있었다. 이런 사례에서 알 수 있는 것은 고객을 단순하게 유형화하는 것은 위험천만하다는 점이다.

품목에 따라서는 고객을 방문하는 것이 훨씬 더 유리할 때도 있다. 고객의 환경을 직접 보지 않았더라면 알 수 없었을 여러 가지 정보들을 얻을 수 있기 때문이다.

나는 자동차 세일즈맨이었던 만큼 자연히 고객의 차에 관심이 많다. 어떤 사람은 다 낡아빠진 털털거리는 고물 차를 끌고 다니면서 집 차고에는 값비싼 모델을 갖고 있는 경우도 있다. 내가 관심을 갖는 것은 자동차가 어떤 모델이며 몇 년도 산인가보다 그 차의 상태가 어떠한가 하는 것이다. 예를 들어 타이어가 다 닳았고 유리창에 금이 갔으며 그 밖의 다른 것들도 불안전한 상태라면 그 고객은 아마도 어려운 시기를 겪고 있음에 틀림없다. 가정이 있는 사람이라면 더욱 그렇다. 웬만해서는 사랑하는 사람이 위험에 처할 수도 있는 상태를 보고도 넘어가지는 않았을 것이기 때문이다. 물론 꼭 자동차 업계에만 해당되는 것은 아니다. 무엇을 팔든 상관없이 여러분도 똑같이 이런 식으로 관찰할 수 있다.

만일 소매점을 대상으로 세일즈를 하는 사람이라면 판매 프레젠테이션을 하러 들어가기 전에 그 가게 앞에서 잠시 발을 멈추도록 한다. 남성복을 파는 세일즈맨이라면 그 가게에 진열되어 있는 양복이며 스포츠웨어들을 관찰해 본다. 그렇게 함으로써 어떤 사람들이 단골이며, 가격대는 어느 선이며, 어떤 스타일이 잘 팔리는지 판단할 수 있다. 예를 들어 복고풍 양복을 전문으로 취급하는 세일즈맨이라면 어떤 소매점에선 높은 영업 실적을 거둘 수 있지만, 최신 유행복 코너에선 형편없이 저조한 실적을 거둘 수도 있다. 운영을 잘하는 소매점일수록 개성이 강하다. 따라서 여러분이 파는 상품이 그 가게에 있는 다른 상품들과 조화를 이루는지 수시로 점검해 볼 필요가 있다.

또 한 가지 간과하기 쉬운 중요한 정보원은 바로 장부다. 소매점을 방문을 하기 전에 장부를 미리 보아두도록 한다. 그 가게에서 그동안 어떤 것들을 주문했는가를 알아 두면 어떤 상품을 추가로 더 살 것인지 미리 예측할 수 있다.

제품 체험 단계에서 고객의 마음을 읽어라

앞서 3장에서 말했던 것처럼 고객이 실제로 체험하게 하면 고객의 구매 기미를 훨씬 더 빨리 감지할 수 있다. 나의 경우 고객에게 차에 타보도록 하고서는 가만히 말없이 그의 반응을 지켜본다. 그리고 갖가지 구매의 기미를 읽어 낸다. 나는 고객이 운전을 즐기는 것을 보면서 그가 차를 소유하고 싶어 한다는 것을 알아 낸다. "조, 이 차를 사고 싶군요."라고 말하지 않아도 그의 마음이 훤히 들여다보인다. 혹 어떤 고객은 그런 반응을 보이지 않을 수도 있다. 그러면 다른 모델을 보여 주고 시험 운전해 보도록 한다. 때로는 내가 차에서 내린 뒤에도 고객은 그대로 앉아서 꿈꾸는 듯한 표정을 짓고 있다. 마치 차에서 내리고 싶지 않다는 듯이 말이다. 고객의 입장에서는 소유한 것으로 간주한다고나 할까.

마찬가지로 모피 코트 판매원은 고객이 모피를 입고 거울에 비친 자기 모습을 감탄에 차서 바라보는 것에서 구매의 기미를 읽을 수 있다. 한 판매원은 "어떤 여성은 한여름인데도 15분 동안이나 모피 코트를 입은 채 서 있어요."라고 말했다. 그들은 마치 패션쇼라도 하듯이 거울 앞에서 앞으로도 걸어보고 뒤로도 걸어보고 한다는 것이다. 그리고 모피털을 내내 쓰다듬으면서 벗어야 할 때는 아쉬운 표정이 역력하더란다. 이것이 바로 내가 말하는 강력한 구매의 기미라는 것이다.

주의를 기울이기만 하면, 고객이 그저 쳐다보기만 하는 것이 아니라 직접 소유해 보거나 입어 보는 것을 보고 구매의 기미를 쉽게 읽을 수가 있다. 당신이 보여 주는 물건의 버튼을 눌러 본다든가 만져 본다든가 자꾸 시험해 본다거나 한다면, 그들은 분명히 구매할 의사가 있다고 말하는 것이다. 앞에서 얘기했던 양배추 인형을 예로 들자면, 손님이 인형을 고르고 팔에 안고 흔들면서 "자, 아가야, 엄마를 보고 크게 트림해야지." 하고 말할 때면 거의 계약을 맺을 단계가 된 것이다.

보험처럼 손에 쥘 수 없는 불확실한 상품을 다룰 때는 제3자의 감동적이고 호소력 있는 이야기를 들려 주어 고객의 눈에 눈물이 맺히게 할 수 있다. 그 이야기가 고객의 마음을 움직였다면 구매의 기미로 보아도 되며, 계약을 맺겠다는 뚜렷한 의사 표시로 보아도 무방하다.

고객의 말에 귀 기울여라

판매 프레젠테이션이라 하면 보통 세일즈맨 혼자 말을 다하고 고객은 듣기만 하는 것으로 생각하기 쉽다. 그러나 정말 뛰어난 세일즈맨들은 잘 들을 줄 안다. 사실 효과적인 세일즈맨의 **태도란 쌍방의** 원활한 의사소통에 기초를 두고 있다. 물론 물건이나 서비스에 대해 설득력 있게 프레젠테이션을 하는 것도 중요하지만 판매를 성사시키는 데는 듣는 능력 또한 똑같이 중요하다. 프로 세일즈맨이라면 고객이 어떻게 생각하고 느끼는가를 잘 이해해야만 한다. 누군가가 말했듯이 신은 우리에게 두 개의 귀와 한 개의 입을 주었다. 말하는 것의 두 배를 들으라는 뜻에서 말이다.

무슨 이유에서인지 대부분의 세일즈맨들은 끊임없이 묻고 대답하는 과정에서 고객을 설득하는 것이 세일즈를 잘 하는 능력이라고 생각한다. 그들은 또한 대화가 끊기는 것을 판매 프레젠테이션에 구멍이 생기는 것이라고 여긴다. 그러나 그것은 터무니없는 생각이다. 적절한 시기에 깊이 생각해 볼 시간을 갖는 것, 혹은 잠깐의 침묵이 오히려 활력적인 판매 기법이 될 수 있다.

침묵을 불편하게 여길 이유가 없다. 쉬지 않고 끊임없이 이야기하는 것이 판매 프레젠테이션의 필수요소는 아니다. 나는 오히려 고객에게 생각할 시간을 주어 그의 견해를 말하게 해야 한다고 생각한다. 그렇지 않고서는 고객의 생각을 알 수 없을 뿐만 아니라 고객의 견해에는 관심이 없는 것으로 보여 상대방에게 무례한 느낌을 줄 수도 있기 때문이다.

무엇보다 중요한 것은 고객의 의견을 경청함으로써 고객이 어떤 것을 원하고 필요로 하는지를 결정할 수 있다는 것이다. 예를 들어 부동산 중개인에게 고객이 자기 아이가 사립학교에 등록했다고 말한다면, 더 이상 학군 문제는 신경을 쓰지 않아도 된다는 암시가 된다. 마찬가지로 "우린 바깥에서 생활하는 걸 즐기는 편은 아니에요."라고 말한다면, 중개인은 마당이 넓지 않은 집을 보여 주는 게 좋다.

증권 중개인은 고객의 말에 특히 더 귀를 기울여야 한다. 그들의 거래는 주로 전화를 통해 이루어지기 때문이다. 가령 고객이 상장회사의 배당실적에 대해 물어 온다면, 그가 상장주보다는 소득 투자에 더 관심이 있음을 눈치 챌 수 있을 것이다.

고객이 하는 말들은 분명히 뚜렷한 관심의 표시다. 다음과 같은 말들은 이제 계약을 할 때가 가까워졌음을 암시한다.

- 얼마나 빨리 배달될 수 있죠?
- 이것(컴퓨터나 감가상품)을 사면 몇 달이면 비용을 뺄까요?
- 할부로 하면 한 달에 얼마씩 내면 되죠?
- 우리 남편이 무척 좋아할 거예요.
- 이 단추를 누르면 어떻게 되는 거죠?
- 이건 어떻게 하는 겁니까?
- 이걸 산다면 지금 얼마를 내야 하는 거죠?
- 당신이라면 어떤 걸 추천하시겠어요?
- 이보다 비싼 건 이 모델과 뭐가 다르죠?
- 네, 좋습니다. 무슨 뜻인지 알겠습니다.
- 집으로 타고 가도 되겠죠?
- 이 옷 입고 가도 됩니까?
- 보상판매가 되는 품목인가요?

■아, 이 모양이 아주 마음에 들어요.

부끄러운 얘기지만 많은 세일즈맨들이 쓸데없이 수다 떠느라 이런 구매의 기미들을 듣지 못하고 흘려 버린다. 최고의 세일즈맨이 되려면 말하는 기술만큼이나 듣는 기술도 갖추어야 한다. 그런데도 잘 듣는 일은 세일즈 분야에서 가장 간과하기 쉬운 부분이다.

교과과정에 듣기 과목이 없는 것이 유감스러울 정도다. 내가 아는 한 듣기를 가르쳐 주는 학교는 없다. 학교에서는 다른 형태의 커뮤니케이션 방법, 즉 쓰기, 읽기, 말하기는 가르치면서 듣기는 가르쳐주지 않는다. 어쨌든 세일즈맨들이 듣기 기술을 계발한다면 큰 도움이 될 것이다.

프로 앞에선 프로가 되라

사는 것이 직업인 사람들도 있다. 중간 상인이나 회사의 자재 구매과 사람들이다. 이들은 본질적으로 특히 더 수지타산을 따진다. 하루 여덟 시간 내내 하는 일이 부품이나 자재, 또는 물건을 사는 일이니 만큼 그들에게 나타나는 구매의 기미는 다른 구매자들과는 아주 다르다.

당신이 초보자라면, 아마도 그들이 당신의 물건에 대해서 더 잘 알 것이다. 더욱이 그들은 세일즈맨들을 읽는 방법을 알고 있고, 당신이 그들을 읽는 방법까지 꿰뚫고 있다. 따라서 그들은 구매의 기미라고 비칠 만한 것들은 무조건 숨기려고 애쓸 것이다. 다시 말해 그들의 마음속에서 어떤 일이 일어나고 있는지를 당신에게 들키지 않으려고 한다. 가격이나 지급 조건을 협상할 때 약점이 될 수도 있기 때문이다. 이 바이어들은 자기의 감정을 숨기는 데 아주 뛰어나다. 따라서 냉담하게 행동하는 사람일수록 당신과 거래를 할 의사가 있는 경우가 많다. 그러나 다른 모든 구매의 기미가 그렇듯이 그저 단순히 모든 것에 대해서 냉담한 사람도 있기 때문에 여기에서도 잘못 읽을 수 있다.

판매 및 관리 훈련 컨설턴트인 마틴 셸드먼은 전문가와 비전문가의 차이를 설명하면서 비언어적인 의사소통에 대해 유익한 충고를 하고 있다. 그가 카지노를 컨설턴트해 본 경험에 따르면 프로 도박사와 전문적인 구매자 사이에는 분명히 유사성이 있다는 것이다.

"도박사들을 관찰해 보면 프로들은 어떤 표시를 찾습니다. 말하자면 세일즈맨이라면 구매의 기미를 찾는 것과 같은 이치죠. 그런데 아마추어 도박꾼은 일반적인 구매 고객처럼 자기가 신호를 보내고 있다는 사실조차 깨닫지 못합니다. 그러나 프로 도박사는 상대방의 얼굴에 홍조가 나타난다든지 눈빛이 밝아진다든가 또는 갑자기 게임의 흐름에 관심을 가진다든가 하는 표시를 재빨리 간파합니다. 형편없는 패를 쥐었을 때 아마추어 도박꾼은 지루해 하고 진력을 내지요. 그러나 이길 가능성이 있는 패를 쥐었을 때는 표정이 달라집니다. 그는 이런 식으로 질문을 던지기도 하지요. '얼마까지 걸 수 있는 거요?' 또는 '판돈이 얼마나 되지?' 판매와 관련시켜서 말하자면 '가계수표도 받습니까?'라거나 '배달비는 얼마입니까?'

라고 묻는 손님과 다를 바 없죠. 그러나 프로 도박사는 속내를 감출 줄 압니다. 때로는 정반대의 태도를 취하기도 하지요. 가령 좋은 패가 들면 지루해 하고 짜증을 내는 식이죠. 이제 다시 세일즈로 돌아가서 말해 봅시다. 프로 구매자들은 프로 도박사들처럼 자신들의 직업에 능수능란하다고 보면 됩니다. 따라서 어느 분야건 프로를 다룰 때는, 그들이 일반 고객들과는 다르다는 것을 명심해야 합니다. 그리고 이러한 차이를 감안해서 그들에게는 프레젠테이션을 달리 해야 합니다. 그러지 않으면 크게 낭패를 볼 테니까요."

고객과 함께 식사하라, 그리고 관찰하라

사람을 읽을 수 있는 가장 좋은 상황은 그들이 사회활동을 하고 있을 때다. 물론 여러분이 하는 일에 따라서 그런 종류의 관찰을 할 기회가 전혀 없을 수도 있다. 그러나 골프장이나 테니스 코트, 라켓볼 코트, 모임 같은 데서 고객을 만난다면 세일즈를 하는 데 도움이 될 만한 귀중한 단서를 얻을 수 있다.

예를 들어 한 부동산 중개인은 남녀 혼성 2인조 테니스 경기에서 고객 부부가 경기하는 것을 지켜보는 동안 그의 고객이 점수를 잃을 때마다 아내를 힐난하는 것을 보고, 그 고객이 경쟁심이 아주 강하고 지기 싫어한다는 것을 알았다고 한다. 그래서 나중에 그에게 쇼핑센터를 팔 때 그 점을 감안해서 집요하게 협상자(흥정꾼) 노릇을 했다. 또한 벌이가 확실하지 않으면 사지 않으리라는 것을 알고는 판매 프레젠테이션의 초점을 거기에 맞추어 계약을 따낼 수 있었다고 한다.

아침이나 점심 또는 저녁식사를 같이 하면서도 고객들에 대해서 많은 것을 알아 낼 수 있다. 언젠가 한 변호사가 내게 이런 이야기를 들려 주었다. 그는 큰 회사의 사장과 협상하기 전에 점심식사를 같이 하는 동안 그를 어떻게 다루면 좋을지에 대한 아주 귀중한 정보를 얻었다고 한다. 그 변호사의 설명이다.

"그 사장은 굉장히 뚱뚱했어요. 자기는 다이어트 중이라서 드레싱을 얹지 않은 샐러드와 물 한 잔만 마시겠다고 말하더군요. 주치의가 다이어트를 하도록 얼마나 경고했는지, 정말이지 족히 5분 동안은 떠들어 댔어요. 그리고 웨이터가 주문을 받으러 왔을 때, 나는 단지 그를 향해서 이렇게 말했을 뿐입니다. '이 집의 로스트비프를 먹을 생각을 하니 입에 군침이 도는군요. 시내에서는 이 집이 최고거든요.' 그러자 그는 메뉴를 한 번 더 훑어보더니 '정말 그렇게 맛있다면 나도 조금 먹어 볼까.' 하고 말하는 것이었습니다. 그러곤 디저트로 나와 똑같이 딸기 쇼트케이크를 주문하더군요.

그때 내가 든 생각은 '이렇게 쉽게 마음을 바꿀 수 있는 사람이라면 협상할 때도 마지막 선을 얼마나 확실하게 지킬까?' 하는 것이었습니다. 그는 다이어트 결심 하나도 굳게 지키지 못하는 사람이었으니까요. 이것은 거래에 대한 그의 태도를 말해 주는 것이라고 생각했지요. 결국 나는 그가 이게 마지막 선이라고 말한 다음에도 세 번이나 더 가격을 낮출 수 있었습니다."

자아가 강한 사람과 약한 사람

자아의 멋진 점은 누구나 다 가지고 있다는 것이다. 그리고 자아가 강할수록 읽기가 더 쉽다. 그러나 자아를 자기중심적인 것과 혼동해서는 안 된다. 자아가 강한 사람은 자기 자신을 높게 평가하는 반면에, 자기중심적인 사람은 자신의 열등감을 감추기 위해 오만하게 행동하는 일이 많다. 심리학자의 시각으로 말하려는 것은 아니지만 미리 알아 두면 자아가 강한 고객을 상대할 때 도움이 된다.

자아가 강한 사람일수록 자신을 신뢰하며 기꺼이 위험을 감수한다. 나는 이런 사람들과 거래하는 것을 좋아한다. 그들은 자신 있게 구매 결정을 내리기 때문이다. 반면에 자아가 약한 사람은 위험을 감수하기를 두려워한다. 그들은 값비싼 것을 살 때는 혹시나 실수를 할까 봐 두려워하며 머뭇거린다. 이런 사람들과 거래할 때는 판매과정을 조절할 필요가 있다. 이 문제에 대해서는 7장에서 자세히 다룰 것이다.

자동차 업계에서는 소유한 자동차를 보면 그 사람의 자아를 알 수 있다고 믿는 사람들이 있다. 예를 들어 자아가 강할수록 차가 크다는 식이다. 솔직히 이런 일반화는 내게는 너무 광범위하게 보인다. 나는 자아가 강하지만 소형차를 소유한 사람들을 아주 많이 보았으며, 그 반대의 경우도 마찬가지다. 그러나 어떤 사람들은 확실히 거물인 것처럼 행동하기를 좋아하며 이런 사람들이 딱정벌레 같은 폴크스바겐을 모는 일은 거의 없다. 이들은 값비싼 보석상이나 의류상, 부동산 중개인, 카지노 업소들이 두 팔을 벌려 대환영하는 사람들이다.

내 친한 친구 중에는 뛰어난 사업가들과 유명인사들의 책을 여러 권 대필해 준 사람이 있다. 그는 글 쓰는 재주만 뛰어난 것이 아니라 탁월한 세일즈맨이기도 하다. 그는 이렇게 말했다.

"나를 고용하는 사람들은 자아가 대단한 사람들이지. 그런데 어떤 사람들은 통상적인 액수보다 적은 돈을 주고 내가 글을 써주기를 바란다네. 그래서 이런 사람들과 일할 때는 로열티를 제대로 받기 위해 처음부터 세일즈에 적극 나서지.

가령, 그 사람에 대한 정보를 미리 알기 위해 그에 관해서라면 모조리 찾아서 읽어 보지. 그들에게는 내가 자기들의 삶에 대해서 많이 알고 있다는 것이 굉장한 아첨이 되거든. 그리고 말할 필요도 없이 이것으로 나는 높은 점수를 따지.

나를 파는 제일 좋은 방법은 아마도 그들이 무슨 말이든 하게 놔두는 것일세. 알다시피 자아가 강한 사람들은 자기 말을 잘 들어 주는 사람을 아주 좋아하거든. 그래서 나는 가만히 앉아서 그가 하는 말을 묵묵히 들어 주지. 잘 들어 줄 뿐만 아니라 한술 더 떠서 노트와 연필을 꺼내서는 그가 하는 말들을 받아 적는 거야. 그러면 그들은 굉장히 좋아한다네. 그들의 지혜를 기록하는 이런 행위는 그들의 자아에 엄청난 효과를 내거든. 그러면 내 작전은 에누리 없이 먹혀 들어가서 결국 내가 요구하는 로열티를 받게 된다네."

누군가의 말을 받아 적는 것은 그의 자아를 감동시키는 아주 탁월한 방법이다. 그리고 당신이 꼭 작가가 아니라고 해도 어떤 판매 프레젠테이션에서든 실제로 이 기법을 활용할 수 있다. 그것은 당신이 고객의 말에 관심을 갖고 있다는 것을 확실하게 보여 주기 때문이다. 다시 한 번 말하지만 잘 듣는 사람이 되라. 그리고 거기에 덧붙여서 때로는 받아 적는 사람이 되라.

그러나 주의할 점은 이 방법은 비공식적인 정보를 수집할 때만 써먹어야 한다는 것이다. 주문서에 써넣어야 할 정보들을 노트에 적으라는 뜻은 아니다. 이 점을 꼭 염두에 두기를 바란다. 둘의 차이는 아주 중요하기 때문이다.

고객의 구매 의사를 재빨리 읽어라

• 고객의 태도를 살피되 속단하지 마라

고객의 행동을 보고 구매 의사를 읽으려고 하는 것은 좋으나 자칫 엉뚱한 결론
에 도달할 수 있다. 단지 코가 가려워서 긁적거리고 손톱을 무는 버릇이 있는
지도 모른다. 단, 계속 하품을 한다면 프레젠테이션이 지루하다는 뜻이므로 주
의하라.

• 편견을 가지고 고객을 관찰하지 마라

직업이나 차림새만으로 고객을 유형화하는 것은 어리석은 행동이다. 이보다는
확실하고 물질적인 증거에 관심을 기울여라. 특히 고객의 집이나 사무실을 방
문하여 판매할 때 환경을 관찰하면 여러 가지 정보를 얻을 수 있다.

• 고객의 말에 귀 기울여라

프레젠테이션에만 신경 쓰느라 정작 고객이 살 의사를 비치는데도 읽지 못하는
세일즈맨들이 있다. "할부로 하면 한 달에 얼마씩 내면 되죠?" "이보다 비싼
건 이 모델과 어떻게 다른 거죠?"라고 묻는 고객에게는 구입 의사가 있다.

• 자아가 강한 사람일수록 설득하기 쉽다

자아가 강한 사람은 거래하는 것을 좋아한다. 그들은 자신을 신뢰하며 기꺼이
위험을 감수하기 때문에 자신 있게 구매 결정을 내린다. 그들이 얘기할 때는
그냥 묵묵히 들어 주고 가끔 메모를 하는 것도 좋은 방법이다.

거부반응은
관심으로 해석하라

모든 고객들이 세일즈 프레젠테이션이 채 끝나기도 전에 계약서에 서명을 하거나 지갑을 꺼낸다면 얼마나 좋겠는가? 하지만 이 일이 그렇게 쉬운 일이라면 세일즈맨에게 큰 수수료가 돌아올 리가 없다. 나는 고객의 거부반응은 곧 관심의 표시라고 생각한다. 자신이 왜 물건을 사야 하는지 알고 싶어 하는 것으로 해석한다. 나는 진지하게 관심을 기울이는 사람을 좋아하기 때문이다.

판매라는 항해는 언제나 순조로운 것만은 아니다. 많은 고객들을 다루다 보면 누구나 얼마간의 거부반응에 부딪치게 된다. 그러나 만일 그 거부반응들이 모두 사라진다면 세일즈맨들은 편안하게 주문이나 받는 사람으로 전락해 버릴 것이다. 앞에서도 언급한 바 있지만 그렇게 되면 커미션도 훨씬 적어질 것이고, 세일즈라는 일의 매력도 사라져 인기 없는 직업이 될 것이다. 그러니 고객의 거부반응을 오히려 고마워 해야 한다. 어쨌든 조그만 극장 매표소 창구 안에서 표를 팔아 부자가 된 사람은 보지 못했다.

그렇다고 매일 거부반응이 쏟아지는 것을 즐기라는 얘기는 아니다. 나 역시 그런 일은 조금도 즐겁지 않다. 그러나 몇 년 전에 나는 판매 분야에서 성공하려면 거부반응을 잘 다룰 줄 알아야 한다는 사실을 깨달았다. 그 후로는 거부반응에 활기차게 대응하게 되었다. 그것을 내 일의 한 부분으로 받아들인 것이다. 사실 여태까지 내가 거둔 판매 실적 중 80퍼센트는 적어도 한 번 이상 거부반응에 부딪친 이후에 계약을 성사시킨 것이다. 누가 나에게서 물건을 사고 싶지 않다는 반응을 보일 때마다 판매 시도를 그만두었다면 나는 벌써 오래 전에 이 업계를 떠났을 것이다.

거부반응의 빈도를 줄이는 한 가지 방법은 판매 프레젠테이션을 완벽하게 하는 것이다. 프레젠테이션이 완벽할수록 구매자는 여러분의 제의를 더 잘 이해할 것이고, 결과적으로 고객이 구매 결정을 내리는 데 도움이 될 것이다. 나는 전에 몇 번인가 다음 약속 시간을 맞추기 위해서 또는 누적된 피로로 심신이 지쳐서 프레젠테이션을 대충 한 적이 있었다. 그 이유야 어떻든 결과적으로 나는 많은 거부반응에 부딪쳐 더 자주 대답을 해주어야만 했고 시간은 더 걸렸다. 애초부터 완벽한 프레젠테이션을 했더라면 힘도 덜 들고 시간도 훨씬 절약했을 것이다.

또 어떤 종류의 거부반응들은 규칙적으로 나타나기 때문에 예상할 수가 있다. 어느 정도 숙달된 사람들은 아예 판매 프레젠테이션을 하면서 거부반응들을 예측하고 그것이 나타나기 전에 미리 대답을 해준다. 또는 잘 나타나진 않지만 갑자기 튀어나오는 거부반응들에 대해서는 평소 적절한 대답들을 미리 준비해 두었다가 대처할 수도 있다.

또 하나 알아 두어야 할 것은, 모든 거부반응에 대한 당신의 대답이 100퍼센트 만족스러울 수는 없다는 점이다. 모든 고객을 만족시키는 완벽한 제품이란 있을 수 없다는 사실을 받아들이면 좀 위안이 되지 않을까? 만약 당신이 배우자를 고르는 데 완벽한 사람을 고집한다거나 또는 당신의 배우자가 당신을 선택할 때 완벽한 사람이기를 원한다고 상상해 보라. 양쪽 모두 조금씩 결점을 갖고 있어도 서로 만족할 줄 알아야 한다. 그 외에 다른 면들은 특별히 더 매력적일 테니까. 이러한 생각은 당신의 삶 전반에 적용될 수 있다. 세상에는 완벽한 직업도, 완벽한 집도, 완벽한 투자도 없다. 어느 것도 완벽하지 않다. 삶은 타협으로 가득 차 있다. 사람들이 완벽한 것만을 고집한다면 아무것도 선택하지 못할 것이다.

이 점을 염두에 두고, 고객이 당신 물건을 마음에 들어 하지 않는다 하더라도 계약이 안 될 거라고 지레짐작하지는 마라. 어쨌든 당신의 경쟁 회사 제품도 완벽하지는 않을 것이다. 내가 판매한 자동차도 타사 제품들에 비해 모든 점에서 뛰어난 것은 아니었다. 하지만 나는 고객들에게 구매 의욕을 자극할 수 있을 만큼 좋은 특성을 갖춘 자동차면 충분했다.

거부반응은 관심의 표시다

내가 고객들의 거부반응은 곧 관심의 표시라고 말하면, 어떤 사람들은 이해할 수 없다는 표정으로 나를 쳐다본다. 그들은 내게 말한다.

"관심을 표시하려면 더 나은 방법이 있을 텐데요."

모든 고객이 판매 프레젠테이션을 하는 도중 적당한 시기에 계약서에 서명하고 지갑을 꺼낸다면 얼마나 좋을까마는 우리 모두 알다시피 그게 어디 쉬운 일인가. 대신 사람들은 교묘한 방법으로 관심을 표명한다. 때로는 너무 교묘해서 눈치 채지 못할 때도 있다.

사람들은 종종 자기가 그 물건을 사야 할 이유들을 대느라 거부반 응을 보이기도 한다. 그러면 세일즈맨들은 대개 포기하고 다른 사 람에게로 가버리는 경우가 많다.

하지만 나는 고객들의 거부반응을 다르게 해석한다. 누군가가 내 물건을 사지 않으려는 이유를 말하면, 그가 왜 내 물건을 사야 하는지를 듣고 싶어 한다고 받아들이는 것이다. 사실 나는 이런 의 미에서 거부반응을 환영한다. 왜냐하면 나는 진지하게 관심을 기울 이는 사람을 좋아하기 때문이다.

오히려 판매하기에 훨씬 더 어려운 경우는 판매 프레젠테이션을 다 듣고도 아무 말이 없는 고객이다. 그는 단지 머리를 흔들면서 "관심 없어요."라든가 "싫어요." 또는 "안 사요."라고 부정적인 말 만 반복한다. 상대하기에 가장 까다로운 고객이다. 그들은 어떤 거 부반응도 보이지 않는다. 그것은 판매 프레젠테이션이 그에게 아무 런 영향도 미치지 못했다는 것과 같다. 그는 물건의 가치에 대해 의 문을 제기하거나, 그 점에 대해 당신의 설명을 요구하거나, 그 의문 점을 해결할 수 있는 증거를 요구하는 것 따위엔 관심이 없다.

당신의 물건에 관심은 있지만 아직 구매를 확신하지 못하는 사 람들은 거부반응을 나타낼 것이다. 이러한 거부반응들은 그들의 의 문을 적절히 풀어 주기만 하면 판매에 성공할 수 있는 긍정적인 기 미다. 예를 들어 한 고객이 컴퓨터를 가지고 있는데, 당신이 권하는 모델로 바꾸게 되면 돈이 더 들어간다고 치자. 그가 돈을 절약하기 위해서 지금의 컴퓨터를 그냥 써야겠다고 말한다면, 그것은 당신의 모델을 살 경우 더 이익이 된다는 보장을 해달라고 요구하는 것이나 마찬가지다. 그러나 만일 그가 아무런 부연 설명 없이 지금 모델을 그대로 쓰겠다고 말한다면 더 생각할 여지도 없는 것이다. 그가 거부반응을 나타내는 진짜 이유를 찾아내지 못하는 한 판매를 성사시킬 가능성은 없다.

속으로는 좀 더 많은 정보를 제공해 줄 것을 요구하는 거부반응의 예를 들어보면 다음과 같다.

- **거부반응** : 값이 너무 비싼 것 같은데요.
- **숨은 요구** : 값이 비싼 만큼 값어치가 있다는 걸 증명해 주세요.

- **거부반응** : 사이즈가 나한테 꼭 맞는 것 같지 않은데요.
- **숨은 요구** : 이 옷이 나한테 딱 맞는 사이즈란 걸 보여 주세요.

- **거부반응** : 이런 회사 이름은 처음 들어 보는데요.
- **숨은 요구** : 사고 싶긴 하지만 당신네 회사가 정말 믿을 만한지 알아야겠어요.

- **거부반응** : 나가는 돈이 많아서 새로 뭘 들여놓지 않으려고 해요.
- **숨은 요구** : 당신네 물건이 나한테 꼭 필요한 것이라고 확신시키지 못하면 사지 않을 거예요.

- **거부반응** : 다른 건 어떤 게 있는지 좀 더 둘러보고요.
- **숨은 요구** : 당신은 나를 설득시키지 못했어요. 계속 판촉을 해

서 이 물건을 사게 하지 못할 것 같으면 나가겠어요.

이건 다소 추상적인 얘기지만, 고객이 당신 회사 제품보다 현재 쓰고 있는 다른 제품을 더 선호하고 있다면, 거기에 대해서도 적절하게 대응할 줄 알아야 한다. 예를 들어 고객이 "이 모델은 매일 수취계정을 처리할 수가 있지만 당신네 모델은 그게 안 되거든요."라고 말할 수도 있고, 또는 "A회사는 서비스 조건이 아주 좋던데요. 문제가 생기면 항상 24시간 안에 처리를 해준대요."라고 말할 수도 있다. 이런 정보를 얻게 되면 고객의 거부반응을 해소시키는 데 초점을 맞출 수가 있다. 이제 당신이 고객에게 무얼 해줄 수 있는지를 확신시키는 일만 남은 셈이다. 즉, 당신 회사 컴퓨터가 현재 고객이 사용 중인 제품보다 처리 능력이 더 뛰어나서 시간을 절약해 주고, 더 많은 정보를 얻을 수 있으며, 고장이 나면 세 시간 반 안에 달려와서 손을 봐주기 때문에 비가동 시간을 줄여 줄 수 있다고 말하면 된다.

만일 고객이 현재 만족할 만한 서비스를 받고 있다면 그를 설득시키기가 매우 어려울 것이다. 충분히 납득이 간다고 해도 고객들은 편의를 잘 보아 주는 판매원과 회사—아주 드물기는 하지만—에 높은 점수를 주기 때문이다. 가령 증권 중개인에게 이렇게 말하는 고객도 있다.

"난 지금의 중개인에게 아주 만족하고 있어요. 그녀 덕분에 돈도 많이 벌었고, 서비스도 아주 좋아요. 친구로서도 그만이죠."

물론 이런 경우에도 그 고객을 설득시킬 가능성이 전혀 없는 것은 아니다. 그럴 때는 이렇게 대응하는 것이 좋다.

"그렇게 좋은 거래선을 갖고 계시다니 운이 좋으시군요. 좋은 얘기를 듣는 건 언제나 기분 좋은 일이지요. 하지만 아이디어를 혼자서 독점하고 있는 증권 중개인은 없다는 사실, 알고 계시죠? 그러니 허락하신다면 저도 당신과 거래를 해보고 싶은데요. 앞으로 어떤 회사의 주식을 사둘 만하다 싶으면 당신에게 전화를 드리겠습니다. 그래도 괜찮겠지요?"

진짜 거부반응과 가짜 거부반응

여러 가지 이유로 사람들은 물건을 살 때 사지 않으려는 진짜 이유 대신 가짜 거부반응을 나타낸다. 이때 진짜 거부반응을 알지 못하고서는 무엇이 당신의 고객을 괴롭히는 문제인지 깨닫지 못할 것이다. 진짜 거부반응과는 아무 상관도 없는 문제를 가지고 아무리 애써 봤자 고객의 마음을 바꾸지는 못할 테니까. 예를 들어 다음과 같은 일을 생각해 볼 수 있다.

증권 중개인인 앨런은 ATR사의 주식을 5천 주 정도 확보해 놓으려고 한다. 그리고 그의 고객인 샘에게 투자할 것을 권했다. 샘은 처음에는 고객으로 만났지만 이웃에 살다 보니 친구처럼 지내는 사이가 되었다. 그런데 샘은 성장주에만 투자를 하겠다고 거부의사를 표명해 왔다.

"ATR 회사는 한 해에 한 주당 5센트나 떨어졌는데."라고 말하면서 반대했다.

"맞아. 하지만 그 회사는 결손처리를 되풀이하지 않고, 우리 쪽 분석가들은 내년 수익이 한 주당 40센트 선까지 오를 거라고 예상하고 있어."

"난 봐야지만 믿겠어. 그 회사는 최근 2년 1/4분기 동안 수익을 전혀 올리지 못했어."

사실 샘이 거부반응을 나타내는 진짜 이유는 그의 조카가 막 증권 중개인 일을 시작했고, 그를 통해 주식을 거래할 생각이었다(그의 아내가 직접적으로 요구를 해왔기 때문에). 그러나 그는 앨런의 감정을 상하게 하고 싶지가 않았다. 앨런은 20년 동안이나 샘의 증권 중개인으로 일해 왔다. 그런 오랜 친구에게 앞으로 거래하지 않겠다는 얘기를 어떻게 해야 할지 몰랐기 때문에 그런 식으로 가짜 거부반응을 보였던 것이다.

이 경우 앨런이 ATR 사의 연간 예상 수입에 근거해서 아무리 애써 설명해도 샘을 설득하지는 못할 것이다. 그런 것들은 샘이 거부반응을 나타내는 진짜 이유와는 하등 상관이 없는 문제이기 때문이다. 사지 않으려는 진짜 이유가 그의 조카 때문이므로 그 문제를 직접적으로 다루지 않는 한 샘은 앨런과 계약하지 않을 것이다.

고객들이 가짜 거부반응을 보이는 이유는 수없이 많다. 따라서 진짜 거부반응을 제거하지 못하는 한 많은 거래를 놓치고 만다. 예를 들어 어떤 고객은 당신 회사에 대해서 잘 알지 못하기 때문에 당신의 제의를 거부할 수 있다. 하지만 그는 대놓고 얘기하는 대신 이렇게 둘러댄다. "좀 더 생각해 봐야겠어요." 당신은 이런 상황에서 재고가 얼마 남지 않았다거나, 가격이 곧 오를 거라거나, 지금 사지 않고 미루고 있다가는 큰 손해를 볼지도 모른다는 식으로 지금 당장 사야 하는 여러 가지 절실한 이유들에 대해 얘기할지도 모른다. 그러나 이러한 것들은 고객에게 당신의 회사가 합법적이고 신뢰할 만한 회사라는 확신을 전혀 심어 주지 못한다.

사람들이 일반적으로 표현하기 싫어하는 거부반응 중의 하나는 당신의 물건을 살 여유가 없다는 것이다. 돈이 충분히 없다는 사실은 자존심이 상해서 받아들이기가 참으로 어려운 일이다. 그래서 사람들은 살 여유가 없다고 말하기보다는 "시동생이 같은 일을 하고 있어요."라거나 "새 모델이 나올 때까지 기다리겠어요."라면서 각종의 가짜 이유들을 늘어놓는다. 충분히 짐작하겠지만 고객의 마음을 정확하게 파악하지 못하는 한 아무리 기를 쓰고 얘기해 봐야 거부반응의 진짜 이유를 결코 극복하지 못할 것이다. 이 사실을 알고 나서부터 나는 물품대체 혜택이나 할부 계약 또는 그 외의 다양한 해결책들에 대해 설명해 줌으로써 결국 그들도 자동차를 살 수 있다고 확신시켜 줄 수 있었다.

가짜 거부반응을 알아차리는 가장 좋은 방법은 그 거부반응을 제거할 만한 분명한 대답을 해주고 난 다음에 그들의 반응을 살펴보는 것이다. 일반적으로 사리가 분명한 대답을 듣고서도 반응이 없으면 그들이 진짜 이유를 감추고 있다는 좋은 단서다. 예를 들어 샘이 증권 중개인인 앨런에게 자신은 성장주에만 투자할 생각이기 때문에 ATR 회사에는 관심이 없다고 말한 경우를 예로 들어보자. 앨런은 ATR 사가 성장주 회사라는 확실한 근거를 제시하고 나서 얼마 지나지 않아 고객의 진짜 거부반응은 다른 데 있다고 결론 내릴 수 있을 것이다. 결국 그는 합리적이고 기민한 투자자인 샘이 보통 때 같으면 매수 결정을 내리는 데 영향을 미쳤을 강력한 주가 포인트를 무시하고 있다는 것을 알게 될 테니까 말이다.

진짜 이유를 숨기고 있다는 또 다른 단서는 사람들이 서로 관련 없는 여러 가지 거부반응을 드러낼 때다. 그것은 뭔가 사기 곤란한 이유를 감추고 있다는 신호다. 사람들은 대부분 살 수 없는 진짜 이유를 그렇게 많이 갖고 있지 않다. 일단 이 사실을 깨달았다면 당신은 진짜 거부 이유가 무엇인지를 알아내기 위해서 몇 가지 질문을 할 수 있다. 그래도 여전히 알아내지 못했다면 솔직하게 이렇게 물어보라.

"손님, 제 부탁 좀 들어주시겠습니까?"

그러면 대부분의 사람들은 의아한 얼굴로 이렇게 대답한다.

"그럼요, 뭔데요?"

"이 차는 손님 형편에 딱 맞고 성능도 아주 뛰어난 차인데요, 제 생각엔 왠지 손님이 무언가 말씀하시지 않고 있는 것 같습니다. 오늘 사시려는 결정을 미루는 진짜 이유가 무엇인지 알고 싶군요."

"아, 그저 하룻밤 자면서 더 생각해 보고 싶을 뿐이에요."

"자, 이유가 뭡니까?"

"진짜 아무것도 아닙니다."

"괜찮습니다. 무슨 말이든 다 하셔도 됩니다. 오늘 차를 사기가 꺼려지는 진짜 이유가 무엇입니까?"

"음, 사실을 말하자면……."

그러면서 그들은 실토한다. 이렇게 해서 진짜 이유를 알게 되면 제 페이스로 돌아가 응대하기 훨씬 수월해진다.

"네, 그런 문제인 것 같았습니다. 솔직히 말씀해 주셔서 얼마나 감사한지 모르겠습니다."

이제 놓쳐버릴 뻔한 거래가 가능성 있는 거래로 바뀐 것이다.

잘 알겠지만 때로는 고객이 진짜 마음속에 두고 있는 말을 스스로 꺼내도록 촉구할 필요도 있다. 그러나 한 가지 주의점이 있다. 당신이 썩 좋은 아이디어를 갖고 있지 않는 한 지레 넘겨짚지는 말라는 것이다. 진짜 거부 이유를 말하기 전에 온갖 것들에 대해 다 얘기할 수도 있으니까 말이다. 그러는 중에 당신은 자칫 고객이 미처 생각지도 않은 문제를 꺼낼 수도 있고, 그러다 벌레가 가득 든 깡통 뚜껑을 여는 셈이 되어 버릴 수도 있다.

어떤 고객들은 아무리 구슬러 봤자 절대로 물건을 사지 않을 거라고 장담하기도 한다. 무슨 물건이 되었든 간에 말이다. 그들은 애초부터 어떤 상황이 되더라도 절대로 사지 않겠다고 다짐한다. 예를 들어 동료에게 이렇게 말하는 경우가 있다.

"오늘 저녁에 보험회사 직원이 들르기로 했지만, 그 사람 시간 낭비하는 거지. 절대로 나를 설득하지는 못할 테니까."

또 주말에 세 시간짜리 판매 프레젠테이션을 듣기만 하면 무료 여행권을 제공해 주는 휴양지 개발업자의 제안을 수락하는 커플도 친구들에게 이렇게 말한다.

"그냥 가서 들어주기만 하면 공짜로 주말을 교외에서 즐길 수 있다구. 그 사람들 콘도를 살 생각 같은 건 애초에 없어."

마찬가지로 퇴근 후 귀가 길에 새 자동차 모델을 보러 전시장을 둘러볼 생각이라고 친구에게 말하면서, 맹세하건대 차를 살 생각은 추호도 없다고 말하기도 한다.

이 사람들은 말은 그렇게 했지만 결국 마음이 동하고 만다. 하지만 그동안 큰소리친 것 때문에 사람들에게 조롱을 받을까 봐 어쩔 줄을 모른다. 판매를 성사시키기 위해서는 사람들의 이러한 심리를 이해하는 것이 중요하다. 물론 거기에는 몇 가지 단서가 있다. 하나는 서로 상관없는 거부 이유들을 보통 이상으로 많이 늘어놓는 경우다. 또는 "이게 이렇게 좋은 줄 정말 몰랐는데요."라거나 "누가 그러던데 여기선 강매를 한다는데 당신은 그렇지 않네요."라는 식으로 말한다. 이런 말을 듣게 되면, 고객에게 그가 정말 현명한 선택을 했다는 확신을 심어 주어야 한다.

고객을 궁지로 몰아넣지 마라

세일즈를 할 때 중요한 원칙 가운데 하나는 전투에서는 이기고 전쟁에서는 지는 짓을 해서는 안 된다는 것이다. 고객과 말씨름을 하는 세일즈맨들이 있는데, 그 말싸움에서 누가 이기든 그 판매는 보나마나 끝장난 것이다. 고객과는 절대로 다투지 마라. 그랬다간 반감만 사게 된다.

사람들이 제기하는 거부반응 중 어떤 것은 거론할 가치조차 없는 것도 있다. 예를 들어 판매 프레젠테이션을 막 시작했을 뿐인데 고객이 "그냥 둘러보러 왔을 뿐이에요. 오늘 차를 살 생각은 없어요."라고 말한다면, 나는 그 말을 무시해 버린다. 아마도 그가 진심으로 하는 말일지라도, 내가 제공하는 것을 다 보고 나면 마음이 달라질 거라고 생각하기 때문이다. 그러나 대부분의 세일즈맨들은 그런 경우에 맞불을 놓아 버리는 경향이 있다.

"뭐 하러 둘러보십니까? 손님이 원하는 건 우리한테 다 있는데요."

이런 종류의 말은 고객을 방어적으로 만든다. 궁지에 몰린 고객은 자기 말을 방어해야 한다고 느낀다.

"어쨌든 가격을 비교해 보기 전에는 절대로 안 사요."

그는 자기 방어를 고수할 것이다. 그러고는 나머지 프레젠테이션을 하는 동안 죽 체면을 지키면서 쉽게 마음을 바꿔서는 안 된다고 생각할 것이다. 그것은 이제 체면의 문제를 넘어선 명예의 문제가 된다. 여기서 굴복하면 약하다는 증거가 되기 때문이다.

이것은 단순히 지나가는 말이 될 수도 있었지만 어느 사이엔가 터무니없게도 깨뜨릴 수 없는 원칙의 문제로 비화되었다. 고객을 이런 지경에 이르게 하는 것은 스스로 뜨거운 물을 뒤집어쓰는 것과 다름없다.

한번은 막 보험 일을 시작한 한 보험 설계사가 상대하기 까다로워 보이는 어떤 고객의 이야기를 한 적이 있다. 나는 그 이야기를 듣고 그가 훌륭한 세일즈맨의 소질이 있다는 것을 알았다. 그 세일즈맨은 밀밭을 가로질러 트랙터를 운전하고 있는 농부에게 걸어갔다. 농부는 트랙터와 엔진을 끄고서야 세일즈맨의 말을 들을 수 있었고, 결국 자기 일에 방해만 되었다는 것을 알고는 굉장히 화를 냈다. 키가 193센티미터나 되는 그 농부는 168센티미터의 키 작은 세일즈맨에게 화를 버럭 내며 소리쳤다.

"다시 한 번 당신 같은 빌어먹을 자식이 와서 나를 부르면 저 밖으로 내동댕이쳐 버릴 테야."

그러자 젊은 세일즈맨은 농부의 눈을 똑바로 쳐다보면서 서슴없이 이렇게 말했다.

"아저씨, 그런 짓을 하시기 전에 들 수 있는 보험은 다 들어 두시는 게 좋을 겁니다."

일순간 침묵이 흐른 뒤 농부는 한바탕 웃음을 터뜨렸다. 그러고는 말했다.

"젊은이, 우리 집으로 가세. 자네가 뭘 팔려고 하는지 한번 들어나 보세."

두 사람이 함께 집에 도착했을 때 농부는 세일즈맨의 어깨에 팔을 얹고는 아내에게 이렇게 말하며 너털웃음을 터뜨렸다. "여보, 이 조그만 친구가 나를 설득할 수 있다는구먼." 그 세일즈맨은 자기가 겪은 고객 중 가장 쉽게 판매에 성공한 사례였다고 말했다. 나 역시 비슷한 경험을 한 적이 있다. 내가 겪은 그 고객도 아주 과격하게 말하는 사람이었다.

"나한테 강제로 차를 팔려고 했다간 저 유리창 밖으로 당신을 밀어 버리겠어."

나는 이렇게 대답했다.

"선생님 같은 분을 알게 돼서 정말 반갑습니다. 선생님은 뭘 아시는 분이군요. 내 장담하지만 우리는 이것으로 멋진 우정을 시작하게 될 겁니다."

그리고 정말 말처럼 됐다. 여러 해에 걸쳐 나는 그에게 아홉 대의 차를 팔았다.

난처하고 어려워 보이는 상황을 어떻게 넘기는지 알겠는가? 고객과 싸우려 들기보다 재치와 매력으로 그를 당신 편으로 만들어야 한다.

거부반응에 대처하는 여섯 가지 방법

무시할 수 없는 진짜 거부반응도 분명히 있다. 판매를 성사시키기 위해서는 이 거부반응들에 직접 맞서야만 한다. 다음과 같은 기본적인 거부반응 여섯 가지는 어느 판매 분야에서나 가장 일반적으로 맞닥뜨리는 것들이다("더 생각해 봐야겠어요."라는 거부반응은 다음 장의 '구매 결정을 못 내리는 고객을 설득하는 방법'에서 다룰 것이므로 여기서는 생략하겠다).

가격에 거부반응을 보이는 고객

여기에는 가격에 관한 모든 거부반응, 즉 "돈이 너무 많이 드네요." "너무 비싸요." "내가 예상했던 것보다 비싼데요." "딴 데서는 더 싸게 부르던데요."와 같은 것들이 모두 포함된다.

어쩌면 당신의 고객은 정말로 물건을 살 만한 여유가 없을지도 모른다. 이 점을 간과해서는 안 된다. 유도만 잘 하면 진실은 드러나게 마련이다. 그의 말이 진실이라면 좀 더 낮은 가격의 차선책을 제시할 수도 있다.

고객들이 경제적 어려움을 호소하는 경우, 대부분 그들은 살 만한 여유가 없다고 말하는 것뿐이다. 아니면 당신네 제품이 아주 우수하다는 근거를 충분히 제시하지 못했거나. 사람들이 어떤 물건을 정말로 원하거나, 돈을 지불하고 살 만큼 가치가 있다는 것을 납득했을 때는 경제적인 문제만 해결된다면 가격에 대한 거부반응은 사라지게 된다.

가격에 대한 거부반응을 다루는 한 가지 방법은 비용을 주 단위, 일 단위, 심지어는 시간 단위로 쪼개어서 제시하는 것이다. 예를 들어 1만 5천 달러짜리 차라면 월 300달러, 아니면 하루 10달러 할부 지불방식으로 설명할 수 있다. 하루에 10달러면 된다고 얘기할 때는 훨씬 부담 없는 가격으로 들린다.

한 예로 복사기 세일즈맨이 다른 회사 제품보다 2천 달러가 더 비싼 7천 달러짜리 모델을 팔고 있다고 하자. 이 경우에는 고객이 새 복사기를 사기로 결정을 내렸기 때문에 7천 달러라는 가격을 말하는 대신 차액인 2천 달러에 대해서만 언급하도록 한다. 세일즈맨은 기계 수명을 10년으로 잡고 그 차액을 10년으로 나누어 연 200달러로 계산하고, 또 주 5일 근무로 계산할 경우 그 차액은 하루 겨우 80센트 이하라고 설명한다(하루에 80센트만 더 투자하면 새 복사기를 구입할 수 있다는 얘기다). 그리고 난 다음에는 복사할 때 몇 초가 절약되는지를 비교하여 보여 준 다음, 그 절약되는 시간을 돈으로 환산하면 1년에 얼마인가를 계산한다. 또는 이렇게 물을 수도 있다. "선생님 사무실에서 일하는 직원들은 한 시간에 평균 얼마를 받습니까?" 또는 "가장 직책이 낮고 월급이 적은 직원의 시급은 얼마 정도 됩니까?" 그래서 그들의 임금이 보통 한 시간당 4달러 정도라는 것을 알고 나면 세일즈맨은 이렇게 말한다.

"그렇다면 결론적으로 가장 월급이 적은 고용인을 하루에 12분씩 쓰는 것보다도 적게 드는 셈입니다."

또 다른 예를 들어보자.

"로저 씨, 할부로 하면 한 달에 300달러밖에 안 되고, 그것은 하루 10달러 정도의 금액입니다. 렌터카 회사에서 이 모델을 빌릴 경우 하루에 39.95달러라는 걸 아십니까? 이 차를 직접 몰고 다닌다고 생각해 보십시오. 얼마나 즐거울지. 이만하면 살 만한 가치가 있지요. 그렇지 않습니까? 이 차를 5년 동안 쓰고 새 차로 바꿀 때 값을 65퍼센트 보상해 드리니까, 실제 드는 비용은 하루에 겨우 3.5달러밖에 안 됩니다."

"이 텔레비전은 하루에 맥주 한 잔 값도 안 됩니다. 그 가격으로 선생님 가족은 몇 년 동안 매일 여덟 시간씩 즐길 수 있습니다!"

사업과 관련된 문제일 때는 당신과 계약을 맺음으로써 구매자가 이익을 얻을 수 있다는 것을 보여 주어야 한다. 다음의 예를 보자.

"그래요, 앤. 저의 제안대로 하면 광고비 예산이 훨씬 늘어난다는 것은 압니다. 하지만 판매량이 엄청나게 늘어날 것이고, 그건 곧 높은 수익을 의미합니다. 결국 이것이 이익을 몇 배나 올려 줄 겁니다."

"이 컴퓨터 시스템을 설치하면 지출이 커지는 건 사실입니다.

그러나 이걸 쓰면 노동비용이 절감되어, 당신의 고용인 네 명은 단순하고 힘든 노동에서 벗어나 좀 더 생산적인 일을 할 수 있을 겁니다."

"이 안전장치의 가격이 비싸다는 것은 압니다. 그러나 이걸 설치해 놓으시면 보험에 들어가는 비용을 한 달에 80달러 정도는 줄여 줄 겁니다. 이렇게 절약되는 부분을 고려하면 구입하는 게 훨씬 이익이죠. 그렇지 않습니까?"

"네, 이 500달러짜리 코트는 저 파란색 코트보다 두 배는 비싸지요. 하지만 당신 마음에 꼭 들잖아요. 그렇지 않으세요? 이 코트는 아주 독특한 스타일이라서 앞으로 10년은 입을 수 있어요. 반면 저 파란색 코트는 훨씬 빨리 싫증이 나게 되죠. 그 비용을 10년으로 나눠 보세요. 그렇게 보면 엄청난 가치가 있는 거예요."

"이 주철 제품은 다른 것보다 25퍼센트 정도 비싸게 먹힙니다. 하지만 평생을 보장한다는 걸 생각해 보세요. 싼 것은 몇 년 안에 망가져서 딴 걸로 바꿔야 해요. 장기적으로 보면 이걸 쓰시는 게 훨씬 이익입니다."

다음과 같은 경우처럼 실제로 비용이 많이 들어가기 때문에 고객이 구매를 꺼리는 일도 있다.

휴양지 콘도를 시간대별로 나누어 파는 세일즈맨은 고객에게 이렇게 말한다.

"선생님이 콘도에 들어가는 비용 1만 2천 달러를 앞으로 15년에 걸쳐 나누어 낸다고 했을 때 1년에 800달러밖에 안 됩니다. 거기다 인플레이션을 감안하면 해마다 휴가비로 지출하는 비용은 아주 조금밖에 안 되는 거죠. 물론 가격 인상분은 계산에 넣지 않았습니다. 아마 이 콘도는 5년에서 7년 사이에 두 배는 뛸 겁니다. 이 점을 감안한다면 휴가에 들어가는 비용은 정말 아무것도 아니지요. 이건 마치 콘도를 소유하면서 돈을 버는 것이나 마찬가지라니까요."

마찬가지로 개인 제트기나 시내 중심가에 있는 오피스 건물, 오피스텔 따위도 구입하는 것이 장기적으로는 저축이 된다는 것을 구매자가 깨닫게 하는 식으로 판매할 수 있다.

혼자서 구매 결정을 내리지 못하는 고객

여기에는 "내 파트너와 의논해 보구요." "회계사에게 보여 주고 나서요." "변호사에게 검토해 보라고 한 다음에요." 등도 모두 포함된다.

이런 종류의 거부반응을 피하는 가장 좋은 방법은 판매 프레젠테이션을 하는 장소에 구매 결정권자들을 모두 참석시키는 것이다. 그런 경우엔 이렇게 말하면 된다.

"그랜트 씨, 수요일 오후 3시 15분 정각에 선생님 사무실로 찾아뵙겠습니다. 결정하는 데 같이 있어야 할 사람이 있으면 그때 꼭 함께 자리해 주시길 바랍니다."

그가 "내가 결정권자요."라고 말하면 그때는 이렇게 덧붙인다. "다른 사람들한테 허락을 받지 않고 스스로 결정할 수 있는 분을 만나 뵙게 돼서 정말 기쁩니다." 이 말은 판매 프레젠테이션이 끝난 후 고객이 스스로 결정을 내리도록 쐐기를 박는 것이나 다름없다.

이런 테크닉은 결혼한 사람에게 팔 때도 똑같이 적용될 수 있다.

"꼭 부인과 함께 결정하셔야 합니까, 매스터 씨?" 그렇다고 대답하면 아내를 데려오게 한다. 아니라고 말하면 그때는 이렇게 말한다. "혼자서 결정하실 수 있는 분을 만나게 돼서 기쁩니다." 배우자를 데려오겠다고 하면 이렇게 말할 수 있다. "결정을 내리는 자리에 부인도 모셨으면 하는데요? 부인도 환영할 겁니다." 물론 동석할 수 없다면 부인 없이 결정을 내리도록 해야 할 것이다.

한 잔디 관리 영업사원은 나에게 디트로이트의 고급 주택가에 사는 주부들과 계약을 맺는 효과적인 방법을 들려 주었다. 주부가 자기 남편에게 얘기해 봐야 된다고 말하면, 그는 "부인, 부인께서는 일주일에 식료품을 사는 데 얼마를 쓰십니까?" 하고 묻는다. 그러면 그녀는 "글쎄요, 약 250달러 정도 쓰는 것 같아요."라고 말한다. 그는 또 이렇게 묻는다. "그러면 부인은 슈퍼마켓에 가실 때마다 남편분께 물어보고 가십니까?" "물론 아니에요."라고 그녀는 대답한다.

"그렇다면 부인은 식료품을 사는 데 1년에 1만 2천 달러 이상을 쓰시네요. 그건 상당히 큰 지출인데 남편의 승낙을 얻지는 않는다구요? 그런데 지금 제가 말씀드리는 내용은 한 달에 200달러밖에 안 됩니다. 그 정도라면 남편께서도 신경 쓰시지 않을 겁니다. 그렇지 않습니까?"

그러고는 판매가 된 것으로 간주하고 이렇게 덧붙인다.

"저희 직원이 수요일 오전과 오후 중 언제 방문하는 것이 편하시겠습니까?"

자동차를 살 것 같은 고객이 판매 프레젠테이션이 다 끝나고 나서 아내와 의논해 봐야겠다고 하면 나는 이렇게 말한다.

"그럼 우선 주문서부터 작성하시지요. 자, 여기다 서명을 하시고, 계약금으로 100달러만 내시면 됩니다."

고객이 그런 말을 처음 꺼낼 때는 나는 그 말을 문제 삼기보다는 무시해 버린다. 그리고 고객이 사내대장부 타입이라면 이렇게 덧붙인다.

"당신은 뭘 아시는 분이군요, 하비. 자기 뜻대로 결정지을 줄 아는 사람과 거래하는 것은 아주 멋진 일이죠. 요새는 마누라한테 꽉 쥐여서 사는 친구들이 아주 많거든요."

그래도 그가 "아니오, 조. 아내와 상의해 봐야 되겠소."라고 말하면 이렇게 덧붙인다.

"일단 주문서를 작성하시고 집에 가서 말씀하시지요. 아니면 더 좋은 방법은 부인에게 이곳에 잠시 들르라고 전해 주십시오. 만약 부인이 반대한다면 계약금을 돌려드리겠습니다."

이럴 경우 거의 대부분은 거래가 성사된다. 그러나 고객이 계약금을 걸지 않고 나간다면 그 판매는 놓친 것이나 진배없다. 그는 다시 돌아오지 않을 테니까. 물론 남편을 동반하지 않고 부인 혼자 왔을 때는, 일일이 남편의 승낙을 얻지 않고 구매 결정을 내릴 수 있는 요즘 여성들이 참 대단하다고 치켜세운다.

친구가 같은 일을 한다고 핑계 대는 고객

시동생이나 시어머니 또는 이웃집 사람이 당신과 똑같은 일을 하고 있을 수도 있다. 이때는 이런 점을 자문해 보아야 한다.

"고객이 자기 친구에게서 사기를 원하는가 아니면 자신에게 유리한 조건에서 사기를 원하는가?"

보통 대부분의 사람들은 자기 돈이 나가는 경우에는 밑지는 거래를 하기보다는 자신에게 유리한 쪽을 택한다.

증권 중개인의 경우 이런 거부반응에 부딪치면 이렇게 말한다.

"선생님 친구에 대한 감정은 충분히 이해합니다. 그러나 아무도 아이디어를 독점하고 있지 않다는 점에는 선생님도 동의할 겁니다."

중개인은 고객이 자신의 말을 납득하기를 기다렸다가 계속한다.

"제가 드리고 싶은 말은, 우리에게 새로운 정보나 아이디어가 있을 때 당신과 함께 일하고 싶다는 것입니다. 그러니까 선생님의 친구나 저나 결국 똑같이 선생님의 재산을 불리려는 목적을 갖고 있는 셈이지요."

또 보험회사 세일즈맨의 경우도 마찬가지다. 그가 자기 친구보다 더 좋은 보험상품을 갖고 있다는 것을 고객이 인정하고 나면 이렇게 말할 수 있다.

"아마 친구분도 당신이 가장 좋은 상품을 선택하기를 바랄 것입니다. 만약 그렇지 않다면 좋은 친구가 아니지요. 자, 당신 가족에게 가장 유리한 상품을 선택하세요."

경쟁제품과 비교하는 고객

고객이 그냥 둘러보러 왔다고 말하면 어떤 차를 마음에 두고 있는지 묻는다. 어느 회사 제품을 이야기하든—포드, 크라이슬러, 폴크스바겐, 아우디 등 무엇이든—나는 모든 자동차 목록을 가지고 있다. 예를 들어 그가 아우디라고 말했다고 하자. 나는 몇 해 동안 모든 자동차 회사에 관한 신문과 잡지 기사—그러니까 그 회사들에 관한 부정적인 기사—를 다 모아 두고 있다. 그래서 그 말을 들으면 아우디 사에 관한 파일을 꺼내서는 말한다.

"여기 이걸 좀 읽어 보십시오. 저는 좀 있다 돌아오겠습니다."

그러면서 나는 브레이크가 말을 듣지 않았다거나 시동이 꺼졌다거나 하는 등의 기사 뭉치를 그에게 건네준다.

그 가엾은 친구는 내 사무실에 앉아서 아우디 자동차를 소유한 사람들이 겪어야만 했던 문제들에 관한 기사를 읽을 수밖에 없다. 이런 나의 행동이 비도의적인 것일까? 내 생각에 이것은 사건을 의뢰받은 변호사가 하는 일과 다를 바 없다.

잠시 뒤에 돌아왔을 때 고객의 얼굴은 백지장처럼 하얗게 질려 있다. 그러면 나는 이렇게 말한다.

"어떻게 생각하십니까, 프레드 씨? 아우디 사에 관한 자료가 세 가지 더 있는데 보시겠습니까?"

그러고는 그 앞에 주문서를 내밀고는 말한다.

"여기다 서명하시면 됩니다. 아마 제가 프레드 씨의 목숨을 연장시켜 드리는 걸 겁니다!"

그러면 고객은 얼마나 순순히 서명을 하는지 모른다.

무엇을 파는 판매원이든 누구나 이 방법을 쓸 수 있다. 하지만 그러려면 당연히 경쟁사에 관한 부정적인 자료를 갖고 있어야 하고, 그것을 쉽게 얻는 방법은 컨설턴트 회사에 전화해서 모모 회사에 관한 불평(고소) 자료를 갖고 있는지 알아보면 된다. 그럴 때는 반드시 모모 회사와 거래를 하려고 한다고 말하라. 그렇게 해서 불만 자료들을 입수한다. 잘 찾아보기만 하면 어떤 회사에 관해서건 부정적인 사실들을 발견할 수 있다. 만약 아무것도 찾을 수 없었다면 그 회사야말로 당신이 직장으로 삼아야 할 곳이다.

사람들이 가장 좋은 조건으로 거래할 만한 곳을 찾을 때까지 둘러보는 것은 흔한 일이다. 한 시간이나 판매 프레젠테이션을 하고 상품 가격이나 서비스 내용에 대해 모두 말해 주고 났는데 고객이 "값을 깎아 주어야겠소."라고 말하는 경우도 다반사다.

많은 판매원들이 이 시점에서 폭발한다. 그들은 "제 정신으로 하는 말입니까? 이보다 어떻게 더 깎아 줍니까?"라고 소리 지른다. 그래 봤자 고객을 을러대어 쫓아내는 것밖에 안 된다. 뿐만 아니라 결국은 고객에게 어떻게든 자기 말이 옳다는 것을 증명해 보이려고 애쓰는 결과를 부를 뿐이다. 그렇게 해서 고객을 떠나 보낸다면 당신이 옳다는 것을 증명할 수는 있겠지만 다시는 그를 볼 수 없게 된다. 그가 다시 되돌아와서 자기 실수를 인정하지는 않을 테니까 말이다.

눈에 보이는 상품을 취급하건 무형의 서비스를 취급하건 세일즈를 하는 사람들은 언젠가는 저열한 사기꾼, 즉 그런 가격으로는 절대로 팔 수 없다는 것을 알면서도 터무니없이 낮은 가격을 제시하는 질이 나쁜 세일즈맨과 마주치게 된다. 우리 주변엔 속임수를 쓰는 세일즈맨도 더러 있다는 것을 알아야 한다. 그들은 당신의 시간을 낭비하게 하고, 판매를 망치게 하며, 좌절하게 만든다. 이런 유의 저속한 사기꾼들은 손님이 여기저기 둘러보고 난 다음에 다시 오면 자신이 제시한 값을 더 이상 깎지 않을 거라고 생각하고는 여러 가지 이유를 댄다. 물론 그들이 부른 가격에는 일부 항목이 빠져 있는 것이고, 결국 마지막 가격은 언제나 더 비싸게 마련이다.

이런 경우에 조 지라드라면 어떻게 했을까. 나는 조용히 이렇게 말한다.

"누군지 모르지만 실수를 한 것 같군요. 그 판매원 이름은 말씀 하시지 말고 그 사람이 일하는 영업소가 어딘지 말해 주십시오."

그러면 그는 어느 영업소인지 알려준다.

나는 계속해서 "자, 제가 선생님 대신 알아봐 드리지요. 제가 제 시한 조건이 얼마나 파격적인 것인지 보여 드리겠습니다. 아마 믿기지 않을 겁니다. 게다가 제가 대신 쇼핑을 해드리니까 시간도 절 약될 거구요."

이 시점에서 나는 그 손님이 말한 영업소에 전화를 해서 그곳이 맞는지 확인할 수 있도록 수화기를 그에게 건네준다. 그러면 그는 전화기 너머에서 "안녕하십니까? 어디어디입니다." 하는 소리를 듣게 된다.

그러면 나는 그에게서 수화기를 건네받고는 말한다.

"여기가 선생님에게 그 가격을 제시한 영업소, 맞지요?"

맞다고 인정하면 나는 전화기에 대고 판매사원을 대달라고 말한다.

"여보세요, 저는 3일 전에 다른 영업소에서 차를 한 대 샀는데 오늘 아침에 차를 인수하려고 갔더니 그 판매원이 450달러를 틀리 게 말했다는 겁니다. 당신은 최소한 얼마에 주실 수 있는지 알고 싶 습니다. 만약 당신이 부르는 가격이 여기보다 싸면 바로 그리로 가서 당신네 차를 사겠습니다. 하지만 당신이 전화로 말한 가격보다 단 1페니라도 비싸면 사지 않을 겁니다. 좋습니까?"

만약 판매사원이 나에게 영업소로 오라거나 전화번호를 알려 달라고 하면 나는 이렇게 대답한다.

"아닙니다. 가격만 얘기해 주십시오. 만일 여기 가격보다 싸면 오늘 오후에 아내와 함께 그리로 가겠습니다."

어떤 판매사원이든 가격을 얘기하는 것을 꺼린다. 하지만 끈질기게 요구하면 얘기해 준다. 이런 경우 나는 내가 제시한 가격이 누구도 그 이하로는 제시할 수 없을 만큼 파격적이라는 것을 알고 있다. 마침내 그 판매사원은 1만 2,700달러라고 말한다. 내가 제시한 가격은 1만 2,200달러였다. 나는 그가 제시한 가격을 손님에게 작은 소리로 얘기해 준다. 그 손님은 바로 그곳의 판매사원으로부터 1만 1,900달러라는 말도 안 되는 가격을 들었던 장본인이다.

"내 아내한테도 그 가격을 다시 말해 줄 수 있겠습니까?"

그렇게 요구하고 수화기를 고객에게 건네준다.

그는 다시 1만 2,700달러라고 말한다. 그러면 나는 수화기를 받고 "아주 고마웠습니다."라고 말하고는 끊는다. 그러고 나서 손님을 향해서 말한다.

"보십시오. 제가 뭐라고 그랬습니까?"

나는 그의 손에 펜을 쥐어 주고는 주문서를 내민다.

"서명해 주시지요."

나는 사무적으로 그렇게 말한다.

때로는 고객이 내가 제시한 가격보다 훨씬 싼 가격이 적힌 인쇄물을 꺼내 보이는 경우도 있다.

"이것 봐요, 조. 여기 이렇게 쓰여 있잖소. 당신 가격보다 100달러는 싸게 살 수 있다고 되어 있는데."

그는 그렇게 말하면서 그 가격을 가리킨다. 그는 내가 놀랄 거라고 생각하지만, 나는 담담하게 그 가격으로는 살 수가 없다고 말한다. 그것은 앞에서와 마찬가지로 부품 가격이나 수수료를 포함시키지 않은 것이거나 후림수일 거라고 얘기해 준다. 즉, 인쇄물에는 파격적으로 낮은 가격을 제시해 놓고, 고객이 그 모델을 요구하면 언제나 그 모델은 조금 전에 다 팔렸으니 더 비싼 다른 것을 사라고 꾀는 상술 말이다.

그러나 이 모든 것을 이야기해 주고 그것을 그대로 믿으라고 요구하지는 않는다. 나는 앞에서 설명했던 것과 같은 방법을 써서 판매사원에게 전화를 걸어 가격을 묻는다. 인쇄물에서 이러한 가격을 보았다는 얘기는 하지 않는다. 다만 이 특정 부품을 장착한 모델을 모든 비용을 포함해서 최저 얼마에 줄 수 있느냐고 묻는다.

이럴 경우 실패하는 일은 절대로 없다. 언제나 내가 제시한 가격이 훨씬 쌌다. 그러면 나는 손님을 향해 돌아서서는 "여기에다 서명해 주시지요."라고 말한다.

안내책자를 보고 결정하겠다는 고객

이런 경우는 분명히 당신이 고객에게 물건을 사도록 확신시키지 못했다는 증거다. 그러나 안내책자가 세일즈맨인 당신보다 판매를 더 잘 성사시킬 수 있으리라고는 기대하지 마라. 만약 그렇다면 회사는 판매 부서를 없애 버리고 그 대신 우편주문 부서를 둘 것이다.

고객의 말에 나는 보통 이렇게 대답한다.

"물론이지요. 당신 차에 대한 안내책자는 기꺼이 드리지요. 친구 분들이 당신이 모는 멋진 새 차에 대해서 물어 오면 그것을 보여 드리세요."

이런 식의 말은 이미 판매가 이루어졌다고 간주하는 것이다. 고객이 구매 결정을 미루고 싶어 한다는 생각을 받아들이지 않고서 말이다. 뒤이어서는 오늘 꼭 차를 사야 하는 이유에 대해 더 설명해 준다. 어떤 구매자에게는 그가 특별히 마음에 들어 하는 몇 가지 특징들에 대해서 재차 강조하고, 또 어떤 구매자에게는 오늘 구입할 경우 지불 조건을 아주 좋게 해줄 수 있다는 것을 강조한다. 한 고객에게 동시에 활용할 수도 있다. 그리고 판매를 성사시키기 위해 거듭 시도하는 것도 잊지 마라.

아마 어떤 고객에게는 안내책자는 친구에게나 보여 주라는 세일즈 방식이 통하지 않을지도 모른다. 고객은 이렇게 못박을 것이다.

"이봐요, 조. 나는 마음을 정하지 못했어요. 그래서 집에 가서 안내책자를 보고 결정하려는 거예요. 그러면 좀 더 잘 살펴볼 수 있을 테니까요."

이런 고객에게는 좀 더 직접적으로 말한다.

"안내책자가 대신할 수 있는 일이라면 왜 회사에서 저를 고용하겠습니까? 궁금하거나 잘 모르는 사항이 있으면 물어보라고 제가 있는 겁니다. 고객님께서 이해 안 가는 게 정확히 어떤 겁니까?"

그가 명확한 거부반응을 표시하지 않는다면 나는 다시 계속해서 그에게 살 만한 이유들을 말해 준다.

제품에 대해 불평하는 고객

나는 고객이 우리 제품의 어떤 점이 특별히 맘에 들지 않는지에 대해 말하는, 이런 거부반응을 환영한다. 그것은 어떻게 하면 사게 만들까 하는 점에 초점을 맞출 수 있기 때문이다.

예를 들어 우리는 지금 2도어짜리밖에 재고가 없다고 말했는데, 고객은 4도어의 특정 모델을 좋아한다고 말할 수도 있다. 이것을 알고 나면 나는 그가 사지 않으려는 결정적인 이유에 대한 거부반응의 폭을 좁힐 수 있다. 나는 걱정스러운 표정을 짓고 말한다.

"이런! 4도어 모델은 모조리 팔렸는데요. 재고만 있다면 당장이라도 4도어 모델을 살 텐데 말입니다, 그렇지요?"

"그러게 말입니다."

그는 어색한 웃음을 띠고 말할 것이다.

"오늘은 내가 왜 이러는지 모르겠군요, 에디!"

나는 내 머리를 살짝 때리면서 말한다.

"아시다시피 우리는 제품이 달릴 경우 시내의 다른 영업소에서 갖다 쓸 수 있도록 협조체제가 구축되어 있어요. 그래서 어디서든지 차를 구할 수 있습니다. 고객들에게 언제든지 최고의 서비스를 해드릴 수 있죠. 고객이 왕이니까요. 5분만 기다려 주십시오. 그러면 원하는 모델로 곧 갖다 드리겠습니다. 흰색을 원하셨지요? 만약 흰색이 없으면 검정색이라도 좋다고 하셨지요?"

그러고는 그의 대답을 기다리지 않고 바로 돌아서서 다른 영업소로 전화를 건다.

고객의 문제를 해결할 방법만 있다면, 특별한 것을 문제 삼는 모든 거부반응은 이런 식으로 처리할 수 있다. 다음의 예는 거부반응을 최종적으로 한 가지 문제로 압축시킴으로써 어떻게 처리하는가를 잘 보여 준다.

"그럼, 이 보험 상품에, 실업자가 될 경우 보험료를 지급한다는 조항이 들어가면 가입하겠다는 뜻으로 이해해도 될까요?"

보험 설계사가 그렇게 묻는다. 일단 고객이 최종적인 거부 이유에 동의하면, 세일즈맨은 보험 기권증서가 문제를 해결해 준다는 것을 설명한다.

"자, 그럼 A회사의 워드 프로세서가 맘에 드는 이유가 인쇄가 빠르기 때문이라는 거지요. 그리고 이 문제만 해결된다면 저희 제품을 사시겠다는 말씀이지요?"

고객이 그 점에 동의하도록 만든 후 세일즈맨은 워드 프로세서는 자사 제품으로, 프린터는 인쇄가 빠른 다른 회사의 제품으로 같이 구입하면 된다고 설명해 준다.

"글쎄요, 제가 해드릴 수 있을지 모르겠군요. 어쨌든 우리 회사의 물품공제 부서에서 고객님의 중고차에 대해 7천 달러를 쳐주면 오늘 새 차를 구입하시겠다는 말이죠?"

나는 물품공제 부서에서 7천 달러는 보상해 준다는 것을 미리 알고서 이렇게 떠보는 것이다. 물론 그렇게까지 쳐주기는 굉장히 어려운 듯이 행동한다.

"글쎄요, 그렇게 많은 액수를 공제해 줄지 모르겠군요. 만약 그렇게 해준다면 아주 좋은 조건으로 사시는 겁니다. 일단 물어봐서 손해 볼 것은 없겠지요. 그게 가능한지 한번 알아보겠습니다."

부동산 중개업자는 이렇게 말한다.

"그쪽에서는 30만 달러를 요구하고 있는데, 당신은 25만 달러면 사시겠다는 거죠? 당신이 과하게 부르는 건 아니지만, 그쪽에서 그 가격에 팔지 모르겠네요."

그러나 부동산 중개인은 팔려고 내놓은 사람이 25만 달러도 가능하다고 말한 것을 이미 알고 있다.

"그럼 계약서에 25만 달러라고 적어 넣겠습니다. 이 가격으로 약속하시는 겁니다."

그는 계약서에 숫자를 기입하고는 말한다.

"자, 이제 여기에 서명하세요. 그러면 제가 협상해 보겠습니다."

"오늘 사지 않겠다는 이유가 단지 품이 너무 크다는 거지요? 이런! 아시다시피 이보다 작은 사이즈는 없는데요."

일단 고객이 옷이 잘 맞기만 하면 사겠다고 나올 경우 판매원은 재단사를 불러 몸에 딱 맞도록 몇 군데를 수선하게 한다(판매원은 재단사에게 수선을 부탁할 수 있다는 것을 이미 알고 있다).

구매 의사는 있으나 당장은 돈이 없는 고객

때로는 고객이 자동차도 둘러보고, 프레젠테이션도 모두 듣고서는 사기로 마음먹었지만 계약금을 지불할 돈이나 신용카드가 없다고 말하는 일이 있다. 한 시간이 넘도록 프레젠테이션을 했는데 그를 그냥 밖으로 걸어 나가게 할 수는 없다. 일단 가고 나면 되돌아올 가능성은 아주 낮기 때문이다.

뿐만 아니라 사람들은 돈이 한 푼도 없다고 말은 하지만 사실은 빈 지갑을 가지고 집을 나서지는 않을 것이다. 생각해 보라. 손 안에 있는 한 마리 새가 덤불 속의 두 마리 새보다 훨씬 가치가 있지 않은가. 그럴 때 나는 이렇게 말한다.

"괜찮습니다. 프레드 씨. 나도 집에서 나올 때 깜빡 잊고 한 푼도 없이 나온 적이 얼마나 많은지 모릅니다."

그렇게 말하고 나서 잠시 말을 멈추고 있으면 손님은 곤경에서 벗어났다고 느끼고 안심하는 기색이 역력하다. 그러면 나는 이어서 말한다.

"사실 돈은 필요 없습니다. 당신의 말 한마디가 저에게는 세상의 어떤 돈보다 훨씬 가치가 있으니까요."

그러고는 손님의 손을 꽉 잡고 말한다.

"여기에 서명하시면 됩니다."

그러면서 주문장을 건넨다.

그런 후에 당신이 나를 결코 실망시키지 않으리란 걸 안다고 말한다. 사실 내가 이런 말을 했을 때 나를 실망시킨 사람은 거의 없었다. 사람들은 자기를 좋은 사람이라고 믿어 주면 그 믿음이 옳은 것임을 증명하고 싶어 한다.

자동차를 파는 사람만 이런 식으로 접근할 수 있는 것은 아니다. 누구든 "미안합니다. 지금은 현금이 별로 없어요. 이번 주말이면 돈이 생기는데요."라고 말하는 경우에는 이런 식으로 대처하면 효과적이다.

고객 앞에서 으스대지 마라

거부하는 이유에 대해 일단 만족할 만한 답변을 해주었다고 생각되면 활기차게 밀고 나가라. 괜히 다음과 같은 질문을 하면서 꾸물거릴 필요는 없다.

"자, 이젠 어떻게 생각하십니까?" 또는 "이것으로 문제가 해결되었지요?"

이렇게 확인해 볼 필요가 없다. 그냥 판매가 된 것으로 간주하라.

당신이 잘난 사람이라고 자랑하려 해서는 안 된다. 특히 고객에게 열등감을 안겨 주면서까지 말이다. 그렇게 한다면 오히려 반감을 살 것이다. "자, 제가 당신의 거부 이유에 대해 아주 멋들어지게 답변해 드렸죠?" 하는 식으로 공연히 으스대면서 말하지 마라. 전투에서 이기고 전쟁에서는 지는 것이 당신이 뜻하던 바는 아닐 것이다.

거꾸로, 그가 현명한 선택을 할 수 있도록 당신이 필요한 정보를 제공해 주고 있다고 고객이 느끼도록 하라. 또한 고객이 하는 말이나 관찰한 것을 칭찬해 준다. 어쨌든 그가 당신의 말에 넘어가서 사고 싶지도 않은데 사는 것 같은 느낌을 가져서는 안 될 테니까. 처음에는 거부 반응을 보였지만 나중에는 동의하게 된 것을 기분 좋게 여기도록 만들라. 그리하여 모든 장애가 제거되면 자연히 판매는 성사된다.

5

거부반응은 관심으로 해석하라

• **거부반응은 관심의 표시로 해석하라**

세일즈에 대한 거부반응은 물건에 관심은 있지만 아직 구매를 확신하지 못하는 사람들이 터뜨리는 것이다. 따라서 그들의 의문을 적절히 풀어 주기만 하면 판매에 성공할 수 있는 긍정적인 신호다.

• **고객을 궁지로 몰아넣지 마라**

고객과는 절대로 다투지 마라. 한 예로 그냥 둘러보러 왔다는 고객에게 "뭐 하러 둘러보십니까? 찾으시는 게 저희에게 다 있습니다."라고 말하면 고객은 방어적이 되어 세일즈맨이 아무리 열심히 설명해 봐야 구매하지 않는다.

• **친구가 같은 업종에 있다며 거부하는 고객**

친구나 친척이 같은 업종이라며 거부하는 고객이 많다. 하지만 당신이 친구나 친척보다 유리한 조건을 제시한다면 그들은 당신에게 구매할 것이다. 누구나 밑지는 거래보다 유리한 쪽을 선호하기 때문이다.

• **안내책자만 가져가겠다는 고객**

안내책자가 세일즈맨보다 판매를 더 잘 성사시킬 수는 없다. 그렇다면 회사에서 왜 월급을 주어 가며 세일즈맨을 고용하겠는가. 안내책자를 찾는 고객은 일단 구매 의사가 있는 고객이므로 판매를 성사시키기 위해 거듭 시도하라.

6

구매 결정을 못 내리는
고객을 설득하는 방법

구매를 결정할 것 같던 고객이 마지막 순간에 미루는 일은 흔히 있는 일이다. 그럼 이때 "내일 다시 뵙죠." 하고 순순히 물러서는 세일즈맨은 성공을 기대하기 힘들다. 고객이 구매를 미루는 것은 불안하기 때문이다. 사는 것이 절대로 옳다고 확신하고 있다면 결정을 내일로 미룰 이유가 없지 않겠는가. 세일즈맨이 할 일은 고객이 확신할 수 있도록 도와주는 것이다.

세일즈맨들을 가장 애타게 만드는 거부반응은 아마 고객들의 구매 결정 미루기일 것이다. 무슨 물건이든 팔아 본 경험이 있는 사람이라면 이 말에 충분히 공감할 것이다. "생각해 보고요." 라는 거부반응이 얼마나 맥 빠지게 하는지. 꼭 이 말이 아니더라도 그런 말은 무수히 많다. 하지만 표현은 달라도 전하는 뜻은 똑같다. 가령 이런 식이다.

- 더 생각해 봐야겠어요.
- 한 번 보고 결정할 수는 없어요.
- 좀 더 알아봐야겠는데요.
- 내일 다시 오시면 말씀드릴게요.
- 명함 하나 주세요. 결정하면 전화 드릴게요.

가만히 생각해 보라. 고객은 단지 구매 결정을 내리고 싶지 않은 것이지, 꼭 당신의 회사나 제품을 거부하는 것은 아니다. 구매 결정을 미루는 이유가 그 중의 하나라면 고객의 거부반응을 극복하기는 한결 쉬울 것이다. 그러나 이도 저도 아닌 상태에서 아무런 결정도 내리지 않고 거부 이유를 밝히지 않을 때는 이야기도 달라진다.

사람들은 왜 구매를 미루는가

고객이 구매 결정을 내리는 데 필요한 모든 사항들에 대해 프레젠테이션을 했다고 하더라도 고객은 한 번쯤 주저하게 마련이다. 잘못된 결정을 내리지나 않을까 두려워하는 것이다. 그래서 고객은 좀 더 쉬운 길, 즉 아무것도 선택하지 않기로 한다.

고도로 훈련받은 노련한 사람들이 자신의 전문 분야에서 일하는 모습을 눈여겨 본 적이 있는가? 예를 들어 외과 전문의는 수술대 위에서 분초를 다투는 결정을 내린다. 조금이라도 머뭇거려 메스를 대야 할 곳에 대지 않았다가는 환자를 죽음에 이르게 할 수도 있기 때문이다. 그리고 미식축구의 쿼터백들은 130킬로그램이나 나가는 공격수들이 맹렬하게 밀고 들어올 때 번개같이 빠른 판단력으로 대응한다. 그리고 증권 거래소의 증권 중개인들도 수백만 달러가 오가는 결정을 즉석에서 내린다.

그러나 일단 자신들과 친숙한 환경, 즉 타이밍을 정확히 맞추어 일을 수행하도록 훈련받은 환경에서 벗어나게 되면 상대적으로 덜 중요한 사안인데도 선뜻 결정을 내리지 못한다.

내가 무엇을 말하고자 하는지 감이 잡히는가? 사람들이 구매를 미루는 것은 주로 불안하기 때문이라는 것이다. 사람들은 단지 책임이나 위험을 떠안지 않으려고 결정을 미룬다. 반면에 사는 것이 절대적으로 옳다고 확신한다면 결정을 내일로 미루지 않는다. 판매를 성사시키는 방법에 대해서 한 가지 사실만은 꼭 기억해 두기 바란다. 사람들은 오늘 확신이 서지 않을 때만 내일로 결정을 미룬다는 사실을.

우유부단함과 단호함은 전염된다

열정만큼 전염되기 쉬운 것도 없다고들 말한다. 나는 거기에 한 가지 더 덧붙이고 싶다. 열정에 반대되는 우유부단함 역시 똑같이 전염되기 쉽다고 말이다.

"원숭이는 보는 대로 행동한다는 속담은 판매를 성사시키는 데도 적용된다. 고객은 당신의 열정을 흉내 내는 것과 똑같이 당신의 우유부단함도 흉내 낸다. 판매를 성사시킬 때가 되었는데도 자기 확신이 없어서 판매를 무산시키고 마는 판매원들을 나는 수없이 많이 보았다. 그들은 정작 중요한 순간에 공연히 헛기침을 하고 말을 더듬기 시작한다. 거절을 당할까 봐 두려워서 움츠러들기 때문이다. 일단 두려움이 생기면 그것은 몸 전체에, 즉 그들의 눈과 얼굴 표정, 몸짓에 드러난다. 때로는 표가 나지 않아서 고객이 잘 눈치채지 못할 때도 있다. 그러나 무의식적으로 그 미세한 징조를 읽어

내고는 그들 역시 머뭇거리기 시작한다. 그들도 헛기침을 하고 말을 더듬으면서 의혹에 말려든다. 그리고 머지않아 이런 끔찍한 소리가 튀어나온다.

"좀 더 생각해 봐야겠어요. 나중에 다시 오지요."

여러분도 물건을 사러 갔는데, 판매원이 주문을 받을 때가 되었는데도 어쩔 줄을 몰라 안절부절 못하는 모습을 본 적이 있을 것이다. 그는 "저어, 여, 여기다 서, 서명을 하시지요."라고 주저하면서 말을 하고는 떨리는 손으로 펜을 건네준다.

그전까지 프레젠테이션을 아무리 그럴듯하게 했다 하더라도 행동이 부자연스러우면, 고객은 구매 결정에 대해서 미심쩍어진다. 좀 전까지도 물건을 사기로 마음먹었는데 왠지 마음이 놓이지 않는 것이다. 그리고 자기도 모르게 "좀 더 생각해 보고 싶은데요."라고 중얼거리게 된다.

그 말은 생각도 해보기 전에 튀어나와 버리고, 그때부터 고객의 마음은 좀 더 생각을 해보고 며칠 뒤에 다시 찾아오겠다는 쪽으로 기울기 시작한다. 무슨 말이냐 하면, 판매원이 머뭇거리며 주문을 받으면 손님의 반응도 저절로 머뭇거리게 되는 것이다.

반면에 어떤 판매원들은 자기 확신을 다른 사람에게 발산한다. 그들은 그것을 스며 나오게 한다. 그러면 무슨 일이 일어나느냐고? 고객들에게 확신을 주게 된다. 그들은 고객을 방문하는 순간 반드시 판매가 성사되리란 것을 알며, 고객 또한 그것을 안다. 이러한 까닭에 똑같은 말, 똑같은 순서로 프레젠테이션을 하는데도 어떤 사람은 불티나게 잘 파는데 어떤 사람은 파리 날리기 일쑤다.

어떤 판매원은 사람을 불안하게 만들지만 어떤 판매원은 안도감을 준다. 다시 말해 그는 확신으로 가득 차서 다른 사람을 압도해 버린다. 내가 처음 이 일을 시작했을 때 이런 일이 있었다.

나는 그저 라스베이거스로 휴가를 가려면 얼마나 드는지 물어보려고 여행사에 들렀다. 거기서 나는 우연히 하와이에 관한 안내책자를 집어 들었는데 여행사 직원이 나에게 다가왔다.

"하와이에 가보신 적이 있나요?"

그녀가 내게 물었다.

"꿈속에서나 가봤죠."

"선생님은 하와이를 정말 사랑하시게 될 거예요."

그렇게 말하면서 그 여직원은 나에게 몇 가지 안내책자를 보여주며 열정적으로 설명해 주었다. 나는 그만 감명을 받고 말았다. 그녀는 우리 부부가 그 아름다운 해변에서 멋진 시간을 보내는 모습을 생생하게 펼쳐 보였다.

"인생에서 가장 멋진 시간이 될 거예요."

그녀는 확신에 차서 말했다. 내가 열흘 동안의 휴가 비용이 얼마인지를 듣고 주춤거리는 것을 눈치 챈 그녀는 조용히 물었다.

"마지막으로 휴가를 다녀오신 지가 얼마나 되었나요, 지라드 씨?"

"솔직히 잘 기억나지 않는데요."

벌써 몇 년 전 일이라는 것을 인정하고 싶지 않아서 나는 그렇게 둘러댔다.

"선생님은 선생님 자신과 사모님께 빚을 지고 계시는 거예요."

그녀는 미소를 지으면서 말했다.

"일만 열심히 하고 그 보상을 즐기지 않기엔 인생은 너무 짧아요. 이곳을 다녀오시고 나면 차를 몇 대 더 파는 것으로는 결코 보상받을 수 없을 만큼 좋았다고 느끼실 거예요. 선생님은 결국 그렇게 하실 거라고 생각해요. 지금 선생님한테 필요한 건 휴식이고, 휴식을 취하는 것이 선생님께 놀라운 결과를 가져다 드릴 테니까요."

그녀가 너무나도 확신에 차서 말했기 때문에 나는 바로 그 자리에서 결정을 내렸다. 물론 내가 여행사 문을 열고 들어설 때만 해도 하와이로 여행을 떠날 생각은 조금도 없었다.

고객이 확신할 수 있도록 도와라

고객을 돕는 일이 판매원들이 해야 하는 일 중의 하나임을 잊어버리는 경우가 종종 있다. 그렇다. 당신의 직업은 고객을 도와주는 일이기도 하다.

우선 당신은 고객에게 당신의 물건을 사면 어떤 이익이 있는지, 가격에 비해 얼마만한 가치가 있는지를 알려 주어야 한다. 둘째, 그들이 적절한 구매 결정을 내릴 수 있도록 도와주어야 한다. 셋째, 그들에게 서비스해 주어야 한다(세일즈의 이 세 번째 속성에 대해서는 다음에서 상세히 논의할 것이다).

결론적으로 말해서, 고객이 결정을 내리지 못하고 미적거리고 있다면 당신은 불친절을 행하고 있다는 증거다. 예를 들어 당신이 차를 사러 자동차 영업소에 들어갔다고 가정해 보자. 그런데 한 시간째 혼란스러운 상태로 있다가 그곳을 나왔다고 한다면 당신은 무언가 실망스럽고 불만족스러운 느낌을 가질 것이다. 그러면서도 당신을 괴롭히는 게 무엇인지 정확히 깨닫지 못할 것이다. 당신은 귀중한 시간을 낭비한 것이며, 처음에 전시장에 들어갔을 때보다 나아진 게 하나도 없다고 느끼는 것이다. 누구나 점포에 들어갔다가 빈손으로 나오게 되면 실망스럽고 허전한 느낌이 들게 마련이다.

세일즈맨이 방문을 했을 때도 마찬가지다. 문제가 해결될 것을 기대하고 귀중한 시간을 할애했는데 결과는 아무것도 없을 때 고객의 실망은 이만저만이 아닐 것이다. 판매가 이루어지지 않았다면 문제는 해결되지 않은 것이다.

예를 들어 약사가 거래 장부와 고객의 처방전을 전산화하는 시스템을 구입할 생각이라고 하자. 그는 다른 약사들은 이미 컴퓨터 시스템으로 시간도 절약하고 많은 덕을 보고 있다는 것을 안다. 더욱이 그 약사는 업무를 제대로 처리해 주지 못하는 구식 수동식 시스템을 더 이상 쓸 수 없다고 생각한다. 그는 새로운 시스템을 구매할 의사가 있었기 때문에 컴퓨터 회사 판매사원이 두 시간에 걸쳐 프레젠테이션을 하는 동안 다른 일은 모두 제쳐 놓고 귀 기울여 들었다. 그러나 약사는 오히려 혼란에 빠지고 말았다. 세일즈맨이 판매를 성사시키려는 노력을 잘 하지 못한 것이다. 결국 혼란스러워진 약사는 구매를 주저하게 되고 판매는 실패하고 만다. 이런 상황에서 약사는 얼마나 화가 나고 실망스러울지 생각해 보라.

고객을 주저하게 만드는 것이 왜 불친절한 행위인가 하는 이유는 또 있다. 구매 결정이 늦춰지면 그만큼 손해를 입는다. 앞에서 말한 약사는 수동식 시스템을 계속 사용함으로써 비효율적인 업무 방식을 유지할 것이다.

나는 지금 고객을 돕는 문제에 대해 얘기하고 있다. 구매 결정을 미루는 사람들 중에는 제3자, 즉 직장 동료나 배우자와 의논하지 않고는 결정에 확신을 갖지 못하는 사람들이 있다. 이런 유형의 사람들은 이렇게 말한다.

"아내와 의논해 봐야겠소. 당신의 제안을 그녀에게 말해 보고 내일 다시 오지요. 정말 사고 싶긴 한데, 아시잖소. 아내와 의논도 없이 샀다간 얼마나 바가지를 긁힐지 모르거든요."

부인이 그 자리에 있다면 그만일 것이다. 그러나 그런 말이 모두 진심인지는 모르는 일이고 알 수도 없다. 하지만 당신이 보기에 그가 진짜로 혼자서는 구매 결정을 내릴 수 없는 사람이라고 판단되면 이렇게 말하라.

"무슨 말씀인지 잘 알겠습니다. 하지만 제가 꼭 해드리고 싶은 일이 있는데요……."

"뭡니까?"

"오늘 저녁에 댁을 방문해서 제가 부인께 직접 설명해 드렸으면 합니다. 그게 제 일이니까요. 그리고 부인이 궁금해 하는 사항에 대해 선생님 혼자서는 잘 대답하지 못할 문제도 있을 테고요. 내용을 다 알지도 못하는데 부인께 결정을 내리도록 요구한다는 것은 도리가 아니지요."

이런 경우, 아무리 호의적인 고객이라 하더라도 당신을 대신해서 판매를 성사시켜 주리라고 기대해서는 안 된다. 당신이 할 일을 전문가도 아닌 사람이 대신 한다면 제대로 확신을 주겠는가? 즉, 고객이 제3자에게 당신 물건을 판다면 얼마나 비효율적으로 할 것인가를 생각해 보라. 이때 중요한 점은, 제3자에게 프레젠테이션을 할 때도 대충 줄여서 하지 말고 처음부터 끝까지 완벽하게 하라는 것이다.

프레젠테이션 전에 결심을 유도하라

이 판매 기법에 대해서는 앞서, 판매 프레젠테이션을 할 때 구매 결정권자들이 모두 한자리에 있어 달라고 요구하라는 대목에서 잠깐 언급했다. 배우자나 동료가 함께 결정을 내려야 한다면 그들이 같이 자리하도록 하는 것과 마찬가지로, 프레젠테이션을 시작하기 전에 결정을 내릴 수 있는 상황을 만들어야 한다. 그리고 프레젠테이션이 끝난 뒤에는 그들에게 결정을 내려 주기를 바란다고 솔직하게 말하라.

예를 들어 나는 판매 프레젠테이션을 시작하기 전에 고객과 몇 마디 얘기를 나눈 뒤 이렇게 말한다.

"선생님 같은 분과 얘기하게 돼서 얼마나 즐거운지 모릅니다. 결정권자를 만난다는 건 정말 즐거운 일이거든요. 믿지 못하시겠지만 여기 들어오는 친구들은 어찌나 소심한지 차 한 대 사는 결정도 못 내린답니다."

내가 이렇게 말하는 의도가 무엇인지 알겠는가? 고객 스스로 결정 내리기를 바란다는 마음을 내비치는 것이다. 대부분의 사람들은 너무 소심한 나머지 자기 마음 하나 정하지 못한다는 나의 의견에 일단 동의하고 나면, 그는 심리적으로 자기가 결정권자인 양 행동하게 된다. 뿐만 아니라 판매 프레젠테이션이 끝날 때가 되면 자신이 결정 하나 못하는 얼간이임을 인정하고 싶지 않을 것이다.

판매 마무리 단계에서 결정을 미루지 못하게 하는 또 다른 방법은 시간—고객의 시간과 당신의 시간—이 얼마나 귀중한지를 강조하는 것이다. 예를 들어 사업가를 방문한 보험 설계사는 프레젠테이션을 시작하면서 이렇게 말한다.

"만나 뵙게 돼서 반갑습니다, 사장님. 패스트푸드 가맹점을 여러 개 갖고 계시니 얼마나 바쁘시겠습니까? 워낙 바쁘신 분이라 시간이 무척 귀중하시겠지요. 그러니 바로 본론으로 들어가겠습니다. 저에게도 역시 시간은 무척 귀중한 것이니까요. 저희 보험 상품에 대해 설명해 드리겠습니다. 이 보험 상품이 필요하거나 예산에도 맞다면 말씀해 주십시오. 또 혹시 그렇지 않더라도 말씀해 주시고요. 그러면 저는 제 갈 길을 갈 테니까요. 어쨌든 오늘 결정을 내려 주시면 고맙겠습니다. 좋지요?"

또 회사 중역에게 이렇게 말할 수도 있다.

"우선 시작하기 전에, 선생님이 제가 말씀을 드려야 할 분이 맞습니까?"

그러면 그는 고개를 끄덕일 것이다.

"그러니까 선생님이 오늘 가부간에 결정을 내려 주실 수 있는 분이라는 말이죠?"

물론 이때 고객이 아니라고 말하면 프레젠테이션을 하는 것은 의미가 없다.

호텔을 방문하여 진공청소기를 파는 세일즈맨도 이 기법을 쓸 수 있다.

"한 가지 짚고 넘어갈 일이 있는데요, 수전. 당신도 좋아할 겁니다. 저는 억지로 떠맡기는 장사꾼은 아니니까요. 물건을 사도록 강매하는 일은 절대 없을 겁니다. 제가 오늘 말씀드릴 내용은 진공청소기에 관한 것인데요, 이미 이 제품을 사용해 본 이웃이나 친구분들이 이것 덕분에 얼마나 편리해졌는지 설명해 드리려는 것입니다. 제 설명을 듣고 나서 조금이라도 편해지겠다 싶으면, 그리고 살 만한 여유가 되면 저희 고객이 되어 주시고, 만일 그렇지 않을 경우라도 절대로 강요하지는 않겠습니다. 자, 그러면 공평하겠지요?"

여기서 핵심은 프레젠테이션을 시작하기 전에, 설명을 듣고 나서 구매 결정을 내려 달라고 고객에게 말하는 것이다. 이를 거절하는 사람은 별로 없다. 그리고 그 사실을 미리 말해 놓으면 판매 마무리 단계에서 미루는 일은 최소한으로 줄어든다.

고객의 자아에 호소하라

앞에서 나는 당신에게 자아에 대해 연구하라고 말했다. 미루기를 극복하는 데도 고객의 자아에 호소하는 방법을 이용하면 판매를 성사시키는 데 아주 효과적이다. 프레젠테이션을 시작하기 전에 고객에게 가부간에 결정을 내리도록 미리 다짐을 주는 것과 마찬가지로, 그가 중요한 사람이라고 치켜세워서 결론을 내려야 할 때 어정쩡한 태도를 취하지 않고 확실하게 결정을 내리도록 유도하는 것이다. 고객의 자존심을 세워 주고 허영심을 부풀려 주라는 것이다.

남성들은 특히 여성 판매원들이 이 방법을 쓸 때 약하다. 예를 들어 여성 판매원이 남성 고객에게 인터폰을 판다면 이렇게 치켜세울 것이다.

"장안의 저명한 사업가를 만나게 되다니 무척 기뻐요, 미첼 씨. 선생님 같은 고위 간부들에게는 시간이 굉장히 중요할 거예요. 제 말이 맞지요?"

"맞아요, 아가씨. 시간은 곧 돈이지."

미첼 씨는 으쓱해서 대답한다.

"선생님께는 시간이 얼마나 귀중한지 잘 알죠. 그래서 되도록 시간을 빼앗지 않으려고 하는 말인데요, 오늘 이 주문서를 넣으면 금요일이면 배달될 거예요."

"좋아요. 하지만 나는 오늘 오후에 출장을 가니까 앞으로 3일 동안은 자리를 비우게 될 텐데. 그러니 오늘은 아무것도 하고 싶지가 않아요. 중요한 회의가 다른 도시에서 있거든요. 상품 안내서를 두고 가면 비행기 안에서 읽어 보겠소, 캐럴."

"그렇군요, 미첼 씨. 생각할 문제가 얼마나 많은지 충분히 이해해요. 그런데 인터폰을 사는 것 같은 사소한 문제는 선생님이 시간을 들여 가면서 생각할 문제가 아니라고 생각해요. 이런 것을 가지고 신경 쓰실 이유가 전혀 없죠. 그러니 출장 다녀오시는 동안에 이 주문서가 결재되도록 해주시면, 그동안 인터폰이 배달되어 3일 후에는 바로 사용하실 수 있을 거예요."

"그거 좋은 생각이군."

"여기에 서명해 주세요, 미첼 씨. 그리고 여기도요."

그녀는 판매가 된 것으로 간주하고 이렇게 말한다.

또 다른 도시로 전근을 가게 된 한 회사 간부에게 부동산을 파는 여성은 이렇게 말할 수 있다.

"그린 씨, 지금까지 직장생활을 하시면서 몇 번이나 전근을 하셨어요?"

"믿어도 좋고 안 믿어도 할 수 없지만, 18년 동안에 벌써 열한 번째 하는 이사요."

"그럼 이사하는 데는 이골이 나셨겠군요. 그렇죠?"

"누워서 식은 죽 먹기가 됐죠."

그린 씨는 미소 지으면서 말한다.

"좋습니다. 선생님처럼 집을 살 줄 아는 분과 일을 하면 훨씬 수월하지요. 먼 데로 이사해 본 경험이 없어서 부인 없이는 죽어도 이런 결정을 못 내리는 간부들과는 다르군요."

나 역시 비슷한 방법으로 여성들의 자존심을 세워 주곤 한다. 나는 이렇게 말한다.

"옛날 같으면 여성들이 결정을 내린다는 건 생각도 할 수 없는 일이었지요. 하지만 요즘 여성들은 주관이 뚜렷해서 스스로 결정을 내리잖습니까? 대단한 일이죠."

"맞아요, 지라드 씨."

갓 스물을 넘긴 젊은 아가씨가 나에게 말한다.

"게다가 우리 엄마는 평생 혼자서는 자동차 영업소 한 번 못 가 보셨죠."

이 방법은 젊은 세일즈맨이 나이 든 고객을 방문할 때도 유용하다. 그는 이렇게 말함으로써 자신이 젊다는 것을 이용한다.

"선생님처럼 명쾌하게 결정을 내리시는 경험 많은 분과 대화하게 되다니, 정말 기분 좋습니다. 잘 아시겠지만, 요즘 젊은 사람들은 결정 하나 제대로 하지 못하거든요."

자존심을 세워 주는 이 방법은 어떤 경우에나 적용할 수 있다. 자존심은 나이와 성별, 지위고하를 막론하고 누구나 갖고 있는 것이기 때문이다.

"생각해 볼게요"

판매 프레젠테이션의 마지막 단계에 가서 "생각해 보겠다."고 선언하는 고객에게 어떻게 대처해야 하는가? 미루기는 대부분 사람들의 일반적인 특성이므로 여러분은 이런 고객들을 다룰 줄 알아야 한다. 그리고 이런 사람들을 다루는 법을 모르고 판매 분야에서 성공하기란 어렵다.

생각해 봐야겠다고 말하는 부부에게 나는 이렇게 대답해 주곤 한다.

"이거 아십니까? 선생님 부부는 저희 부부와 똑같군요."

"우리가요? 어떻게요, 조?"

"우리 부부도 어떤 결정을 내리기 전에 서로 의논해 보기를 좋아하거든요. 의논해 보세요. 저는 고객들에게 강요당했다는 느낌을 주고 싶지는 않아요. 그러느니 차라리 거래를 안 하고 말겠습니다. 아, 오해는 마십시오. 저는 선생님과 거래하기를 원하니까요. 다만 저는 기분 좋게 거래가 이루어지기를 바랄 뿐입니다."

"그렇게 생각한다니 기쁘군요, 조. 사실 억지로 떠맡기는 술수를 쓰는 자동차 판매사원한테서는 아무것도 사지 않을 작정이었거든요."

"좋습니다. 그런 말을 들으니 기쁩니다. 두 분이서 시간을 갖고 생각해 보십시오."

그렇게 말하고, 나는 입을 다물고 의자에 앉아 있다.

"이봐요, 조."

그들 중 한 사람이 말을 꺼낸다.

"그런 뜻이 아닌데."

"이런, 죄송합니다. 네, 물론이죠. 무슨 뜻인지 알겠습니다. 두 분이서만 의논하고 싶으신 거죠, 그렇죠?"

"그래요, 조."

"그렇게 하십시오. 그동안 저는 옆방에서 전화를 좀 걸고 있겠습니다. 제가 필요하시면 큰 소리로 불러 주십시오. 시간을 갖고 의논해 보십시오. 서두르실 필요 없습니다."

물론 나는 생각해 보겠다는 의미가 몇 분 정도가 아니라 더 오랜 시간을 뜻한다는 걸 안다. 그들의 말은 몇 분이 아니라 며칠이었을

게다. 하지만 나는 그들에게 10분 정도 따로 있을 시간을 주고는 되돌아와서 판매가 된 것으로 간주하고 이렇게 말한다.

"좋은 소식이 있습니다. 서비스 부서에 알아봤더니 오늘 오후까지 선생님 차를 준비해 드릴 수 있다는군요."

자, 나는 이런 식으로 판매가 된 것으로 간주한다.

때로는 적절한 문구를 인용해서 고객의 결정에 촉매 역할을 하게 한다. 진부하고 상투적인 '오늘 할 일을 내일로 미루지 말라'는 금언은 아마도 가장 먼저 떠오르는 말이며 가장 흔히 쓰이는 말일 것이다. 그러나 그것도 적절한 때에 맞추어 쓰면 효과가 있다. 시의적절한 인용은 매우 효과적이다. 그것은 현명한 제3자가 중재자로 나서서 고객에게 의견(당연히 세일즈맨에 유리한 것이겠지만)을 제시하는 것과도 같다. 나는 세일즈맨이 적절한 순간에 적절한 금언을 사용해서 판매를 자신에게 유리한 쪽으로 이끌어 가는 것을 자주 보았다.

자기에게 어울리는 인용구를 선택해서 활용하라. 좋은 내용을 담고 있으며 미루기를 극복하는 데 안성맞춤으로 보이는 몇 가지 예를 소개하면 이런 것들이다.

- 모든 장애물을 극복한 뒤에라야 할 수 있다면 아무것도 시도하지 못할 것이다(새뮤얼 존슨).
- 기다리지 마라. 바로 이때다 싶은 때란 결코 없다. 바로 그 자리에서 가지고 있는 도구를 가지고 시작하라. 그러다 보면 더 나은 도구를 발견하게 될 것이다(나폴레온 힐).

- 비전이 없으면 백성이 멸망하거니와……(잠언 29장 18절).
- 내일은 결코 어제 같지 못하다(푸블릴리우스 시루스).
- 사실을 다 알고 나면 결정을 내리기란 어렵지 않다(조지 패턴 2세. 2차 세계대전에 참전한 미국의 장군).
- 항상 어느 것이 옳은지 스스로에게 물어보라(공자).
- 천리 길도 한 걸음부터 시작된다(노자).
- 시작이 반이다(호라티우스, 로마의 시인).

이외에도 좋은 말들을 명함처럼 만들어 항상 지갑이나 서류가방에 넣고 다니면 좋을 것이다. 때로는 말보다 인쇄된 문구가 더 공적인 효과를 발휘하며, 인용구들을 꼭 외울 필요는 없다. 인용구가 적힌 종이를 꺼내서 고객에게 읽어보도록 건네주면 된다.

고객이 구매 결정을 주저하는 것은 지금 결정하는 것이 더 이익이라는 점을 확신시켜 주지 못했기 때문이다. 나중에 하는 것보다 지금 하는 것이 이익이라는 점을 명확하게 보여 주는 예가 있는데, 보험 설계사가 주로 쓰는 방법이다.

"생각해 보고요."라고 말하는 고객에게 보험 설계사는 이렇게 대답한다.

"브루스 씨, 만약 제가 당신 주머니에 깃털 하나를 꽂아 주고 어딜 가든 항상 그것을 가지고 다니도록 한다면 깃털이 있는지조차 잘 느끼지 못하겠지요?"

"그럼요."

"그럼 항상 깃털 한 뭉치를 주머니에 넣고 다니도록 한다면 불룩 튀어나온 주머니가 신경 쓰이겠지요. 그렇죠?"

"물론 그렇겠지요."

"자, 그럼 한걸음 더 나아가서 제가 커다란 깃털 베개를 주고 항상 가지고 다니도록 한다면 온종일 그것을 질질 끌고 다녀야 해서 꽤 부담스럽겠지요?"

"그렇소. 그런데 왜 그런 이야기를 하는 겁니까?"

"지금 손님 나이에 이 정도의 보험료는 손님의 지출이나 생활 수준에 별 부담이 되지 않을 겁니다. 하지만 몇 년 뒤에 계약하시려면 보험료가 올라갈 것이고, 더 몇 년 뒤에는 그 부담이 엄청나게 커질 겁니다. 아시겠습니까, 브루스 씨? 보험료가 낮아 부담이 적은 오늘이야말로 이 보험을 들기에 적당한 때입니다."

"생각해 보고요."라는 거부반응을 극복하는 마지막 비결은 정곡 찌르기, 즉 실제적인no-nonsense 판매 기법이다. 이것은 내가 자주 써먹는 방법인데 어떤 물건을 팔 때든 효과가 있다.

"이봐요, 잭. 우리는 지금 두 시간이나 이야기를 했고, 이 차가 당신한테 딱 맞는 차라는 데 의견의 일치를 보지 않았습니까. 게다가 당신은 돈도 많이 벌지요. 오늘 사지 않을 이유가 하나도 없어요. 그러니 제 고객이 되는 것으로 마무리를 하십시오. 자, 계약서에 서명을 하세요. 그렇게 하시겠죠?"

이렇게 해서 나는 두 시간여를 끌었던 판매 프레젠테이션을 마무리한다.

구매를 미루지 못하도록 쐐기를 박아라

• 고객이 확신할 수 있도록 도와라

고객이 결정하지 못하고 미적거리는 것은 당신이 불친절을 행하고 있다는 증거다. 기껏 매장에 가서 한 시간씩이나 돌아봤는데 결국 못 샀다면 고객은 귀중한 시간을 낭비한 것이다. 고객에게 확신을 주는 것은 고객을 돕는 일이다.

• 프레젠테이션 전에 결심을 유도하라

프레젠테이션 전에 상대방이 구매 결정권자인지 확인하라. 그리고 그 사람에게 설명을 듣고 난 후 구매 결정을 내려달라고 말하라. 미리 이렇게 말해 놓으면 판매 마무리 단계에서 구매를 미루는 일은 최소한으로 줄어든다.

• 고객의 자아에 호소하라

고객을 중요한 사람이라고 치켜세우면 결론을 내려야 할 때 어정쩡한 태도를 취하지 않고 확실하게 결정을 내리도록 유도할 수 있다. 고객의 자존심을 세워주고 허영심을 부풀려 주라는 것이다.

• "생각해 볼게요."라고 말하는 고객

구매 미루기는 고객들의 일반적인 특성이다. 고객이 구매 결정을 주저하는 것은 지금 결정하는 것이 더 이익임을 확신하지 못하기 때문이다. 지금 구매하는 것이 이익이라는 점을 명확하게 보여 주자.

세일즈에서
주도권을 잡아라

세일즈맨이 프레젠테이션 중에 머뭇거리고 고객의 질문에 대답도 제대로 못한다면? 당연히 판매를 성사시키지 못할 것이다. 교사가 학생에게 설명하듯 노련하게 세일즈를 주도해 간다면 상당히 수준 높은 전문 세일즈맨이라고 할 수 있다. 또한 자신이 종사하는 분야에 대한 전문지식에 통달한 세일즈맨이라면 주도권을 잡기가 더욱 쉬워진다.

대부분의 사람들에게 세일즈를 주도하는 것에 대해 생각해 보도록 했을 때, 그들이 먼저 떠올리는 이미지는 회유하고 협박하는 것이라고 한다. 손님을 들볶는 그런 판매 술수를 쓰는 세일즈맨을 생각하면 오싹 소름이 끼친다. 그러고도 아무렇지도 않을 사람이 있으리라고는 생각할 수 없다. 어떤 상황에서도 고객은 존중받아야 한다.

그러나 어쨌든 세일즈맨은 판매를 주도할 수 있어야 한다. 만일 세일즈맨이 판매를 주도하는 데 실패할 경우, 판매를 마무리할 시간이 되었을 때 문제가 생기고, 판매를 성사시키지 못할 것은 뻔한 이치다.

교사가 학생에게 설명하듯 하라

나는 마치 자상한 교사처럼 내가 고객의 이익을 중시하고 있다는 것을 보여 주기 위해 모든 일을 한다.

　나는 그들에게 우리 상품의 장점에 대해 알려 주고, 구매 결정을 내릴 수 있도록 안내해 준다. 물론 때로는 다른 사람들에 비해 좀 더 애를 쓰고 안내를 해야 하는 경우도 있다. 어떤 경우에는 나와 구매자 모두 모범 답안을 따라가기라도 하듯 프레젠테이션이 정확하게 진행되기도 한다. 그런가 하면 어떤 경우에는 구매 결정을 내릴 때까지 좀 더 많은 동기 유발이 필요할 때도 있다. 그들은 사고 싶어 하면서도 선뜻 돈을 쓰기가 어려워 안절부절못한다. 이런 경우 판매 프레젠테이션을 할 때 주도적으로 방향을 잡아 나가지 못한다면 일을 태만히 하는 것이다. 만약 고객이 어쩔 줄 몰라 하며 결정을 내리지 못하고 있다면, 아마도 내가 그에게 불친절했기 때문일 것이다.

　나는 이것을 교사와 학생의 관계라고 말했지만, 같은 맥락에서 좋은 부모나 목사와의 관계로 볼 수도 있다. 따라서 제대로 하기만 하면 존경과 찬탄을 불러일으킬 수 있는 권위적인 역할이다. 지금까지 이러한 지위를 누린 세일즈맨은 별로 없지만, 누구나 추구해야 할 모범적인 상일 것이다. 최고의 보험 설계사라면 이런 식으로 노련하게 세일즈를 주도해 간다. 그것은 고객에 대한 봉사의 일종이다. 고객 역시 그것을 고맙게 여긴다. 그는 마치 학생들을 가르치는 교사처럼 이렇게 말한다.

"지난 몇 년간 산업계에는 많은 변화가 있었죠. 괜찮으시다면 선생님의 상황에 맞는 사례 몇 가지에 대해 몇 분 동안 설명해 드리겠습니다."

이렇게 이야기의 실마리를 꺼내고는, 일반 생명보험에 가입하면 어떤 이익을 얻을 수 있으며, 그 고객은 어째서 정기보험을 드는 것이 좋으며, 어떤 것에 투자하는 게 좋은지 등에 대해 설명한다. 그러고는 "이제 선생님이 알아 두어야 할 중요한 세법 개정에 대해서 말씀드리지요." 하고 계속해서 설명한다.

프레젠테이션의 마지막 단계에서 그는 이렇게 덧붙인다.

"잠시 기본적인 질문을 하고 나서 몇 가지 보험을 권해 드리겠습니다."

여기서 그는 이렇게 질문할 수 있을 것이다.

"무슨 일을 하십니까?"

"연봉이 어느 정도입니까?"

"자녀들을 위해서는 어떤 준비를 해두고 계신지요?"

"일찍 돌아가시게 될 경우, 재산과 관련되어 어떤 대비를 해두셨는지요?"

"지난 5년간 병원을 찾게 된 것은 주로 무엇 때문이었습니까?"

보험 설계사의 이와 같은 질문 방식은 마치 교사가 학생에게 구두시험을 보는 듯한 인상을 준다. 이런 식으로 적절히 주도해 나간다면 상당히 수준 높은 전문 세일즈맨이라고 말할 수 있다

판매할 때는 고객에게 집중하라

나는 일단 고객과 마주하게 되면, 그에게만 온 신경을 쏟는다. 다른 것들은 모두 내 의식에서 차단해 버린다. 그 어떤 생각도 나를 흐트러뜨리지 못한다. 그와 악수를 나누고 나를 소개한 순간부터 나는 고객에게서 주의를 놓치지 않는다. 밖에서 소방차 다섯 대가 요란하게 지나간다 해도 나는 고개를 돌리지 않는다. 내가 이런 말을 하는 것은 사이렌 소리가 들리거나 소방차가 출동하거나 할 때마다 창문으로 우르르 달려가는 세일즈맨들을 많이 보아 왔기 때문이다. 그런가 하면 영업소 한쪽 옆에 서 있는 고객의 쭉 뻗은 다리에 반해서 눈알이 튀어나오도록 쳐다보는 세일즈맨도 있다. 하지만 나는 설령 강진이 일어난다 해도 고객에게서 주의를 떼어 놓지 않을 것이다.

어째서 고객에게 집중하는 것이 세일즈 과정을 주도하는데 그토록 중요한가? 그것은 고객에게만 온 신경을 쏟을 때, 그가 하는 몸짓과 그가 내는 소리를 모두 보고 들을 수 있기 때문이다. 그러나 고백하건대, 나도 늘 고객을 그처럼 대했던 것은 아니다. 주의를 게을리 하여 결과적으로 주위의 소란에 정신을 빼앗겼던 일이 한 번 있었다. 다행스럽게도 그런 일은 단 한 번뿐이었다. 그렇게 해서 거래를 놓친 뒤 나는 뼈아픈 교훈을 얻었고 그 덕분에 전보다 더 많은 거래를 성사시켰다.

세일즈 일을 시작한 지 얼마 되지 않았을 때의 일이다. 어느 날, 한 사업가가 나의 사무실을 찾아왔다. 그는 정식 교육을 제대로 받지 못했지만 고생 끝에 자수성가한 사람이었다. 그는 온갖 부품들이 다 장착된 최고 모델의 차를 원했고 판매가 반쯤 진행되었을 때, 미시건 대학 의과대학에 다닌다는 아들 자랑을 하기 시작했다. 그런데 그때 한 무리의 세일즈맨들이 내 사무실 바깥에 서서 그날따라 유난히 커다란 소리로 우스갯소리를 하고 있었다. 나는 그만 그 이야기에 정신을 빼앗기고 말았다. 마침 문이 열려 있어서 웃고 떠드는 소리가 더욱 크게 들려왔다. 그 때문에 다소 곤혹스럽긴 했지만, 나는 그의 아들이 우등생인데다 운동도 잘한다는 등의 이야기를 들으면서 줄곧 고개를 끄떡였다. 마치 그의 이야기에 빠져 있다는 듯이 말이다.

그러나 자동차 이야기로 들어갔을 때 나는 그가 냉담해졌다는 것을 알아차렸다. 아니나다를까, 그는 별안간 일어서더니 이렇게 말했다.

"지라드 씨, 이야기 잘 나눴소."

그것으로 끝이었다.

나는 집으로 돌아오면 하루 일과를 돌아보는 시간을 가지곤 했는데, 그날 밤은 이 특별한 사건에 대한 생각을 지울 수가 없었다. 그래서 나는 무엇이 잘못되었는지를 알아보기 위해 그의 집으로 전화를 해보았다.

"왜 그렇게 나가 버리셨나요?"

나의 물음에 그는 "아무 일도 없었소. 단지 다른 사람에게서 차를 샀을 뿐이오."라고 대답했다.

"네? 제가 제시한 조건은 엄청나게 좋은 조건이었는데요."

그러고는 그에게 부드럽게 물었다.

"제가 뭘 잘못했는지 말씀해 주시겠습니까?"

"그렇게 묻는 이유가 뭐요?"

그가 대답했다.

"네, 저는 항상 좀 더 잘하려고 노력하고 있고, 저의 행동이 선생님의 기분을 상하게 만들었다면 그것이 무엇인지를 알아서 다시는 그런 실수를 하지 않기 위해서입니다."

"그럼, 당신이 뭘 잘못했는지 말해 주겠소, 지라드 씨."

그가 딱딱한 목소리로 말했다.

"당신은 연신 문 밖을 쳐다보면서 다른 사람들이 우스갯소리 하는 데 몰두했소. 분명히 당신은 내 얘기보다 거기에 더 관심이 있는 듯했소. 나는 그 점 때문에 화가 났던 거요!"

잠깐 동안 침묵이 흘렀다. 나답지 않지만 그 순간 나는 할 말을 잃었다. 내 자신이 너무나 부끄러웠던 것이다. 나는 낮은 목소리로 말했다.

"선생님 말씀이 전적으로 옳습니다. 그리고 한마디 더 말씀드리자면 저는 선생님과 거래할 자격도 없습니다. 하지만 잠깐 전화 끊으시기 전에 이것만은 알아 주십시오. 선생님의 아드님은 정말 자랑하실 만합니다. 제가 듣기에 아드님은 정말 훌륭한 젊은이였고, 꼭 좋은 의사가 될 겁니다. 그리고 제게 솔직하게 말씀해 주셔서 정말 감사합니다. 아주 귀중한 교훈을 얻었습니다. 나중에라도 혹시 저에게 다시 한 번 기회를 주신다면 감사하겠습니다."

2년 후 그는 우리 영업소를 찾아왔다.

"이봐, 조. 자네한테 다시 한 번 기회를 주겠네."

나는 그뿐만 아니라 그의 아들 지미에게도 차를 팔았다. 한마디 더 보태자면, 나는 그때 이후로는 항상 사무실 문을 꼭 닫아 둔다.

여러 해 전의 일이다. 한 젊은 여성 세일즈맨이 내게 다가와서는 자기가 고객에게 판매 프레젠테이션하는 것을 지켜봐 달라고 부탁했다.

"제가 뭔가 잘못하고 있는 게 분명해요, 조. 하지만 암만 생각해도 그게 뭔지 모르겠어요."

나는 그녀가 프레젠테이션을 하는 모습을 지켜보았다. 그녀의 말은 모두 시의 적절했다. 그녀는 부드럽게 판매를 성사시키는 쪽으로 이끌어 갔고 자신감도 넘쳐 보였다. 그러나 판매는 성사되지 않았다.

"뭐가 잘못된 거죠, 조? 그 남자에게는 새 차가 필요하고, 또 살 만한 여유도 있고, 제가 제시한 조건도 아주 파격적이었어요. 제가 어떤 부분에서 실수를 한 거지요?"

"베티, 당신 말이 맞아요. 당신은 모든 걸 잘 해냈어요. 내가 보기에 당신은 굉장히 훌륭했어요. 하지만 한 가지 아주 치명적인 실수를 했어요. 그런데 당신은 그걸 깨닫지 못하는 것 같더군요."

"그게 뭐죠? 꼭 알아야겠어요."

그녀는 흥분해서 말했다.

"당신은 여섯 번이나 손목시계를 쳐다보았어요. 그럴 때마다 당신의 고객은 잠깐 동안 입을 다무는 것 같았죠. 그는 틀림없이 이렇게 생각했을 거예요. '이 여자는 차를 파는 것보다 더 급한 일이 있는 모양이군.' 이제부터는 그렇게 시간이 알고 싶으면 벽에다 커다란 시계를 걸어 놓도록 해요. 그러면 그렇게 표 나지는 않을 테니까. 하지만 제발이지 고객을 빨리 쫓아 보내야 할 만큼 바쁘다는 표시는 내지 말아요."

"세상에, 사실 저는 시간이 얼마나 됐는지는 관심도 없었어요. 그냥 나쁜 버릇일 뿐이에요. 하지만 당신 말이 전적으로 옳아요. 다시는 안 그럴 거예요."

그녀는 나의 충고에 고맙다는 표시로 힘찬 포옹을 했다. 그러고 나서 몇 주 뒤 그녀의 전화를 받았는데, 시계를 쳐다보는 습관을 고친 후로 차가 불티나게 팔리고 있다는 것이었다.

상담 중 전화 사절

나는 판매 프레젠테이션을 하는 동안에는 항상 사무실 문을 닫아둘 뿐만 아니라 안내 데스크에도 이렇게 말해 둔다.

"지금은 상담 중이니 나에게 걸려오는 전화는 전부 대기시켜 줘요."

이렇게 하면 고객은 자신이 귀빈이 된 듯한 느낌을 갖게 되고, 나는 때 아닌 전화를 받느라 판매 프레젠테이션의 흐름을 놓치거나 판매를 성사시킬 적절한 기회를 놓쳐 버릴 위험도 없어진다. 장담하건대, 판매 중에 전화를 받을 경우 고객들은 곧바로 냉담해진다. 나로선 세일즈맨이 판매 프레젠테이션을 하는 동안에 전화를 받는다는 것은 상상도 할 수 없는 일이다.

그러나 이런 일은 주위에서 늘 일어나고 있다. 당신은 변호사가 심리 중에 전화받는 것을 본 적이 있는가? 아니면 의사가 수술하다 말고 전화를 받는 것을 본 적이 있는가? 물론 그렇지 않을 것이다. 세일즈맨이라고 해서 예외가 될 순 없다.

내가 물건을 사러 갔는데 판매사원이 걸려온 전화를 받기 위해 "실례합니다. 잠깐만 기다려 주세요."라고 말하면 나는 정말 혈압이 오른다. 그러고서 그는 전화에 대고 몇 분 동안 이야기를 한다. 그러면 나는 그곳을 박차고 나오기 전에 그 무례한 판매사원에게 반드시 따진다.

"어떻게 그럴 수 있는지 모르겠소. 나는 일부러 시간을 내서 이 가게에 온 거요. 그런데 당신은 나보다도 전화를 건 사람한테 우선권을 줄 수가 있는 거요?"

세상에, 어떻게 눈앞에 있는 고객을 두고서 걸려 온 전화를 받을 수 있는지 도무지 이해할 수 없다. 마찬가지로 세일즈맨이 고객의 사무실을 방문했을 때도 이렇게 말해둔다.

"제가 말씀드릴 것은 아주 중요한 내용인 만큼 상담 중에 걸려 오는 전화는 좀 대기시켜 달라고 비서에게 일러 두시면 감사하겠습니다."

당신이 정중한 태도로 이렇게 요구하면 대부분의 사람들은 그 요구를 들어 줄 것이며, 그러면 예기치 않게 걸려온 전화 때문에 판매 프레젠테이션이 방해를 받는 일은 없을 것이다. 어쨌든 전화 때문에 방해를 받는 것은 세일즈맨이나 고객 모두 화가 나는 일이니까.

고객을 자연스럽게 대화에 끌어들여라

고객이 한 마디도 말할 틈을 주지 않는 것이 세일즈 과정을 주도하는 것이라고 생각하는 사람들이 더러 있다. 이런 생각을 갖고 있는 사람들은 상대방을 말로 눌러 버려야 세일즈가 성사된다고 믿는다.

나는 세 가지 이유에서 이 의견에 반대한다. 첫째, 고객의 요구 사항을 알기 위해서는 질문을 해서 대답을 들어야 한다. 둘째, 질문을 하면 진실해 보이며 고객을 도와주고 싶어 한다는 인상을 준다. 셋째, 적절하게 질문을 하면 세일즈 상담을 주도하는 데 도움이 된다.

당신이 자동차를 팔든, 컴퓨터를 팔든, 집을 팔든, 보험 상품을 팔든, 증권을 팔든, 무엇을 팔든 상관없이 고객이 필요로 하는 것이 무엇인지를 알아 내기 위해선 많은 질문을 던져야 한다. 그렇지 않으면 어둠 속에서 일하는 것과 다름없다. 상대방에게 말할 여지를 준다는 것이 결코 판매 과정의 주도권을 빼앗기는 것은 아니다.

판매 기술을 정말로 잘 아는 사람이라면 판매 프레젠테이션이 한쪽만 일방적으로 이야기하는 것이라고 생각하지 않는다. 그것은 쌍방의 대화다. 그리고 고객이 편안하게 말할 수 있도록 해주는 것은 당신의 책임이기도 하다. 당신이 이 과정을 적절히 잘 조절하기만 한다면 주도권을 잃는 것이 아니라 오히려 잡을 수 있다. 증인을 반대 심문하는 변호사처럼 당신 역시 판매 상담을 하는 동안 질문하고 대답하면서 판매 과정을 주도해 나갈 수 있다.

예를 들어 부동산 중개업자라면 집을 사려는 부부에게 무조건

온 시내를 돌아다니며 그들이 조금이라도 관심이 있을지도 모르는 집들을 보여 줄 것이 아니라 그 전에 먼저 질문부터 해야 한다. 즉, 집들을 둘러보기 전에 사무실에서 혹은 전화로 신상 정보를 얻기 위한 상담을 한다. 주로 이런 내용을 물을 수 있다.

- 자녀는 몇이나 두고 있습니까?
- 자녀의 나이는 어떻게 됩니까? 공립학교와 사립학교 중 어디에 입학시킬 건가요?
- 지금 살고 있는 집은 당신 소유인가요?
- 그 집의 현재 시가는 얼마이며, 담보나 세금을 뺀 순수 시가는 얼마나 되지요?
- 구입하려는 집은 가격을 어느 정도 선으로 잡고 계신가요?
- 특별히 이사 가고 싶은 동네가 있습니까?
- 어떤 스타일의 집을 좋아합니까?
- 침실은 몇 개 있는 것이 좋습니까?
- 대지는 몇 평 정도면 좋겠습니까?
- 버스 정류장이나 지하철역이 가까워야 합니까?
- 일층집이 좋습니까, 이층집이 좋습니까?
- 지금 살고 있는 집은 팔렸나요?
- 새로 이사 갈 집은 얼마나 빨리 얻어야 합니까?

부동산 중개업자는 일련의 질문을 마치고 난 다음 이렇게 말한다.

"지금 시장에 나와 있는 집들을 살펴보겠습니다. 저한테 두 가지 안이 있는데요, 당신도 좋아하실 겁니다. 마음에 드신다면, 오늘 오후에 보러 가실 수 있습니까?"

한 시간쯤 뒤에 부동산 중개인은 다시 전화를 걸어서 이렇게 말한다.

"선생님이 원하는 조건에 맞는 집으로 시내 북동부 지역에 네 채가 나와 있습니다. 선생님도 마음에 드실 겁니다."

그러고는 집을 둘러보기에 편리한 시간을 잡는다.

같은 부동산 중개업자라 하더라도 처음부터 "바로 이리로 오십시오. 제가 몇 군데를 보여 드리겠습니다."라고 말한다면 고객의 반응이 어떨지 상상해 보라.

그러면 그들은 이렇게 생각할 것이다.

'우리가 어떤 집을 원하는지도 모르면서 뭘 보여 준다는 거지?'

이것은 마치 의사가 처음 온 환자에게 "어디가 아프십니까?"라고 묻고는 배가 아프다는 환자의 말에 이렇게 대답하는 것과 같다.

"좋습니다. 수술을 해봅시다."

먼저 고객에 대해서 알려는 진지한 노력도 없이 고객이 무엇을 원할 것이라고 어림잡아 생각하는 것은 어리석고도 심각한 실수를 범하는 것이다. 자동차를 팔면서, 고객 개개인이 어떤 차에 관심이 있는지 알려고도 하지 않고 특정 모델을 팔려는 것은 얼마나 바보같은 일인가. 가령 자동차 영업소장이 오늘은 초록색의 2도어짜리 쿠페를 팔아 주기를 원한다고 해서 그것을 고객에게 떠넘길 수는 없지 않은가. 마찬가지로 가구 판매원도 지나가다 가게 문을 열고

들어선 손님에게, 아무런 정보도 없이 여섯 개짜리 소파를 팔려고
하지는 않을 것이다.

질문을 던지는 것은 정보를 얻는 확실한 방법이다. 상대성 이론
으로 유명한 천재 과학자 아인슈타인은 다음과 같이 말했다.

"끊임없이 질문하는 것이 중요합니다."

나는 영국의 위대한 작가이자 시인인 러드야드 키플링의 말을
내 책상 유리 밑에 끼워 두고 있다.

나에게는 여섯 명의 정직한 하인이 있네.

내가 아는 것은 모두 그들이 가르쳐 준 것이지.

그들의 이름은 누가, 무엇을, 왜,

그리고 언제, 어디서, 어떻게라네.

전문적인 판매원들은 신상 조사 상담을 잘 주도해 나감으로써
필요한 정보를 얻는다. 그것은 이름 그대로 고객에게 일련의 질문
을 던지는 것이다. 첫 질문은 일반적인 것이어야 한다. 예를 들어
나는 고객에게 처음 접근할 때는 보통 "안녕하십니까? 지라드라고
합니다."라고 소개한다. 그러고는 "선생님 성함은……?" 하고 덧
붙인다. 얼마나 자연스러운가? 이렇게 운을 떼면 사람들은 자동적
으로 자기의 성과 이름을 댄다.

세일즈맨에 따라서는 곧장 질문에 들어가는 사람이 있는가 하
면, 우선 질문을 해도 될지 묻는 사람도 있다. 어떻게 하든 상관없
다. 당신에게 가장 편한 방법으로 하기 바란다. 우선 질문을 해도

되겠느냐고 묻는 경우라면 간단히 이렇게 말해도 좋겠다.

"몇 가지 질문을 해도 괜찮겠지요? 손님께는 어떤 것이 필요한지, 그리고 제가 어떻게 도와드려야 하는지 알아야 하니까요."

그리고 처음에는 일반적인 질문을 하기 바란다.

다음은 세일즈맨들이 자신의 분야에서 할 수 있는 질문들을 몇 가지 예로 들어보았다.

- **컴퓨터 회사 판매원** : 무슨 일을 하고 있습니까? / 지금 사용하는 시스템에 대해서 말씀해 주시겠습니까? / 어떤 기능을 원하시나요?

- **보험 설계사** : 생명보험에 대해 어떻게 생각하는지 말씀해 주시겠습니까? / 가족 사항은 어떻게 되십니까? / 지금 가입하고 있는 보험에 대해 말씀해 주시지요.

- **증권 중개인** : 전에 주식투자를 해본 적이 있습니까? / 자산 수익이 될 유망주에 비해 단기차익을 내는 주식에 대해서는 어떻게 생각하십니까? / 재정 목표는 어느 정도로 잡고 있습니까?

이런 식으로 질문을 하는 목적은 고객이 어떤 것을 필요로 하는지를 알아서 대화를 진전시키기 위해서다. 고객의 대답이 판매 프레젠테이션의 방향을 잡는 데 도움이 되는 것은 물론이다.

그런 다음 판매 프레젠테이션의 범위를 특정 문제로 좁히기 위해 좀 더 세부적인 질문으로 들어간다. 다음이 그런 질문들의 예다.

- **컴퓨터 회사 판매원** : 지금 문제가 되고 있는 게 어떤 것들인지요? / 급여 명세를 뽑는 데 시간이 얼마나 걸립니까? / 몇 가지 기능을 원하십니까? / 어느 정도 단위까지 다룰 수 있기를 바라십니까? / 회사의 총매출액은 얼마나 되나요?

- **보험 설계사** : 지금 들고 있는 보험은 얼마나 불입하셨나요? / 지금 내고 있는 보험은 얼마짜리입니까? 앞으로 은퇴 후의 계획은 어떻게 세워 놓고 있는지요? / 지금 다니고 있는 회사의 약정에 대해 말씀해 주시겠습니까?

- **증권 중개인** : 지금 소유한 주식은 어느 정도나 됩니까? / 세금 공제 시채市債에 대해서는 어떻게 생각하십니까? / 액면가보다 몇 배나 더 비싼 소위 인기주에 대해서는 어떻게 생각하십니까? / 투기성 매입에 대해서는 어떻게 생각하십니까? / 투자 금액은 어느 정도가 적당하다고 생각하십니까?

이처럼 세일즈맨들은 처음엔 일반적인 문제로 시작해서 점차 구체적인 문제로 범위를 좁힌다. 처음의 질문들은 꼼꼼하게 조사를 하기 위한 것이며, 뒤이어 고객을 유도할 목적으로 좀 더 생각을 하게 만드는 질문들을 던진다.

이때 질문 내용은 간단해야 한다. 쓸데없이 공연히 사족을 달 필요가 없다. 고객 앞에서 당신이 너무 많이 아는 듯한, 혹은 고객이 너무 모르고 있는 듯한 느낌이 들게 해서는 안 된다. 그리고 고객을 혼란스럽게 할 수도 있는 전문용어는 되도록 피하는 게 좋다. 고객이 쓰는 말과 똑같이 평범한 말을 쓰도록 한다. 당신이 아주 세련되었다거나 고객이 너무 모른다는 느낌을 주어 질리게 해선 안 된다. 자연스럽게, 대답하기 쉽게 질문을 던진다. 그리고 신상에 관련된 민감한 질문을 할 때는 왜 그런 질문을 해야 하는지 이해시킬 필요가 있다.

앞에서 컴퓨터 회사 판매원이 고객의 일의 특성이나 필요한 것이 무엇인지에 대해 먼저 질문하는 것처럼 일반적인 문제를 다룬 다음에 구체적인 문제에 질문의 초점을 맞춘다. 보험 설계사나 증권 중개인도 비슷한 수준을 따르고 있다. 각각의 예에서 세일즈맨은 고객이 대화에 적극적으로 참여하게 된 뒤에야 조심스럽게 좀 더 어려운 문제로 들어간다.

앞에서도 강조했다시피 듣기는 판매에서 아주 중요한 부분이다. 그러나 이 신상 관련 상담에서는 한 발 더 나아가 고객을 대화에 끌어들이기 위해 온갖 노력을 다해야 한다. 어쨌든 고객들 가운데는 아주 편안하고 자연스럽게 이야기를 나누는 사람이 있는가 하면, 입을 여는 데 큰 용기가 필요한 사람도 있게 마련이다. 고객의 말문을 열게 하기 위해서 당신은 "이러이러한 점에 대해서 어떻게 생각하십니까?"라든가 "이러이러한 점에 대해서 동의하십니까?" 또는 "이러이러한 점에 대해 생각해 본 적이 있습니까?"라는 식으로 의견을 묻는 질문을 해야 한다.

이러한 질문은 '예' 혹은 '아니오'라는 대답 이상을 요구하기 때문에 자연스럽게 고객의 참여를 유도할 수 있다. 그리고 일단 질문을 하고 나면 반드시 고객이 대답할 수 있도록 충분히 기다려준다. 다시 한 번 말하지만 대화가 잠시 끊기는 것은 절대로 나쁜 것이 아니다. 고객이 한마디를 끝내고 아무 말이 없더라도 잠시 기다리는 것이 좋다. 다른 의견을 말하기 전에 잠시 생각을 정리하고 있을지도 모르니까.

신상 정보에 관한 상담을 잘 활용하면 당신은 일반적인 세일즈맨들보다 한 단계 높은 전문가의 수준으로 올라서게 된다. 단순히 물건을 파는 것이 아니라 상담을 해주는 권위 있는 인물이 되는 것이다. 그렇게 해서 판매를 주도할 수 있다.

전문지식으로 무장해 권위 있게

이제 당신은 내가 권위 있게 행동하라고 해서 거만하거나 뻣뻣하게 하라는 얘기가 아님을 알 것이다. 그런 식으로 행동했다가는 판매 과정을 주도하기는커녕 오히려 망치고 말 것이다. 권위 있게 행동하라는 말은 자신이 하는 일에 대해서 완벽하게 알아야 한다는 의미다. 그러면 상대방은 당신이 겉치레에 신경 쓰는 사람이 아니라는 것을 분명히 알게 된다. 당신은 상대방의 존경을 얻을 뿐 아니라 판매 프레젠테이션도 좀 더 유리하게 이끌어 나갈 수 있다. 사람들은 자기 분야에서 전문가인 사람을 존경하는 법이다.

예를 들어 부동산 중개인이라면, 자기가 시내의 다른 중개인들보다 그 지역을 더 잘 안다고 허풍 떨 필요가 없다. 여기저기 집을 보여주러 다니다 보면 그가 그 지역에 얼마나 훤한 사람인지 저절로 드러나게 마련이다. 고객은 부동산 중개인이 그 집에 처음 와보는 것이 아님을 금방 알아볼 것이다. 그 중개인은 사전 준비를 철두철미하게 했을 테니까. 마찬가지로 프레젠테이션을 하는 도중에 담보 대출 문제가 거론되었을 때, 중개인이 재정적인 문제에 대한 전문적인 지식을 보여 주면 구매자는 담보 대출을 받을 때 전문적인 도움을 받을 수 있으리라고 확신하게 된다. 그 중개인은 자신이 알고 있는 것을 보여 줌으로써 권위를 얻게 된다. 이것은 일부러 꾸밀 수 있는 것이 아니다. 권위 있게 행동하기 위해서는 그만큼 풍부한 경험과 노력이 쌓여 자신의 분야에서 통달한 사람이 되어야 한다.

보험 설계사 역시 사전에 모든 것을 알고 있어야 한다. 그러면 그가 하는 말에는 자연스럽게 권위가 배어 나온다. 그는 보험 상품의 전반적인 지식을 갖추고 있어야 할 뿐만 아니라, 법률 및 세무에도 통달하고 있어야 한다. 토지 계획안이나 공동매매 계약에 수반되는 문제를 해결해 주는 보험 상품을 팔 때는 관련 분야의 지식이 더욱 필수적이다. 특히 세상 물정에 밝은 고객이라면 그의 빈틈없는 태도를 존경할 것이며, 상황에 따라 어떤 보험을 얼마나 들어야 할지에 대해 그의 의견을 따르게 될 것이다.

고객들을 정기적으로 방문하는 세일즈맨 역시 자기 분야의 전문가로 인정받으면 판매량을 늘릴 수 있다. 가령 외과의들은 의료기기 영업사원의 전문지식에 의존해서 의료기기를 구입하는 예가 많다. 따라서 의사들의 신뢰를 얻을 경우 그 업종에서 성공하기는 훨씬 수월해진다.

무엇을 팔든 상관없이 사람들은 전문가를 존경하고 그들과 거래하기를 원한다. 그리고 일단 전문가로 인정받기만 하면 누구든 진지하게 당신의 이야기를 경청할 것이다. 이것이야말로 판매를 주도할 수 있는 가장 좋은 방법이다.

그런데 개중에는 가짜 직함으로 전문가인 체하는 사람들도 더러 있다. 세일즈맨이라는 이름 대신 명함에다 컨설턴트, 관리책임자, 상담역 따위의 직함을 새겨 넣고 다닌다. 심지어 갓 딱지를 뗀 판매사원까지도 부사장이라는 직함이 인쇄된 명함을 갖고 있다. 물론 직함만으로는 아무것도 할 수가 없다. 근사한 직함을 내보이면 우선 문 안에 발을 들여놓기는 쉽겠지만 가짜 실력이 들통 나는 것은 시간 문제다. 관리 책임자를 대동하고 다시 오는 세일즈맨들은 또 얼마나 많은가.

"이분은 저희 지역의 부사장이신 토머스 씨입니다. 선생님께서 관심 가질 만한 자료를 몇 가지 보여 드리고 싶은데요……."

이것은 다른 지역에서 온 전문가라면서 소개하는 방식인데, 거물이 하는 얘기라면 기꺼이 듣고 싶어 하는 심리를 이용하는 것이다. 만약 그가 스스로 주장하는 만큼 내실이 있다면 사람들은 그의 얘기를 들을 것이고, 그는 십중팔구 판매를 주도할 수 있을 것이다. 그러나 이름뿐이고 실속이 없다면 그나 세일즈맨이나 둘 다 당장 쫓겨나기 십상이다. 이는 당연한 결과다.

가격부터 물어 오는 고객 대처법

어떤 세일즈맨도 고객이 상품의 가격부터 물어보는 것은 싫어한다. 이제는 가격을 말해도 되겠다 싶을 때까지 미루고 싶어 한다. 상품의 가치를 다 설명하기 전에는 가격을 말하고 싶지 않은 것이다. 고객들은 자신이 지불할 만큼의 가치가 있다고 여길 때에만 구매 의욕을 가질 테니까.

그런 까닭에 나는 처음 그런 질문을 받을 때는 뻔뻔하게 무시해 버리고 그런 말을 듣지도 못했다는 듯이 프레젠테이션을 계속한다. 고객이 두 번째로 물어보면 나는 "곧 말씀드리겠습니다." 하고는 계속해서 프레젠테이션을 하고는 이제는 값을 말해도 되겠다 싶을 때 비로소 가격을 말한다. 그 전에 고객이 세 번째로 질문하면 이렇게 말한다.

"곧 말씀드리겠습니다. 하지만 저는 선생님께서 구입하실 물건에 대해서 충분히 아셨으면 합니다. 그래야 제가 얼마나 파격적인 조건으로 드리는 건지 아실 테니까요."

그러고는 다정하게 이렇게 덧붙인다.

"가격은 걱정하지 마시고 사시게 될 물건에 대한 설명을 들으십시오."

그리고 마침내 가격을 말할 때는 긴장된 분위기를 조성하면서 이렇게 말한다.

"이 차의 가치가 어느 정도인지 아셨으니까, 제가 제시하는 파격적인 가격을 듣고 무척 기뻐하실 겁니다."

그리고 잠시 뜸을 들인 뒤 계속한다.

"됐습니다. 이제 기다리시던 때가 되었습니다."

나는 종이에다 가격을 적은 다음 그에게 건네준다. 그러고는 그가 말을 꺼내기도 전에 크게 미소를 짓고는 이렇게 덧붙인다.

"진짜 좋은 조건으로 드린다고 말했잖습니까."

이런 식으로 하면 사람들은 보통 동의를 한다.

때로는 '아니오'라는 대답이 도움이 된다

당신은 판매를 주도하기를 원하지 고객이 불만족스러워 하거나 노여워하기를 바라지는 않을 것이다. 이 점을 감안한다면 때로는 '아니오'라고 말하는 것도 아주 좋은 방법이다. 나는 사실 때때로 "유감스럽게도 그런 부품을 내장한 제품은 없군요."라고 솔직히 말해서 점수를 얻곤 한다. 더욱이 고객이 우리에게는 없는 특정한 부품을 원할 때, 그가 그런 것을 원한다고 해서 절대로 무시하거나 얕보지 않는다. 만일 그렇게 한다면 그의 판단이나 취향을 비난하는 것이고, 그를 무시하는 일이 될 것이다. 고객을 무시해서는 결코 판매를 성사시킬 수 없다.

'아니오'라는 말을 시의 적절하게 잘 사용하면, 고객은 때로 "아, 그렇소. 그까짓 것 없어도 되지 뭐." 하고 말하기도 한다. 그러나 그들과 말씨름을 하게 되면 일이 엉뚱하게 꼬여, 처음에는 아무것도 아니었는데 꼭 필요한 것이라고 고집하게 만드는 결과를 낳는다.

노련한 협상가들은 이러한 덫에 걸려들면 타협안으로 몇 가지 양보를 해야 하는 입장에 처한다는 것을 잘 알고 있다. 판매하는 데 있어서도 마찬가지다. 고객에게 그가 몇 점 정도 이겼다는 느낌이 들게 하면, 그는 기분이 좋아지고 긴장이 느슨해진다. 반면에 매번 완벽하게 '예'라는 대답을 하게 만들어서 상대방을 압도해 버리면, 그는 어떻게 해서라도 당신을 이겨야 되겠다고 생각하기 시작한다.

별로 중요하지 않은 문제라면 그가 이겼다는 느낌을 갖게 하라. 그러면 당신은 진실함으로 점수를 따게 될 것이다. 적절한 시기에 '아니오'라고 말하는 것이 때로는 판매를 성사시키는 데 도움이 된다.

세일즈에서 주도권을 잡아라

• **고객의 신상을 파악하라**

고객이 말할 틈도 주지 않고 혼자 떠들어야 세일즈를 주도할 수 있다고 믿는 사람이 있다. 하지만 고객이 무엇을 필요로 하는지 알아내려면 고객의 신상에 대해서 최대한 많이 알아야 한다. 자연스럽게 고객을 대화로 끌어내 신상을 파악하라.

• **상담 중엔 전화도 받지 말고 고객에게 집중하라**

눈앞에 고객을 두고서 전화를 받아서는 안 된다. 심리 중 전화받는 변호사를 본 적이 있는가? 수술 중 전화받는 의사를 본 적이 있는가? 세일즈 프레젠테이션이 방해받는 일이 없도록 최선의 환경을 만들어라.

• **고객 앞에서 권위 있게 행동하라**

세일즈맨은 자신이 판매하는 상품에 대해서 완벽하게 파악해야 한다. 부동산 중개인이 부동산세법에 대해서 제대로 몰라 고객에게 조언할 수 없다면 당연히 권위가 떨어진다. 전문지식으로 무장하면 권위 있어 보이며 세일즈 주도권을 잡기 쉬워진다.

• **가격은 프레젠테이션이 끝난 후 말해주라**

세일즈맨이라면 상품의 가치도 설명하기 전에 가격부터 말하고 싶어 하지 않는다. 그러나 끈질기게 가격을 먼저 물어 오는 고객이 있다. 이럴 때는 뻔뻔하게 무시해 버리고 프레젠테이션을 계속한 후 이때다 싶을 때 가격을 제시한다.

상황에 맞는 여러 판매 기법을 사용하라

유능한 세일즈맨은 다양한 세일즈 기법을 가지고 그때그때 상황에 따라 바꾸어 가며 구사한다. 자동차, 보험, 부동산 등 파는 물건은 한 가지에 국한될 수 있지만 고객은 모두 다르기 때문이다. 어떤 고객을 어떤 상황에서 만나느냐에 따라 때로는 '판매 간주하기', 때로는 '고객의 도전심리를 부추기기'를 자유자재로 사용할 수 있어야 한다.

사람들은 내게 이런 질문을 한다.

"여러 해 동안 자동차만 파는 게 지겨웠던 적은 없습니까?"

그러면 나는 이렇게 대답한다.

"전혀 그렇지 않습니다. 한 번도 똑같은 적은 없었으니까요."

실제로 자동차의 종류가 다양한데다 매년 수많은 새 모델이 나오고, 고객들의 취향도 제각기 달랐기 때문에 나는 한 번도 똑같은 방식으로 일하지 않았다.

나는 세일즈를 성사시키는 데서 스릴을 느낀다. 사람들은 모두 다르며, 바로 그 점이 세일즈라는 일을 도전해 볼 만하고 흥미로운 것으로 만들어 준다.

들어올 때는 의심 많은 도마 같던 사람이 만족한 고객이 되어 나갈 때는 특히 더 그렇다. 그리고 세일즈가 즉각적인 만족을 준다는 점에서 아주 마음에 든다.

매번 프레젠테이션을 끝낼 때마다 나는 내가 일을 잘해 냈는지 못했는지를 안다. 잘해 냈을 때는 내가 들인 시간과 노력만큼의 수수료를 번다. 일을 하면서 에누리 없는 수수료를 받는 것만큼 엔도르핀이 솟는 일도 없다. 매일 일이 끝날 때면 내가 하루의 일을 잘해 냈는지 못했는지를 안다. 실적을 얼마나 올렸는가를 알기는 아주 쉽다. 수수료 액수를 보기만 하면 되니까. 그리고 수수료를 버는 유일한 길은 판매를 성사시키는 것뿐이다.

오늘날에는 판매 프레젠테이션을 할 때, 상황에 따라 써먹을 수 있는 각기 다른 세일즈 기법들을 익혀 두지 않고는 제대로 일을 해 나갈 수가 없다. 한 사람한테 그럭저럭 통했던 방법을 다른 사람들한테도 그대로 써먹던 시절은 이미 오래 전에 가버렸다. 단 한 가지 판매 기술만을 가지고 있는 사람은, 헤비급 세계 챔피언을 다루는 링에 오르면서 한 가지 펀치밖에 날릴 줄 모르는 페더급 권투선수나, 한 가지 구질밖에 던질 줄 모르는 투수에 비교할 수 있을 것이다. 메이저리그에서 승자가 되기 위해서는 투수는 강한 직구뿐만 아니라 커브 볼, 슬라이더, 느린 볼 등 여러 가지 다양한 피치를 구사할 줄 알아야 한다.

타석에 누가 서느냐, 베이스엔 누가 있느냐, 점수는 어떤가 등 여러 가지 상황에 따라 다양한 피치를 구사할 준비를 하고 마운드에 들어서는 빅 리그의 선수처럼, 당신도 어떤 상황이 오더라도 효과적으로 대처할 수 있는 세일즈 기법들을 개발해 놓고 있어야 한다. 예를 들어 경제적 여유가 없다고 불평하는 고객에게 딱 맞는 판매 방법이 있을 테고, 아내에게 의논해 봐야겠다며 결정을 미루는 고객에게 맞는 기법이 따로 있을 것이다. 또 그저 둘러보러 온 고객에게 통하는 방법도 있을 것이다. 그리고 첫 번째 시도가 먹혀들지 않으면, 오늘 꼭 사겠다고 확신할 때까지 계속해서 피칭을 해야 한다. 또 볼을 던져 타자를 1루까지 걸어 나가게 할 수밖에 없는 투수와는 달리, 판매에서는 네 번까지만 시도하고 그만두어야 한다는 원칙 같은 것은 없다.

만약 내가 단 한 가지 세일즈 기법만 가지고 자동차를 팔았다면 내 판매 경력이 얼마나 보잘 것 없는 것이 되었을지, 생각만 해도 끔찍하다. 솔직히 말하면, 내가 올린 판매 실적의 거의 반은 첫 번째 판매 시도가 실패한 후에 이루어진 것들이다.

이 장에서는 세일즈맨이 자신의 경력에 맞는 기법을 선택할 수 있도록 다양한 판매 기법들을 소개하고자 한다. 이 판매 기법들은 나만의 독창적인 것은 아니다. 그 중에는 이미 잘 알고 있는 것들도 있을 것이다. 사실 오랜 기간에 걸쳐 수많은 세일즈맨의 노력과 경험에 의해 다양한 판매 기법들이 발전해 왔다. 나는 거기다 여기저기 손질을 좀 했을 뿐이다. 당신 또한 그럴 것이다. 거기엔 특허나 저작권 같은 것은 없다. 그러니 다음에 나오는 판매 기법들을 살펴보고, 당신에게 가장 잘 맞는 것을 선택하기 바란다.

'판매 간주하기' 기법을 되풀이하라

이 방법에 대해서는 앞서 3장에서 자세히 다루었지만, 가장 일반적으로 쓰이는 판매 기법임을 다시 한 번 강조한다. 그러나 흔한 방법이라고 해서 뻔하게 여기고 회피할 이유는 없다. 나는 이 방법을 쓰기를 권한다. 그만큼 효과적이기 때문이다. 솔직히 모든 판매를 성사시키는 법을 다루고 있는 이 책에서 판매 간주하기 기법을 강조하지 않는다는 것은 말이 안 된다.

판매 간주하기 기법은 고객이 살 것이라고 기대하는 것인데, 요령은 간단하다. 마음가짐을 오직 주문서의 빈칸을 채워 넣는 쪽으로 고정시키기만 하면 된다. 다른 조건 같은 것은 없다. 고객에게 마음을 정했느냐고 물어볼 필요도 없다. 그저 당신 앞에 있는 고객이 살 것이라고 간주하라.

미국에서 세일즈를 마무리할 때 가장 흔히 오가는 말은 아마도 "현금으로 내시겠습니까, 아니면 수표나 신용카드로 결제하시겠습니까?"일 것이다. 이 질문 속에는 판매로 간주하려는 의도가 교묘하게 숨어 있다.

이 질문은 여행사 직원이든 소매점 점원이든 사무용품 영업사원이든 그 외의 어떤 판매원이든 누구나 할 수 있다. 이 말은 고객이 사지 않을 수도 있다는 가능성을 무시해 버린다. 그렇다고 기분을 상하게 하지도 않는다. 이것은 간단하고도 직접적인 질문이며, 이렇게 질문하면 고객은 사겠다고 동의하지 않고는 달리 대답할 방도가 없다.

판매 간주하기 기법의 좋은 점 하나는 같은 프레젠테이션을 하면서 여러 번 되풀이할 수 있다는 것이다. 예를 들어 고객이 질문에 대한 대답 대신 "좀 더 둘러보고 싶어요."라고 말했다면, 판촉을 계속해서 프레젠테이션의 마지막에 가서 이 판매 간주하기 기법을 다시 쓸 수 있다. 다음은 가전제품 대리점에서 텔레비전을 파는 판매원이 어떻게 이 기법으로 판매를 하는지 보여준다.

판매원 : 현금으로 내시겠습니까, 아니면 신용카드로 결제하시겠습니까?

고객 : 좀 더 생각해 보고요.

판매원 : 리모컨 달린 이 모델이 마음에 드실 겁니다. 이것을 써 보면 예전엔 어떻게 살았나 싶을걸요.

고객 : 그건 그래요. 하지만 여태껏 그것 없이도 잘 살았는데요, 뭐.

판매원 : 이건 따로 파는 게 아니에요. 이 제품의 기본 부품이죠. 이 모델을 사시면 그냥 딸려 가니까 대금을 추가하실 필요가 없어요. 배달 시간은 오전이 좋을까요?

고객 : 오후가 더 낫겠는데요.

판매원 : (주문서에 적어 넣으면서) 주소가……?

손님이 자동적으로 주소를 말하도록 유도하는 이 말솜씨를 보라. 주문서를 작성하고 나면 다시 이렇게 질문한다. "현금으로 내시겠습니까, 아니면 신용카드로 결제하시겠습니까?" 이렇게 고객이 물건을 사는 것으로 간주하고 또 간주하라.

간주하는 말을 하고 이어서 다시 간주하는 질문을 하면 고객은 양쪽으로 몰리게 된다. 이 방법은 말 그대로 판매로 간주하는 말을 하고 다시 간주하는 질문을 함으로써 판매를 성사시키는 것이다.

- **보험 설계사** : 자택 주소로 청구서를 보내 드리지요. 1년 단위로 할까요, 6개월 단위로 할까요?

- **여행사 직원** : 최고급 왕복 티켓으로 두 장을 끊어 드리지요. 그 런데 렌터카는 어떤 회사를 원하십니까?

- **양복점 판매원** : 이 드레스 셔츠로 두 장 사세요. 손님의 새 양복 에 아주 잘 어울려요(고객이 양복을 사겠다고 말하기도 전에 하는 말이다). 이 세 넥타이 중에서 어느 게 더 양복에 잘 어울릴 것 같으세요?

큰 결정을 작은 결정으로 쪼개라

이 방법은 판매 간주하기 기법과 비슷하며, 어떤 물건을 팔더라도 통용된다. 사람들은 작은 결정은 쉽게 내리지만 큰 결정은 내리기 힘들어 한다는 사실에 근거한 이 판매 기법은 일련의 작은 결정들 로 쪼개어 제시하는 것이다. 이때 고객들은 잘게 쪼개진 대안들에 훨씬 쉽게 결정할 수 있게 된다. 그 작은 결정들이 모두 모여 큰 결 정을 이루게 된다.

예를 들어 보험 설계사가 이런 식으로 말한다면 고객은 중요한 결정을 내려야 하는 심적 부담을 느낄 것이다.

"이 신청서에 서명을 하시면 앞으로 25년 동안 매달 400달러씩 보험료로 납부하셔야 합니다."

이때 고객이 좀 더 생각해 봐야겠다고 나오는 것은 당연하다. 고객의 동의를 좀 더 쉽게 얻기 위해서는 질문을 달리할 필요가 있다.

- 지불은 월부로 하는 게 좋겠습니까, 아니면 3개월이나 1년에 한 번씩 하는 게 좋겠습니까?
- 청구서는 자택으로 보내 드릴까요?
- 사모님 성함은 어떻게 됩니까? 사모님을 피보험자로 하면 되겠죠?
- 담당 주치의가 선생님의 건강진단 기록을 볼 수 있도록 여기에 서명해 주세요.
- 위에 적은 내용이 모두 사실임을 입증하는 이 난에도 서명해 주시지요.
- 여기 적혀 있는 이 액수가 첫 납입 금액입니다. 지급해 주시지요.(큰 소리로 금액을 말하기보다는 적혀 있는 액수를 손가락으로 가리킨다.)

이렇게 덜 중요한 결정들은 특성상 까다롭지가 않기 때문에 누구라도 쉽게 결정을 내린다. 하지만 그다지 중요하지 않은 것에는 쉽게 결정을 내리다가도, 단 한 가지라도 중요한 결정을 하라고 하면 전적으로 얘기가 달라진다. 이때 여러분이 해야 할 일은 결정에 대한 고객의 부담을 덜 주는 것이다.

사지 않았을 때 처하게 될 위험을 강조하라

이 판매 기법은 사지 않는 것은 큰 실수지만 사두는 것은 밑져야 본전임을 강조하는 방법이다. 이 방법은 보험이나 지붕 개량, 설비 개수 등의 서비스를 판매하는 데 특히 효과적이다.

유명한 생명보험회사 세일즈맨인 에드 엘먼은 고객에게 이렇게 말한다.

"앨런, 당신은 결정을 내리지 않는 것이 가장 좋은 방법이라고 생각하실지 모르지만, 결국 이렇게든 저렇게든 결정을 내리게 될 겁니다. 우선, 당신이 보험료를 천 달러 투자하기로 결정했다고 칩시다. 물론 일정 기간이 지나고 나면 쓸모없는 것으로 판명 날지도 모르지요. 단 1달러라도 허투루 쓰고 싶은 사람은 세상에 단 한 명도 없겠지요. 그렇다고 그 정도의 적은 액수 때문에 당신이 하는 사업이나 생활방식이 근본적으로 달라지지는 않을 겁니다. 그런가 하면 결정을 미룰 수도 있습니다. 어떤 보험도 들지 않는 것이지요. 그럴 경우 3천 달러는 절약이 되겠지요. 하지만 경우에 따라선 50만 달러를 손해볼 수도 있는 겁니다. 생각해 보십시오. 50만 달러의 실수를 만회하기가 어디 쉬운 일입니까? 그것도 사업이 어려울 때라면 말입니다."

가장 뛰어난 보험 세일즈맨인 벤 펠드먼도 같은 방식을 이용했다. 주 20달러씩 납입하는 5만 달러짜리 보험의 기대효과를 확신시키기 위해서 펠드먼은 이렇게 말했다.

"이건 마치 저희 회사가 특별 조건부 계좌를 개설해서 5만 달러를 예치해 놓는 것과 같습니다. 당신이 보험료를 내면 그 돈은 고스란히 적립되는 거지요. 거래라는 것은 들어가는 돈이 있으면 나오는 것도 있어야 되겠지요. 그래서 저희 쪽에서도 당신을 위해 일주일에 20달러씩 적립해 드리겠습니다. 그 외에 다른 일도 해드립니다. 보험이 만기가 되면 제가 직접 와서 세금 없이 5만 달러를 고스란히 넣어 드리죠. 당신의 납세액 등급으로 보아 그 정도 액수면 10만 달러 이상은 내야 할걸요. 그리고 그 정도 돈을 벌려면 100만 달러어치는 팔아야 할 거고요. 만약 당신 지갑에 지금보다 20달러가 더 있다면 굉장히 부자라는 생각이 들까요? 그렇지 않겠지요. 그리고 지금보다 20달러가 적다고 하더라도 파산했다는 느낌은 들지 않을 겁니다. 솔직히 20달러라는 액수가 더 있고 없고는 그렇게 큰 차이가 나지 않습니다."

앞에서 본 예들에서처럼 고객에게는 나쁜 쪽의 위험률이 아주 높아서 사지 않기로 결정할 경우 심각한 위험에 처할 수 있다는 전제하에 선택권이 주어져 있다. 지붕 수리업자도 같은 수법을 써서 이렇게 말할 수 있다.

"저희 회사에서는 2,700달러에 지붕을 보수해 드립니다. 한데 만일 이 결정을 미루었다가는 결국 1만 5천에서 2만 달러의 수리비가 들어갈걸요. 비가 새면 결국 천장, 벽, 가구, 카펫이 모조리 수해를 입게 될 테니까요."

같은 방법으로 자동차 수리공도 이렇게 지적할 수 있다.

"시동 장치를 새로 갈지 않으면 얼마 안 가서 플라이휠에 손상이 가게 되고, 그걸 고치려면 변속기를 제거해야 됩니다. 그렇게 되면

300달러가 아니라 족히 1,200달러는 수리비로 내야 할걸요."

위에서 보는 바와 같이 이 판매 기법은 고객은 사지 않기로 결정하면 훨씬 더 금전적 손해를 본다는 것을 암시함으로써 고객의 결정을 앞당길 수 있다.

선택 범위는 세 가지로

여러 해에 걸쳐 세일즈 일을 하는 동안 고객들은 선택의 수가 많을수록 마음을 결정하기 어려워한다는 것을 알았다. 사람들은 일반적으로 세 가지 이상 중에서 선택하라고 하면 결정하는 데 어려움을 겪는다. 네 가지나 그 이상에서 골라야 할 때 사람들이 왜 혼란스러워 하는지 그 이유는 잘 모르겠지만, 어쨌든 고객에게 대안을 제시할 때는 세 가지를 넘지 말아야 한다.

예를 들어 보석상은 다이아몬드 반지를 열두 개라도 손님에게 보여 줄 수 있겠지만 그렇게 하지 않는다. 그 대신, 손님이 생각하고 있는 가격대는 어느 정도이며, 원하는 커팅 모양이나 색깔은 어떤 것인지 등에 관한 기초 정보를 알아보고 나서 세 개 정도의 반지만을 보여 준다.

마찬가지로 투자신탁 판매원은 고객의 신상에 관한 상담을 한 후에 이렇게 말한다.

"이 세 가지 상품 중에서 하나를 선택하십시오."

그리고 월 납입 금액 200달러짜리, 300달러짜리, 400달러짜리 상품 세 가지를 보여 준다.

"고객님, 이 세 가지 중에서 어느 게 가장 편하시겠습니까?"

세 가지 가격 중에서 고르라고 하면, 대략 절반의 사람들은 중간 것을 선택한다. 제일 싼 것을 선택하면 값싸 보일까 봐 싫고, 제일 비싼 것을 선택하면 돈을 함부로 쓰는 듯한 인상을 줄까 봐 싫은 듯이 말이다. 나머지 사람들 중 반이 제일 싼 것을 선택하고, 또 반이 가장 비싼 것을 선택한다. 간혹 고객이 "사람들이 제일 많이 선택하는 게 뭐예요?" 하고 물으면, 나는 고객의 신중한 태도를 감안하여 이렇게 대답함으로써 그의 결정을 도와준다.

"가운데 것으로 하십시오. 사람들이 단연코 많이 선택하는 상품이죠."

고객이 머뭇거릴 때 제시하는 타협안

가격 문제만 빼고 다른 모든 거부반응을 제거했는데도 고객이 여전히 결정을 내리지 못하고 있다면, 타협안을 제시함으로써 일을 쉽게 풀어 나가도록 하라. 다음은 이 방법을 적용한 예다.

- **증권 중개인** : 팀, 당신이 그렇게 말하니 이번에는 전액 투자는 권하지 않겠습니다. 하지만 이번 투자가 실제로 당신한테 이익을 가져다 줄 거라는 데는 동의하실 겁니다. 또 항상 그렇듯이 타이밍이 제일 중요한 조건 아닙니까. 그래서 이번에는 간단하

게 이렇게 했으면 좋겠군요. 1만 주로 시작하지 말고 대신 최소 계약 단위인 5천 주만 합시다. (그래도 고객이 침묵한다면 이렇게 말할 수도 있다.) 아니면 3천 주 정도는 어떨까요?

■ **전화번호부 광고 영업사원** : 당신네 광고 예산이 아주 빠듯하다는 것은 알고 있습니다. 그러니 이번에는 반 페이지짜리 대신 3분의 1짜리로 합시다. (언제든 4분의 1이나 8분의 1짜리로 내릴 수도 있다.)

■ **보험 설계사** : 에드, 당신 말을 들어 보니 이번엔 100만 달러짜리 보험에 들 여유가 없는 것 같군요. 하지만 추가로 가입할 필요가 있다는 데는 동의하시는 거죠? 그리고 이건 시간을 끌 일이 아니라는 것도요. 물론 여유 자금이 있다면 더 큰 것도 들 수 있겠지만, 이번엔 몇 가지 안전 보장이 되는 좀 더 작은 것으로 들도록 하시지요. 70만 달러짜리로 정합시다.

이 판매 기법을 쓰면 반이라도 얻을 수 있으니 아예 하지 않는 것보다는 낫다. 그리고 더욱 중요한 것은 일단 이렇게 해서 거래를 트면, 앞으로 액수를 늘려 나갈 수 있는 돈의 빗장을 푼 셈이 된다. 최고의 세일즈맨들에게 물어보라. 그들도 여러 해 동안 이처럼 타협하는 방법을 써왔으며, 큰 액수의 거래들도 소액의 주문에서 시작했다는 것을 알 것이다. 커다란 떡갈나무도 조그마한 도토리 한 알에서 자라나는 이치와 같다.

툭 터놓고 말하라

까다로운 고객과 오랜 시간에 걸쳐서 온갖 방법을 동원해서 얘기했는데도 거래가 성사되지 않을 경우 나는 이렇게 말한다.

"이봐요, 제리. 내, 툭 터놓고 말하지요. 당신과 거래를 하고 싶어요."

터놓고 말하는 것이 얼마나 효과가 있는지 아마 놀랄 것이다. 이래도 통하지 않으면 나는 이렇게 말한다.

"당신과 거래를 하려면 어떻게 하면 됩니까?"

그러고는 예의 내 방법, 즉 무릎 꿇고 빌면 되겠느냐고 물어본다. 그러나 거래를 하기 위해서 무릎 꿇고 애걸하는 것이 자존심 상한다고 생각하는 사람들은—대부분의 세일즈맨들이 그렇게 생각한다—차마 그렇게까지는 하지 못하는데, 십분 이해가 간다. 그러나 너무 자존심을 내세워 고객한테 감사하다는 인사조차 하지 않는다는 건 절대 있을 수 없는 일이다.

벤저민 프랭클린 기법

벤저민 프랭클린이 썼던 방법이라면 얼마나 오래됐는지 알 것이다. 이 방법은 보험 분야에서 오랫동안 써온 것인데, 아주 효과적이기 때문에 모든 분야에 두루 쓰일 수 있다. 어떤 것인지 살펴보자.

"제가 존경하는 위대한 미국인 중에 벤저민 프랭클린이 있습니다. 미국 역사상 가장 훌륭한 사람 중의 하나였지요. 프랭클린이 지금 당신처럼 곤란한 상황에 처했을 때는 어떻게 했는지 아십니까? 그는 백지 한 장을 꺼내서 한가운데다 줄을 긋습니다. 바로 이렇게 말입니다."

그렇게 말하면서 종이에다 줄을 긋는다.

"프랭클린은 이쪽 면에 '예'를 적어 넣고, 다른 면에는 '아니오'를 적어 넣습니다. 그러고는 '예' 난에다가 찬성하는 이유들을 죽 나열합니다. 그리고 '아니오' 난에는 반대하는 이유들을 적습니다. 우리도 그렇게 해보는 게 어떨까요? 좋습니다. '예' 난에다 쓸 수 있는 것들에 대해 생각해 봅시다. 예를 들어 보험 설계사는 내일로 미루는 것보다 오늘 신청하는 것이 보험료가 싸다는 점, 신청을 하면 바로 보험 혜택을 받을 수 있다는 점, 언제든지 바꿀 수 있다는 점, 현금성이 높다는 점들을 적습니다. 그러고는 고객에게 다음과 같이 말하겠지요. 자, 이제 '아니오' 난에 들어갈 만한 것들을 말해 보십시오."

이 방법을 적절히 잘 구사하면 '예' 난의 항목이 '아니오' 난의 항목보다 훨씬 더 많아지게 된다. 물론 바보가 아닌 한 고객이 사지 말아야 할 부정적인 이유를 자진해서 제공할 사람은 없을 것이다.

문제를 풀되 새로운 문제를 만들지 마라

세일즈맨으로서 당신이 해야 할 일은 문제를 해결해 주는 것이다. 그러니까 물건의 구매 필요성을 역설하고 나서도 판매를 성사시키지 못했다면 실제로 또 다른 문제를 만든 셈이다. 이 경우 당신이 만든 문제의 핵심을 짚어 이렇게 말하라.

"이거 우습게 되었군요. 일이 어떻게 된 거죠? 내가 이 사무실에 들어와 대화를 시작한 것은 당신에게 해결해야 할 문제가 있었기 때문이었어요. 그런데 이제 당신은 나를 내보내야 할 입장이니 두 번째 문제를 만들고 만 셈이군요. 두 번째 문제는 저한테 나가 달라고 말하기만 하면 해결이 됩니다. 만일 그럴 생각이라면 저는 제 갈 길을 가겠습니다. 그러나 그렇게 한다고 해서 처음의 문제가 풀리지는 않습니다. 그렇지요? 그러니 우리 좀 더 시간을 가지고 그 문제를 해결할 수 있는지 알아보면 좋겠군요."

또는 이런 식으로도 말할 수 있다.

"제가 문제를 만들려고 온 것은 아니라는 점, 알아주시겠지요. 저는 문제를 해결해 드리려고 왔습니다. 당신이 매우 바쁘신 줄은 압니다. 그리고 제가 이 사무실에 들어오기 전부터 당신에게 딜레마가 있었다 하더라도, 그것을 뒤로 미루고 무시하는 편이 훨씬 속 편할 겁니다. 그러나 아시다시피 이런 종류의 문제는 가만히 놔둔다고 없어지는 것이 아닙니다. 문제를 인정하고 해결하려 들지 않으면 계속 재발할 따름이죠. 그러니 지금 당장은 제가 문제를 끄집어내서 거북하다고 여기실지라도, 일단 문제가 해결되고 나면 제 서비스에 오히려 감사를 표하실 겁니다. 그래서 드리는 말씀인데, 이 문제를 본격적으로 의논해 보도록 하시지요."

구매자의 어깨를 으쓱하게 만드는 한마디

부부가 함께 오거나, 부모와 자식이 함께 차를 사러 올 때 내가 주로 쓰는 방법은 애정에 호소하는 것이다. 이 방법은 사랑하는 가족에게 자동차를 사주는 고객에게는 언제나 효과적이다. 가령 아버지가 딸의 졸업 선물로 새 차를 사주려고 부녀가 함께 차를 둘러보고 있다고 하자. 그럴 때면 나는 판매 프레젠테이션을 하는 중에 아주 중요한 대목에 가서 아버지가 딸에게 차를 사주지 않고는 못 배기도록 분위기를 몰고 간다.

"아가씨는 정말 행운아예요."

"어째서요?"

"아버님이 이렇게 멋진 분이시니 말이에요."

나는 부드럽고 감동에 젖은 목소리로 말한다.

"나는 젊었을 때 이런 아버지가 있었으면 하고 얼마나 바랐는지 몰라요. 아가씨는 이렇게 멋진 차를 사주시는 아버지께 감사해야 해요."

"그럼요. 정말 그래야죠."

이 방법이 아버지의 마음을 녹이지 못한다면 달리 어떤 방법이 통하겠는가? 나는 이 방법을 써서 실제로 엄하고 보수적인 타입의 아버지가 눈물이 글썽해진 것을 본 적이 있다. 일부러 꾸며서 하는 말이 아니라 항상 진심에서 우러나오는 말이다. 나는 정말로 나의 아버지가 그렇게 넉넉하게 사랑을 표현해 주었더라면 하고 바랐었으니까. 그리고 자식들을 사랑하는 멋진 아버지들을 보면 정말 부럽기 짝이 없었다.

언젠가 한번은 아내와 부엌 식탁에 앉아 있는데 보험 설계사가 찾아와 우리 부부에게 아주 감명 깊은 연설을 한 적이 있다. 아내는 보험료가 너무 비싸다는 이유로 거절했다. 그러나 그는 그녀의 거부반응에도 불구하고 이렇게 말했다.

"아시겠지만, 대부분의 아내들은 자기 남편이 생명보험에다 너무 많은 돈을 쓴다고 불평하지요."

그러고는 잠시 말을 멈추었다. 아내는 동의의 뜻으로 고개를 끄덕거렸다. 그러자 그는 다시 덧붙였다.

"하지만 미망인이 불평하는 것은 한 번도 보지 못했습니다."

그는 자기가 한 말이 나를 아주 감상적으로 만들었다는 것을 알아채고는, 나의 어린 아들과 딸을 불렀다.

"얘들아, 숙제는 좀 있다 하고 잠깐만 이리로 와보지 않겠니?"

어린 조이와 그레이스가 식탁으로 오자 보험 설계사는 말했다.

"너희도 알겠지만 아버지는 너희들을 정말 사랑하신단다. 아버지는 정말 멋진 분이지."

그 말과 함께 그는 한 마디 말도 없이 신청서에 기입해야 할 사항들을 적어 넣기 시작했다. 우리 넷은 모두 눈에 눈물이 그렁그렁해졌다. 서로에 대한 사랑이 방 안을 가득 채웠다. 보험 설계사는 이렇게 덧붙임으로써 대화를 이끌어 나갔다.

"됐다, 얘들아. 이제 돌아가서 숙제해야지."

이렇게 해서 그는 아내의 저항을 조금도 받지 않고 계약을 맺을 수 있었다.

또 언젠가는 아내 준이 모피 코트 가게에 가는데 나도 함께 동행한 적이 있었다. 코트들을 보여 주는 여성 판매원에게 구매자로서의 나는 상대도 되지 않았다. 그녀는 아내에게 여러 벌의 코트들을 번갈아 입어 보게 했다. 마침내 준은 마음에 꼭 드는 옷을 발견하고는 거울에 비친 자기 모습에 반해서 족히 10분은 보냈을 것이다.

"정말 마음에 들어요. 하지만 너무 비싸지요, 여보."

내가 입을 열기도 전에 여성 판매원이 말했다.

"어머나, 너무 아름다우세요. 그렇지 않으세요, 지라드 씨?"

"아, 네에."

나는 가격표를 쳐다보면서 중얼거렸다. 그러고는 덧붙였다.

"준, 아주 멋져."

그러자 판매원은 준에게 말했다.

"아내와 함께 여기 오는 남편들 중에는 자기 아내가 모피 코트를 입은 모습을 보고는 뚱뚱해 보인다고 말하는 사람이 얼마나 많은지 아세요? 이렇게 사려 깊고 자상한 남편을 두셨으니 참 행복하시겠어요. 남편께서는 사모님이 하시는 일이라면 하나도 반대 안 하실 걸요."

그 여성 판매원은 나를 아주 으쓱하게 만들어 주었다. 나는 희색이 만연해졌고 결론은 분명했다. 아내에게 그 비싼 모피 코트를 덜

컥 사주었던 것이다.

피드먼트 마케팅 회사의 드와이트 랭크포드는 휴양지 분양사업에서 미국에서 제일가는 세일즈맨일 것이다. 그 역시 가족에 대한 사랑에 호소하는 방식으로 판매를 성사시킨다.

"우리 고객들은 전형적인 일 중독자들이지요. 그래서 그들은 가족과 함께 시간을 보내지 못하는 것에 대해 늘 죄책감을 갖고 있어요. 나는 바로 그 점에 초점을 맞춰서 이렇게 강조하지요. '이 휴양지 콘도를 분양받으면 매년 휴가철마다 가족들을 데려오기로 약속하는 것과 같습니다. 그것도 진짜 휴가다운 휴가를 보내는 거지요. 자기 소유의 콘도를 분양받아 이용하실 수도 있고, 회원에 가입해 카탈로그에 소개되는 천여 군데 중 맘에 드는 곳을 골라 그곳에서 휴가를 보낼 수도 있습니다.' 그러면 십중팔구 아내들은 찬성하지요. 아내들은 남편이 가족들과 함께 휴가를 보내기로 약속해 주기를 바라니까요. 그러니까 만일 남편이 콘도 계약을 반대한다면, 그것은 가족들과 함께 시간을 보내기 어렵다고 말하는 셈이기 때문에 매우 난처해지지요. 그러면 나는 이렇게 말합니다. '지금 결정하지 않으면 영원히 못할 겁니다. 가족들이 마지막으로 진짜 휴가다운 휴가를 가져 본 것이 언제입니까? 이처럼 단란한 가족이 함께할 시간을 애타게 바라고 있다는 것은 가슴 아픈 일입니다. 그 시간들은 한 번 가면 다시는 오지 않습니다. 1년에 한 번만큼은 가족들과 함께 휴가를 보내기로 스스로 다짐해 둘 필요가 있습니다. 그러기 위해선 이 방법이 최고지요.'"

이처럼 랭크포드는 오늘 구매를 놓치지 않도록 강력하게 감정에 호소한다. 마치 결정하지 않았다가는 가족의 행복을 영영 놓치는 것인 양 말이다.

유명인사를 파는 방법

이 방법은 세상에는 리더보다는 추종자들이 더 많다는 이론에 근거하고 있다. 그래서인지 어떤 고객들은 유명한 사람이 샀다는 것을 알고 나면 당장 산다. 그렇다면 유명한 사람의 이름을 들먹이는 것은 언제가 좋은가? 가장 적합한 타이밍은 고객이 "이 근방에서는 어떤 사람에게 팔았어요?" 하고 물을 때다.

또 고객이 직접 말로 하진 않지만 그의 신분이나 부의 상징 따위를 관찰할 수 있을 것이다. 예를 들어 어떤 여성이 유명 디자이너의 블라우스에 명품 시계와 선글라스를 쓰고, 핸드백을 들고 있다면, 그녀는 부를 과시하기 위해서 수달러 정도는 기꺼이 더 지불할 것이다. 물론 남성의 경우도 마찬가지다. 예를 들어 작은 악어나 폴로 선수가 그려진 셔츠나 재킷, 벨트, 넥타이 등을 착용하고 있거나, 부의 상징인 롤렉스 시계 같은 유명 상표들로 치장하고 있을 수 있다.

역사가이자 법률가이며 퓰리처상 수상자이기도 한 대니얼 부어스틴은 〈포브스〉와의 인터뷰에서, 사람들은 왜 피에르 가르뎅 상품에 기꺼이 많은 돈을 지불할까 하는 질문에 이렇게 대답한 적이 있다.

"구매자들은 아마도 다른 사람들에게 '나는 피에르 가르뎅 상품을 살 만큼 돈도 있고 취향도 고상하고 명예를 갈망하는 사람이오.' 하고 말하고 싶은 거겠지요."

다른 사람이 알아주기를 바라는 신분의 상징들은 집이나 사무실에도 널려 있다. 그것들은 내가 가능한 한 많은 이름들을 주워섬겨야 하리라는 명백한 암시다. 어떤 세일즈맨들은 이런 목적에 써먹으려고 고객들의 명단을 가지고 다닌다. 또 어떤 사람들은 한술 더 떠서, 만족한 고객이 보내온 편지들을 보여 주기도 한다.

고객의 서명이 있는 편지는 굉장히 효과가 있다. 특히 당신과 당신 회사의 훌륭한 서비스를 격찬하는 편지라면 더욱 그렇다. 따라서 때로는 이런 편지를 써달라고 부탁해 볼 필요도 있다. 고객들이 당신의 서비스에 만족하고 당신을 높이 평가한다 해도, 몇 자 적어 달라고 말하지 않으면 자발적으로 편지를 써 보내기는 쉽지 않을 것이다.

사실 나는 고객들에게 보여 주기 위해 그런 편지 묶음들을 내 책상 서랍 속에 넣어 두고 있다. 그 중 몇 장은 자발적으로 받은 것이지만 나머지는 만족한 고객에게 써달라고 부탁해서 받은 것이다. 예를 들어 고객이 "세일즈맨한테서 이렇게 칙사 대접을 받아 본 건 처음이군요, 조." 하고 말하면 나는 이렇게 부탁한다. "그럼 저한테도 한 가지 효과를 베풀어 주시겠습니까?" 그러고는 그 얘기를 글로 몇 자 적어 주면 무척 감사하겠다고 말하는 것이다.

사람들은 당신이 그 지역사회의 유력한 인사에게 팔았다는 것을 알면 크게 영향을 받는다. 앞에서 말했다시피 사람들이 결정을 미루는 것은 잘못된 결정을 하게 될지도 모른다는 두려움 때문이므로 이렇게 생각하는 것이다.

'그렇게 빈틈없고 똑똑한 사람들도 샀다면 괜찮은 물건임에 틀림없어.'

그 지역의 지도적 인사들의 이름을 대는 것은 당신이 합법적인 세일즈맨이라는 것을 보여 주는 데도 큰 효과가 있다. 특히 처음 방문한 고객이 당신이나 당신 회사를 잘 모르는 데서 오는 불안감 때문에 망설일 때는 더욱 그렇다. 또 어떤 사람들은 그것을 사면 자기도 훌륭한 사람들에 낄 수 있다는 생각에서 구매를 하기도 한다.

고객의 도전심리를 부추기는 방법

초등학교 때 실컷 놀기만 하고 공부는 늘 꼴찌인 귀엽게 생긴 어린 소녀나 소년에게 처음으로 은근히 마음이 끌렸던 일을 기억하는 사람이라면, 이 방법이 어떤 것인지 쉽게 이해할 것이다. 사람들은 쉽게 구할 수 없는 물건을 더 갖고 싶어 한다. 만일 다이아몬드가 자갈처럼 흔한 것이라면 사람들은 그것을 캐내려고 그처럼 애를 쓰지는 않을 것이다. 희귀한 물건은 누구나 가질 수 있는 것이 아니기 때문에 더 갖고 싶은 법이다. 일종의 탐욕과 이기심이다.

'구하기 어려운 물건' 기법은 바로 이러한 인간의 본성을 공략한다. 이 기법을 쓸 때는 구매자에게 "사시겠습니까?" 하고 묻는 것이 아니라 "사실 수 있겠습니까?" 하고 물어본다. 이 방법을 적절히 구사하면 사람들은 잘못된 결정에 대한 두려움을 아예 잊어버리고, 과연 그것을 살 수 있을지에만 몰두하게 된다.

이 기법이 어떻게 효과를 나타내는지 알려면, 물자가 극도로 부족했던 2차 세계대전 당시를 떠올려 보자. 그때는 시장이 판매자 위주(공급보다 수요가 많은 시장)였다. 사람들은 비싼 값을 치르면서도 물건을 사려 들었다. 결국 판매자는 물건을 엄청나게 쌓아 놓고 팔았다. 물론 그들은 재고의 마지막 하나까지도 다 팔 수 있으리라고 확신했다. 예를 들어 자동차 업계에서는 판매원이 호감 가는 고객의 이름을 구매자 명단의 앞쪽으로 옮겨 주어 차를 빨리 살 수 있게 해주는 것만으로도 그에게 큰 호의를 베푸는 것이었다. 그것이 정가보다 프리미엄을 더 얹어야 하는 것이라 하더라도 말이다.

뛰어난 세일즈맨들은 오늘날의 구매자 위주의 시장에서도 이 기법을 이용한다. 그리고 잘 구사하기만 하면 하나의 매력으로 작용한다. 그것은 아담과 이브가 금단의 열매를 따고 싶어 했던 것과 같은 인간의 본성에 기초한다. 사람들은 자기가 가질 수 없는 것, 소유하기 어려운 것을 더욱 갈망한다. 당신도 판매 프레젠테이션에서 이 심리를 이용해 보라. 성공률이 높아지는 것을 눈으로 확인할 수 있을 것이다.

- ■ **보험 설계사** : 프레드 씨, 솔직히 말하면 당신의 건강 상태는 좀 염려스러운 데가 있어요. 이 보험을 들 수 있을지 심각하게 고려 중입니다. 당신의 주치의에게 의뢰해 볼 수 있도록 이 난에다 서명을 해주시지요. 그러면 제가 당신의 건강 검진을 예약

해 놓겠습니다.

이 기법은 효과가 있다. 보험 가입 자격이 미달하는 사람일수록 가능한 한 많은 보험을 들어 두려는 심리를 보험 설계사들은 익히 알고 있다. 건강하지 못한 사람일수록 더 보험을 들 필요가 있다는 얘기가 아니다. 사람들은 들 수 없을지도 모른다고 생각할 때 더 들고 싶어 한다는 것이다.

■ **자동차 세일즈맨** : 톰, 제 생각으로는 좀 더 낮은 가격의 모델로 하는 게 어떨까 싶은데요. 제가 보기에는 최상품을 사기에는 좀 힘들지 않을까 싶네요.

이렇게 하면 고객은 도전을 받고, 더 비싼 차를 살 수 있음을 증명하고 싶어 한다.

■ **가구 회사 영업사원** : 저희 회사에서는 이 지역에서 저희 가구를 대표할 수 있는 대리점을 원합니다. 솔직히 말해서, 우리는 가장 능력 있고 명망 있는 소매상을 원하는데 당신의 대리점이 바로 그런 곳이라고는 확신할 수가 없습니다.

여기서도 고객은 자기가 그 회사와 거래할 만한 적임자라는 것을 증명해 보이도록 도전을 받는다.

■ **미술품 거래상** : 이 그림은 워낙 귀한 작품이라서요, 전문 예술 수집가가 소유했으면 싶네요. 솔직히 말씀드려서 이 작품을 감상할 줄 모르는 사람한테는 팔고 싶지가 않아요. 단순히 그림값을 치를 만한 재정적인 여유가 있다고 해서 되는 것은 아니거든요. 이 그림을 살 분은 심미안을 갖추고 있고 수준 높은 작품을 진정으로 사랑할 줄 알아야 하죠.

이 경우에도 구매자는 자신이 그 물건을 살 만한 자격이 충분하다는 것을 증명하고 싶어 한다.

■ **부동산 중개업자** : 이 집은 당신한테는 좀 부담이 될 것 같군요. 당신한테 더 잘 어울릴 것 같은 동네의 좀 더 작은 집들을 보여 드리겠습니다.

여기서도 중개인은 교묘하게 고객에게 도전심리를 부추기고 있다. 위의 여러 예에서 판매원들은 고객을 부추겨 그들이 구매자가 될 자격이 있음을 증명하게 만드는 전략을 구사하고 있다. 이 기법은 사람들의 탐욕과 자아에 호소하기 때문에 큰 효과가 있다. 사람들은 다른 사람들이 갖지 못하는 것을 소유하고 싶어 하며, 자신만이 받아들여지기를 원한다. 인간에게 이러한 본성이 없다면 배타적인 컨트리클럽들은 회원을 모집하는 데 어려움을 겪을 것이다.

미국의 희극배우인 그루초 막스의 말을 인용하자면, "나는 현재 내가 회원으로 있는 컨트리클럽에는 더 이상 들고 싶지 않다."는 것이다. 다시 말해, 앞으로는 지금보다 더 나은 컨트리클럽에 가입하고 싶다는 얘기다.

상사의 개입으로 판매 성사시키기

이 방법은 수습사원을 데리고 다니는 영업부장들이라면 누구나 활용할 수 있다. 수습사원이 프레젠테이션을 했는데도 판매가 이루어지지 않을 때 영업부장이 나선다.

"가기 전에 몇 마디 말씀을 좀 드려도 될까요?"

"그럼요." 하고 고객이 말한다.

"저는 영업부장인데, 이 친구가 판매 프레젠테이션을 하는 것을 가만히 지켜보았더니 제가 보기에는 아주 잘하는 것 같던데요. 어떻게 생각하십니까, 처크 씨?"

"네, 잘하는데요. 전에 많이 해본 줄 알았어요. 그는 아주 뛰어난 판매원이 될 겁니다."

"제프는 정말이지 부담을 주지 않는 판매원이죠?"

"네, 그럼요."

고객이 고개를 끄덕이며 대답한다.

"사실, 그가 손님에게 부담을 주지 않으려는 마음에 오늘 주문도 받으려고 하지 않았군요. 손님은 저희 물건을 사실 의향이 있으신 것 같은데요. 제 말이 틀렸다면 솔직히 말씀해 주십시오."

"고려해 본 건 사실입니다."

"네, 솔직히 관찰자로서 털어놓고 얘기하면 손님은 사고 싶으신 것 같습니다. 그리고 또 한 가지, 제프도 분명히 손님이 사시기를 원하고 있습니다. 그렇지, 제프?"

"그렇고말고요."

"그렇다면, 제프. 주문서를 작성하게. 자, 필요한 사항들을 적어 넣게나."

영업부장은 수습사원의 손에 주문서와 펜을 쥐어 주면서 말한다. 만일 이 시점에서 그 사원이 바통을 넘겨받고 판매를 성사시키지 못한다면 그는 앞으로도 결코 목적을 달성하지 못할 것이다.

'아니오'라는 말은 할 필요가 없다

외교관들이 '예'라고 말할 때는 '아마 그럴 것'이라는 의미이며, '아마'라고 말하면 '아니오'라는 의미다. 그가 만약 '아니오'라는 말을 쓴다면 그는 이미 외교관이 아니다.

마찬가지로 판매원들도 판매가 성사될 수 없다는 뜻이 담긴 '아니오'라는 말을 절대로 써서는 안 된다. 몇 번까지 시도해야 하는지 묻는다면, 나는 성사시킬 때까지 두 번, 세 번, 네 번 거듭 시도하라고 답하겠다.

내가 늘 하는 말이지만 나는 일곱 번 '아니오'라는 말을 듣고 난 뒤에야 '이 사람은 사지 않을지도 모른다. 세 번만 더 해보자.' 하고 생각한다.

상황에 맞는 여러 판매 기법을 사용하라

• **고객이 부담을 줄이도록 큰 결정을 작게 쪼개라**

홈쇼핑을 보면 정가를 얘기하지 않고 하루 1천 원, 한 달에 단돈 2만 원이라는 표현을 사용하는 것을 자주 볼 수 있다. 고객이 제품 가격에 부담을 느껴 구매를 망설인다면 이런 식으로 잘게 쪼개어 말하면 고객이 좀 더 쉽게 결정할 수 있다.

• **사지 않았을 때 처하게 될 위험을 강조하라**

보험 가입이나 자동차 수리 등에 있어 고객이 결정을 내리지 못하고 머뭇거릴 때는 만약의 경우 입게 될 손해와 피해에 대해서 강조하라. 지금 푼돈을 아끼려다 나중에 얼마나 큰 금전적 손해를 입을 수 있는지를 제시하며 고객을 설득하는 것이다.

• **고객이 머뭇거리면 타협안을 제시하라**

고객이 상품을 마음에 들어 하는 데 단지 가격 때문에 여전히 결정을 내리지 못하고 있다면 타협안을 제시하라. 증권 중개인은 1천 주를 500주로 줄이고, 보험 설계사는 보험료 납입 금액을 줄여서 가입을 권할 수 있다.

• **고객의 도전심리를 부추겨라**

이 기법을 쓸 때는 구매자에게 "사시겠습니까?"가 아니라 "사실 수 있겠습니까?"로 물어본다. 이렇게 물으면 사람들은 잘못된 결정에 대한 두려움을 잊고 그것을 살 수 있을까에만 몰두한다.

오늘 꼭 사야만 하는
이유를 제시하라

세상에 세일즈맨은 많고 제품의 종류도 많다. 하지만 오늘 내가 파는 물건을 고객이 꼭 사야 하는 절박한 이유를 만들어라. 고객에게 구매 동기부여를 하는 것이다. 한정판매 기법의 경우는 구매자에게 지금 결정을 내리지 않으면 기회를 잃게 된다는 압박감을 줘 한정판매가 끝나기 전에 사야겠다는 절박감을 불러일으킨다. 자신의 분야에 적합한 방법을 찾아보라.

세일즈에 성공하기 위해서는, 고객에게 당신의 물건을 오늘 사야만 하는 이유를 구체적으로 제시해 줄 수 있어야 한다. 그렇지 못할 경우 고객은 지금 사야 할 뚜렷한 동기가 없으므로 구매 결정을 미룰 것이다. 단순히 당신의 물건이 필요하다고 느끼게 만드는 것만으로는 부족하다. 가능한 한 빨리 당신의 물건을 소유하지 않으면 안 되겠다는 절박감을 심어 주어야 한다. 예를 들어 구명보트를 파는 세일즈맨이 침몰하는 타이태닉호의 선장에게 물건을 판다면, 그는 지체 없이 자기 물건을 사야 한다고 확신시키는 데 별 어려움이 없을 것이다.

그러나 세일즈맨이 정확하게 재난의 순간에 등장할 행운은 거의 없다. 그런 까닭에 보증보험이나 안전벨트나 소화기 같은 상품은 장래 필요하리라는 예상하에 팔 수밖에 없다. 일이 터지고 난 뒤가 아니라 위급한 상황이 닥치기 전에 그 물건을 사두어야 한다는 절박감을 불러일으켜야 한다. 나는 어떤 상품도 예외 없이 죽기 살기로 절박하게 소유해야겠다는 욕구를 불러일으킬 수 있다고 믿는다. 고객에게 이처럼 당신의 물건을 꼭 사야겠다는 절박한 필요성을 심어 줄 때, 당신의 판매 성공률도 높아질 것이다.

한정판매를 활용하라

당신은 하루도 빠짐없이 한정판매 기법을 보았을 것이다. 신문과 텔레비전에서는 온종일 그런 광고를 해댄다. 백화점과 슈퍼마켓의 매트릭스에서 냉장 오렌지 주스에 이르기까지 온갖 상품에 이 판매 기법을 쓰고 있다. 예를 들어 한 소매상이 한정된 기간에만 염가 판매를 한다고 할 때, 그 기간 내에 사지 못하면 싸게 살 기회를 놓치고 만다. 한정판매 기법은 확실히 효과가 있으며, 바로 그 효과 때문에 대중들은 이러한 유인에 법석을 떤다.

마찬가지로 고객과 얼굴을 맞대고 판매하는 경우에도 압박감을 불러일으킬 수 있다. 구매자에게 지금 결정을 내리지 않으면 기회를 잃게 된다는 사실을 일깨워 주는 것이다.

한정판매는 비누 한 개 값으로 두 개를 주는 것부터 조합주택 분양에 이르기까지 모든 판매 상황에 적용될 수 있다. 그 중 아주 뛰어난 사례로 에어스트림 사의 기발한 인센티브제를 들 수 있다. 나는 그 회사를 캠핑차 업계의 롤스로이스라고 생각한다.

2년 전 이 회사의 대표이사인 웨이드 톰슨과 사장 래리 허틀은 그해의 최고급 모델을 사는 고객에게 1만 5천 달러짜리 저축 채권을 제공하는 프로그램을 내놓았다. 한정된 기간에만 제공된 그 채권은 특히 호화 이동주택에 많은 돈을 쓰는 것에 죄책감을 느끼는 노부부들에게 호소력이 있었다. 그 채권은 결국 언젠가 손자에게 갈 것이라는 점이 그들의 죄책감을 덜어 주었던 것이다.

그 채권은 만기가 되는 10년 후에나 유효한 것이었지만 1만 5천 달러짜리 채권의 할인 가격은 겨우 3,800달러였고, 그만한 가격이면 에어스트림 사로서는 충분히 제공해 줄 만한 것이었다. 그 정도의 할인은 8만 달러대의 거래치고는 그리 큰 금액이 아니었다. 그러나 10년 후에 1만 5천 달러를 받는다는 사실은 고객에겐 믿을 수 없을 만큼 굉장한 것이었고, 한정판매가 끝나기 전에 사야겠다는 대단한 절박감을 불러일으켰다.

'가격 인상' 판매 기법

자동차 업계에서는 자동차 가격이 수시로 오르기 때문에, 나는 판매를 성사시키기 위해 이 방법을 인센티브로 자주 사용했다.

"다음 달 초에 이 모델의 정가가 인상될 예정입니다."

월말이면 나는 이렇게 말한다.

"그래서 드리는 말씀인데, 오늘 이 가격으로 사는 게 이익입니다."

물론 가격 인상 발표가 있고, 그것이 확실할 때에만 이 방법을 써야 한다. 고객에게 거짓 정보를 주는 것은 오히려 화를 자초하는 일이기 때문이다.

증권 중개인이라면 다음과 같이 말함으로써 효과적으로 절박감을 불러일으킬 수 있을 것이다.

"토니 씨, 제너럴 프로덕트 사 주식을 사둘 절호의 기회인 것 같아 전화를 드렸습니다. 우리는 40달러나 그 이하일 때 이 주를 사두어야 합니다. 이 가격에 배당주를 판 것은 여섯 번도 안 됩니다. 우량주 회사가 이렇게 공모를 한다는 것은 아주 드문 일이죠. 이 기회를 이용해 3천 주를 사두도록 합시다."

이때 증권 중개인은 투자 결정을 미루는 것이 큰 손해를 가져온다는 점을 고객에게 일깨워 주고 있다. 특히 상승세의 시장에서는 말이다.

보험 설계사는 고객에게 전화를 걸어 나이가 많아질수록 보험료율이 높아진다는 것을 강조해서 말할 수 있다.

"에디, 당신의 생일이 얼마 남지 않았지요. 그래서 보험료가 낮을 때인 지금, 보험 신청을 하시라고 전화 드렸습니다."

고객의 생일이 한 달 정도 남았다면, 그는 이렇게 말할 수 있다.

"신청서가 통과되려면 보통 4주에서 6주는 걸립니다. 제가 할 수 있는 한 힘써서 선생님 생일 전에 보험증권이 나오도록 해보겠습니다."

의류 공장 영업사원은 이렇게 말한다.

"직물 가격이 또 오를 예정입니다. 그러니 오르기 전 가격으로 배달될 수 있도록 이 양복들을 제때에 주문해 두세요."

인플레이션이 있는 한 가격이 오를 가능성은 항상 있는 것이고, 그것은 곧 오늘 구매 결정을 내려야 할 동기로 작용한다.

시간과의 경쟁

에어스트림 사의 사장인 래리 허틀은 캠핑차와 같은 상품을 사는 사람들은 시계와 경쟁을 하는 사람들이 많다고 설명한다. 여기서 시계란 나이를 뜻한다.

"캠핑차는 즐기기 위한 것이지요. 말하자면 누구나 소유해야 하는 것은 아니라는 얘기죠. 실버 고객들이 많은 플로리다는 우리의 가장 큰 시장 중 하나입니다. 나이 드신 분들한테 우리 세일즈맨들은 시간이 많지 않음을 강조하여 절박감을 불러일으키죠. 그분들은 지금까지 희생적인 삶을 살아 왔으며, 이제는 조금이나마 즐길 때라고 지적하는 것이지요. '지금 아니면 언제 캠핑차를 사겠습니까?' 하고 에어스트림 사의 세일즈맨은 강조합니다. 즐길 수 있을 때 구입하십시오. 결정을 미룰수록 때는 늦습니다. 지금 선택하세요. 바로 지금 말입니다. 선생님은 이것을 소유하실 자격이 있습니다. 그런데도 이런 기회를 마다하고 그냥 나가시지 않길 바랍니다."

나는 이런 말이 얼마나 효과적인지를 직접 겪은 사람이다. 래리 허틀은 나에게도 에어스트림 사의 캠핑차를 사도록 확신시킨 인물이다(나는 지금 네 대째 캠핑차를 구입했으며, 그것을 무척 좋아한다). 허틀과 이야기하고 나서, 나는 당장 사지 않으면 앞으로도 결코 사지 못할 것이라고 생각했다. 그렇다. 그는 나에게 어떤 절박감을 불러일으켰고, 나는 거기에 넘어갔다. 그리고 그가 옳았다. 그가 고집스럽게 권하지 않았더라면 나는 결코 캠핑차를 사지 못했을 거고, 인생의 커다란 즐거움을 놓쳤을 것이다.

세일즈맨들은 모두 나름의 시계를 가지고 있다. 당신이 할 일은 그 시간과의 경쟁을 고객에게 일깨워 주고, 시계가 똑딱거리며 갈수록 고객은 더 많은 것을 잃어버린다는 사실을 알려주는 것이다.

뛰어난 컴퓨터 판매사원은 새 시스템을 구입하지 않으면 구식 시스템의 비효율성이 고객의 이윤을 갉아먹는다는 점을 지적한다. 제조업체 영업사원은 자기 회사 제품을 갖다 놓지 않음으로써 소매상들이 얼마나 많은 손해를 보는가를 강조한다. 부동산 중개인은 집을 사지 않고 전세살이를 하는 게 더 돈을 낭비하는 일임을 강조한다.

텔레비전 복음 전도사인 오럴 로버츠는 신도들이 헌금을 내게 하려면 시간과의 경쟁 방법을 쓰는 것이 매우 효과적임을 잘 알고 있었다. 이 점에서 그는 미국에서 가장 뛰어난 세일즈맨이라고 해도 과언이 아니다. 로버츠가 사람들에게 "만일 1987년 3월 말까지 300만 달러를 모금하지 못하면 주님이 나를 당신 곁으로 부르실 겁니다."라고 말하자, 그 말은 단박에 신도들의 관심을 불러일으켰다. 그의 죽음을 막기 위해서는 130만 달러가 더 필요했던 마지막 주일이 되자, 마치 성령이라도 받은 듯 플로리다에 개 경주 트랙을 두 개 가지고 있는 사람이 꼭 그만큼의 액수를 기증했다. 덕분에 오클라호마의 목사는 집행유예를 받을 수 있었다. 그 뒤에도 로버츠는 계속해서 시계를 돌게 했다. 그는 그의 기도 탑에서 은퇴하여 단식에 들어갔다. 그리고 신도들에게 더 많은 헌금을 요구했고, 헌금은 계속 쏟아져 들어왔다.

알다시피 시간과의 경쟁은 아이스크림 제조기에서 종교에 이르기까지 무엇을 팔든 효과를 발휘한다. 당신이 파는 물건의 특성에 맞춰 약간의 상상력만 발휘하면 된다.

'재고 부족' 판매 기법

고유한 상품이나 기성품이 아닌 것을 팔 경우, 판매를 마무리 지어야 할 때가 되면 절박감이 든다. 단품종의 상품을 팔고 있다면 그는 유리한 입장에 서게 되고, 이런 상황은 실제로 사람들이 생각하는 것보다 훨씬 일반적이다.

가령 어떤 부동산 중개인이 한 집에 대해서 독점적으로 중개권한을 가지고 있다고 하자. 만약 그 집이 시장에 나오면 고객은 그 중개인과 거래하지 않고는 살 수가 없다. 말하자면 그 중개인은 그 집에 대해서 독점권을 행사할 수 있다.

우리가 집을 살 때의 일이다. 우리는 어떤 집을 보고 한눈에 반해 버렸다. 부동산 중개업자는 아내와 내가 그 집을 무척 마음에 들어 한다는 것을 알아차리고는 이렇게 말했다.

"이 집은 나온 지 여섯 달이나 되었지요. 집 주인은 이 집을 무척 팔고 싶어 했지만 그들이 부른 가격이 너무 높았어요. 그런데 요 며칠 사이에 이 가격으로 내린 겁니다. 오늘 아침에도 제가 다른 부부한테 이 집을 보여 주었는데, 저녁에 동생하고 같이 올 테니 다시 보여 달라더군요. 아마 그들과 계약을 하게 될 것 같습니다. 그리고 다른 부동산 중개인들도 오늘 오후에 이 집을 손님들에게 보여 줄 계획입니다."

그 부동산 중개인의 말이 진짜인지 아닌지는 지금까지도 알 수 없다. 그러나 아내와 나는 우리가 이상적인 집이라고 생각했던 그 집을 놓치고 싶지 않았다. 그래서 바로 계약서에 서명을 했다. 결정을 질질 끌었다가는 기회를 잃어버릴지도 모른다고 생각했기 때문이다.

부동산 중개인은 사무실 건물이나 아파트 단지, 도매상가, 쇼핑센터 같은 상가를 분양할 때도 개인주택 중개업자와 똑같은 수법을 쓸 수 있다. 오하이오 주 클리블랜드의 지압 쇼핑센터 개발업체인 하우스만의 최고 세일즈맨 제니퍼 베커는 고객들에게 이렇게 말한다.

"우리는 지난 6년간 랜싱, 미시건, 메리디언 몰 지역에서 99.2퍼센트의 점유율을 유지해 오고 있습니다. 매물은 일부러 만들 때에만 나오지요. 기존 분양권자의 계약기간이 만료가 되면 우리는 계약을 갱신해 주지 않고 수입이 더 좋은 소매상에게 내줍니다. 이 매장에 관심을 표시하는 소매상들이 여럿 있습니다. 그러니 관심이 있다면 빨리 결정하시는 것이 좋습니다."

이 방법은 서비스 관련 산업에서도 효과가 있다. 예를 들어 주택 건설업자는 고객이 빨리 입주하고 싶어 할 경우 이렇게 말할 수 있다.

"제 스케줄로는 올 6월부터 내년 3월까지는 계획이 꽉 잡혀 있습니다. 오늘이 4월 7일이니까 이 달 18일 이전에 일을 시작할 수 있다면, 계획을 잡아서 해볼 수가 있겠는데요. 물론 내년 봄까지 기다리시겠다면 그래도 좋습니다."

구매자에게 교묘하게 압력을 넣는 솜씨를 보라. 컴퓨터 영업사원, 사무용품 판매원, 중기계 판매원 등도 이 수법의 효과를 톡톡히 볼 수 있다.

"배달하고 설치해야 할 일정이 14주 동안 꽉 잡혀 있습니다. 하지만 마침 취소를 해온 건이 하나 있는데 원하신다면 그 자리에 대신 끼워넣어 다음 주 화요일에 배달해서 설치해 드릴 수 있습니다."

독점판매권 영업사원은 종종 다음과 같이 말해서 계약을 성사시키곤 한다.

"우리 회사는 이 지역에서 단 한 업자에게만 판매권을 주려고 하는데, 지금까지 여섯 군데에서 관심을 표해 왔습니다. 말씀하신 대로 정말로 해보실 생각이라면 오늘 계약하시는 게 좋을 겁니다. 그러면 고객님이 판매권을 따실 수 있도록 제가 힘써 보겠습니다. 하지만 최선을 다하겠지만 결과는 보장할 수 없습니다."

다음은 내 경험담이다. 구매자가 차를 갖고 싶어서 입술을 자근자근 깨물고 있으면서도 마음을 정하는 데 왠지 머뭇거리는 것 같으면 나는 이렇게 말한다.

"이 색상으로 손님이 원하는 부속이 모두 구비된 차는 이게 마지막 남은 재고입니다. 원하신다면 바로 준비시켜서 오늘 저녁까지는 타고 나갈 수 있게 해드리겠습니다. 하지만 지금 머뭇거리면, 이 차는 금방 빠져나가고 말 거예요. 오늘 아침에도 이것과 똑같은 차를 벌써 두 대나 팔았거든요. 물론 다른 영업소에 부탁해서 가져올 수는 있지만, 그러려면 아마 일주일은 걸릴 겁니다. 그리고 손님께서 원하는 부품들이 정확하게 다 구비된 것을 구할 수 있으리라고는 장담하기 어렵습니다."

나는 고객이 진땀이 나도록 조금 뜸을 들였다가 이렇게 덧붙인다.

"얼른 계약하세요. 그러면 제가 서비스 부서에 말해서 바로 출고할 수 있도록 준비시켜 놓을게요."

항공사 예약부서는 빨리 예약하지 않으면 곧 매진이 된다고 재촉함으로써 비행기 표를 파는 것으로 유명하다. 이런 상술은 꽉 짜인 스케줄에 따라 이 나라에서 저 나라로 날아다니며 일하는 나 같은 사람에게는 특히 더 효과가 있다.

며칠 전의 일이다. 나는 토론토까지 가는 비행기 표에 대해 문의하려고 항공사에 전화를 걸었다.

"그 비행기는 두 좌석밖에 안 남았는데요, 지라드 씨. 지금 곧 예약을 하시는 것이 좋을 겁니다."

그렇게 일찍 비행기를 탈 것인지도 정하지 않은 상태였지만, 어쨌든 그날 오후에는 토론토에 도착해야 했기 때문에 그 비행기를 놓칠까 봐 염려되어 예매를 하고 말았다. 보다시피 한 가지 상품이 얼마 남지 않았을 때는 언제나 절박감을 불러일으킬 수가 있다.

가장 높은 가격의 입찰자에게 팔아라

판매자가 상품을 가장 높은 입찰가에 팔 수 있는 기회는 여러 구매자들이 상품 하나를 놓고 서로 경쟁을 벌일 때다.

나는 언젠가 예술품, 골동품, 압류 물품, 말, 양떼 등 파산으로 인한 상환 부동산 같은 상품들을 판매하는 경매장에 입회해 본 적이 있다. 판매자의 입장에서 본다면 절박감을 조성하는 데 이보다더 이상적인 방법은 없다. 구매자들은 즉석에서 구매 결정을 내려야만 하기 때문이다.

전문 경매자가 엄청 빠른 속도로 말하는 동안, 입찰자들은 재빨리 결정을 내려야 한다. 팔을 들어 올린다거나 귀를 잡아당긴다거나 하는, 분초를 다투는 신호로 입찰자가 결정된다. "축하합니다. 당신이 영광스럽게도 ○○의 소유자가 되셨습니다!"

예를 들어 부동산 중개업자는 빨리 팔릴 것 같은 집이 시장에 나오면, 입찰 경쟁을 붙인다. 이를 위해서 중개업자는 그 집이 시장에 나오자마자 이틀 만에 열 명의 고객에게 집을 보여 주고, 스물네 시간 안에 입찰을 한다고 알려 준다. 중개인은 집주인의 동의하에 가장 낮은 가격에서부터 입찰을 시작한다. 그러고는 가장 높은 가격의 입찰자에게 그 집을 판다.

타이밍이 중요하다

비즈니스맨이라면 누구나 타이밍의 중요성을 알고 있을 것이다. 그래서 나는 절박감을 불러일으키기 위해서 이 점을 판매 포인트로 이용할 것을 강력히 권한다. 부동산을 팔 때만 이렇게 말할 수 있는 것은 아니다.

"앨런, 일을 하는 데 있어서 '타이밍이 전부'라는 표현이 무엇을 의미하는지는 아시겠죠. 그리고 집을 못 사게 되면 오늘 기분이 아주 엉망이 되겠지요. 그렇죠?"

집을 사려는 사람에게 이 방법을 쓰기 전에 고객이 언제 집을 샀는지를 조사해 보아야 한다. 만약 집을 산 지 꽤 오래되었다면, 지난 10년간 부동산 가격이 얼마나 뛰었는지를 고려하여, 여러 해 동안 그 집의 가격이 많이 올랐다는 것을 지적하라. 만일 고객이 집을 소유하고 있지 않다면 그 지역에서 엄청나게 값이 오른 유명한 부동산을 지적하면 효과적이다.

또는 그때 어느 지역 회사의 주식을 사두었더라면 얼마나 이득을 보았겠는가를 지적할 수도 있다.

또는 이렇게 말할 수도 있다.

"그때 맥도널드 가맹점을 되샀더라면 어땠을지 한번 생각해 보세요."

또는 이렇게 말하는 것은 어떨까.

"내 친구 하나는 10월 초에 갖고 있는 주식을 몽땅 팔았지요."

비즈니스맨이라면 누구나 사야 할 때와 팔아야 할 때를 아는 것이 얼마나 중요한가를 잘 알고 있다.

오늘 꼭 사야만 하는 이유를 제시하라

• 한정판매를 활용하라

한정판매는 소매점에서 주로 사용하는 기법으로 그 기간 내에 사지 못하면 싸게 살 기회를 잃는다는 점을 강조하는 것이다. 고객과 얼굴을 맞대고 판매하는 경우에도 이 기법을 사용하면 지금이 아니면 기회를 잃게 된다는 절박감을 불러일으킬 수 있다.

• 시간이 갈수록 더 많은 것을 잃게 됨을 상기시켜라

당장 사지 않으면 앞으로도 결코 사지 못할 것임을, 시간이 똑딱거리며 갈수록 고객은 더 많은 것을 잃어버린다는 사실을 알려 주어라. 자신이 파는 물건의 특성에 맞춰 약간의 상상력만 발휘하면 된다.

• 여유분이 없다며 절박감이 들게 하라

여행상품 세일즈맨은 빨리 예약하지 않으면 곧 매진됨을 알리고, 자동차 세일즈맨은 지금이 아니면 고객이 원하는 모델의 출시일이 늦어짐을 상기시켜라. 상품이 얼마 남지 않았을 때는 언제나 절박감을 불러일으킬 수 있다.

• 타이밍을 잘 맞춰야 한다

타이밍의 중요성을 판매 포인트로 이용하라. 특히 부동산이나 주식같이 가격이 오르내리는 상품은 구매 시점이 가장 중요하다. 언제 사느냐가 이익을 좌우한다는 사실을 상기시켜라.

10

고객이 거절하지 못하게 하는
세일즈 프레젠테이션 기법

말을 많이 하지 마라

세부 사항을 모두 설명할 필요는 없다

침묵은 금이다

꼭 필요한 한마디, "마음을 정하셨습니까?"

고객이 거절할까 두려워하는 세일즈맨은 자꾸 말이 많아진다. 하지만 지나침은 모자람만 못하다. 지나치게 말을 많이 하면 실패를 부른다. 세일즈맨에게 확신이 부족하면 그것이 고객에게도 전달되기 때문이다. 또한 고객이 구매 결정을 내리는 데 필요하지 않은 세부 사항까지 설명하면 괜히 프레젠테이션만 복잡해진다. 부가 설명은 판매가 확실히 된 뒤에 해도 충분하다.

독실한 가톨릭 신자인 한 어머니가 있었다. 그녀에게는 서른다섯 살의 딸이 있었다. 어머니는 그 딸이 시집가기를 간절히 바라지만 딸의 애인이 기독교 신자여서 속이 상했다.

"사람은 참 좋더라만 가톨릭으로 개종시켜야만 한다."

어머니는 딸에게 일렀다.

"미사에 같이 참석하자고 해서 신부님 강론을 듣게 해라."

"네, 어머니."

딸은 공손히 대답했다.

몇 달 후 딸은 눈에 눈물이 그렁그렁한 채 집으로 와서 소리를 질렀다.

"결혼이고 뭐고 이젠 다 끝났어요."

"무슨 일이냐?"

어머니는 놀라서 물었다.

"모든 일이 잘되어 갔잖니. 네가 그를 설득해서 훌륭한 가톨릭 신자가 된 줄 알았는데."

"네, 맞아요. 하지만 제가 설득을 너무 잘해서 이제 그는 신부가
되기로 결심했단 말이에요."

이 이야기의 교훈은 뭐든지 지나치면 화를 초래할 수도 있다는
것이다.

지나침은 성사될 수 있는 판매를 도리어 망쳐놓을 수도 있다. 많
은 세일즈맨들이 말을 쏟아 놓는 데만 정신이 팔려서, 사려고 했던
고객의 마음을 돌리게 만든다. 그렇다. 그들은 고객이 물건을 사게
만들어 놓고는 다시 되사들이는 식이다. 다시 한 번 강조하지만, 열
심히 듣는 사람이 되라. 센스 있는 세일즈맨이라면 언제 입을 다물
어야 하는지 잘 안다. 말이 많은 것은 세일즈맨들의 판매 생명을 단
축시키는 병이다.

말을 많이 하지 마라

세일즈맨들이 말을 너무 많이 하는 가장 큰 이유는 거절에 대한 두
려움 때문이다. 어느 순간 고객이 물건을 살 마음이 있음을 알아차
리는 데는 천재적인 소질이 필요하지 않다. 나는 보통 수준의 세일
즈맨이라면 누구나 그 정도는 안다고 믿는다. 그런데 불행하게도
세일즈맨들은 이제 막 돈독한 우정이 꽃피었다고 생각하고, 그 관
계를 망치고 싶지 않아서 판매를 마무리하기를 두려워한다.

어떤 세일즈맨들은 고지식하게도 판매를 마무리하려고 하면 고

객이 궁지에 몰려 '아니오'라고 말할 것이라는, 더 나쁘게는 강매로 해석하고 화를 낼 것이라는 잘못된 생각을 가지고 있다. 그래서 결국은 서로 부딪치는 위험을 무릅쓰느니 차라리 입을 다물어야 할 때에도 계속 말을 하는 것이다.

지나치게 말을 많이 하면 실패를 부른다. 그러지 않더라면 효과적이 되었을 판매 프레젠테이션을 망쳐 버리고 만다. 세일즈맨에게 확신이 부족하면 그것은 구매자에게도 전염된다. 그래서 고객은 구매 결정을 미루고 속으로 의심을 품게 된다.

'내가 사고 싶다는데도 이 사람은 왜 계속 말하는 거지? 뭔가 감추고 있는 게 분명해.'

결과적으로 세일즈맨들이 말을 더 하면 할수록 판매가 성사될 가능성은 적어진다.

세부 사항을 모두 설명할 필요는 없다

당신이 판매하는 물건에 대해 당신이 알고 있는 모든 사실들을 일일이 설명할 필요는 없다. 마찬가지로 당신의 고객도 구매 결정을 내리기 전에 그 물건에 대해 전문가가 될 필요는 없다. 어떤 사람들은 고객들에게 제품의 모든 것을 상세하게 알려야 할 의무가 있다고 생각한다. 그리고 어처구니없게도 그 모든 설명이 끝나기 전에는 구매 결정을 내리지 못하도록 한다. 나는 언젠가 한 세일즈맨이 프레젠테이션을 끝내고 판매를 마무리 지으려 하면서, 고객이 "예,

사겠어요."라고 말할 틈도 주지 않고 하찮은 사항들까지 시시콜콜히 설명하는 바람에 다 된 밥에 코 빠뜨리는 것을 목격한 적이 있다. 이런 게 바로 사족이다.

또 어떤 사람들은 제품에 대한 광범위한 지식을 고객에게 충분히 이해시키기 전에는 판매 프레젠테이션이 끝나지 않은 것이라고 생각한다. 그들은 고객이 지겨워서 하품이 날 지경으로 질리도록 판매 프레젠테이션을 한다. 이런 사람들은 우월감을 느끼면서 걸어나가지만 주문서는 비어 있게 마련이다.

이 두 유형은 모두 너무 지나치게 판매에 임해서 오히려 성사시키지 못하는 경우다. 예를 들어 컴퓨터 판매원은 고객에게 비트니 바이트니 해가며 기술적인 전문용어를 퍼부어 댄다. 그러나 컴퓨터를 사려는 사람들은 실용적인 문제를 해결하기를 원할 뿐이다. 컴퓨터를 어떻게 사용할 것인가에 관심이 있지, 컴퓨터가 어떻게 해서 100만분의 1초의 속도로 정보를 변환시키는지와 같은 기술적인 사항이 궁금한 것은 아니다. 기술적인 정보를 너무 많이 제공하다 보면 고객을 얻는 것이 아니라 그동안 쏟은 판매 노력이 물거품이 되기 십상이다.

그렇다고 당신이 자신의 분야에서 전문가가 되지 말라는 말이 아니다. 당신은 당연히 전문가가 되어야 한다. 세일즈맨이 자기 분야에 대해 몰라도 되는 그런 분야는 없다. 무엇보다 어떤 고객에게 얼마만큼의 정보를 주어야 하는지를 잘 판단해야 한다는 말이다. 가령 컴퓨터 판매원은 상대가 기술자일 때와 경리부장일 때를 구별해서 판매 포인트를 달리해야 한다. 물론 언제나 예외는 있을 수 있다. 어떤 고객은 겉보기와 달리 기술적인 세부 사항에 관심을 가질 수도 있다. 만일 그렇다면 그들이 요구하는 정보를 만족시켜 주기 위해 늘 준비를 해두어야 한다.

어떤 자동차 세일즈맨은 여성 고객에게는 후드를 열고 자동차 기계 장치에 대해 설명하기를 거부하기도 한다. 하지만 요즘은 여성들도 기계에 대해 상당히 많이 알고 있는 만큼 이는 여성 고객을 무시하는 처사가 될 수도 있다. 그러나 어떤 고객들은―여성과 마찬가지로 남성들도―자동차의 기어비나 마력, 접촉 변환기 따위에 대해 관심이 없거나 이해하지 못하는 경우도 있다. 모든 고객에게 자동차 후드를 열어 보여 줄 필요는 없지만, 그 반대의 경우도 마찬가지다. 당신은 고객이 어떤 사람인가를 잘 판단해서 그의 관심에 초점을 맞추어 판매 프레젠테이션을 해야 한다.

경우에 따라서는 세일즈맨이 상품의 어떤 점에 대해서 법률적인 부연 설명을 해야 하는 경우도 있다. 주택조합의 채권을 판매한다거나 새로 나온 고위험성의 보험 상품을 소개하는 경우가 그런 예다.

다시 한 번 강조하건대, 판매를 성사시키기 위해서는 어떤 정보를 어느 정도 제공할 것인지를 잘 판단하기 바란다. 중요한 사항인데도 넘어가라는 얘기가 아니다. 적절한 순간 당신은 불필요하고 복잡한 프레젠테이션을 계속할 것이 아니라 판매를 마무리해야 한다. 부가적인 설명은 판매가 확실하게 성사된 뒤에도 얼마든지 할 기회가 있다.

"아, 그런데 이건 알아 두면 좋을 것 같아서요." 하고는 구매자에게 알아 두어야 할 사항을 말해 주는 것이다.

침묵은 금이다

주문을 하고 나면 잠시 침묵이 뒤따르는 일이 흔하다. 이때 대화를 잇기 위해서 무언가 말을 꺼내야 한다는 강박관념에 사로잡히기 쉬운데, 그러지 않아도 된다. 고객이 결정을 내릴 수 있도록 충분히 생각할 시간을 주라. 고객의 생각하는 시간을 방해하지 말라는 얘기다. 앞에서도 말했지만 침묵하는 것은 무언가 흠이 있기 때문이라고 오해하는 사람들이 있다. 그렇지 않다. 한참 동안 말없이 있어도 될 뿐만 아니라, 내 생각으로는 오히려 그렇게 하는 것이 한숨 돌릴 수 있어서 더 좋다.

판매 프레젠테이션이 잠시 끊어졌을 때의 시간은 실제보다 훨씬 더 길게 느껴진다. 마치 전화를 걸었는데 통화 중이어서 기다리고 있을 때의 기분과 같다. 시간이 가만히 멈춰 서 있는 것 같고, 1초가 마치 1분처럼 느껴진다. 얼굴을 맞대고 하는 프레젠테이션에서는 특히 더 그렇다. 때문에 침묵을 깨고 싶은 유혹에 시달리게 된다. 하지만 '먼저 말하는 사람이 지는 것이다.'라는 말도 있지 않은가. 다시 말해서 고객이 먼저 말하면 고객이 지는 셈이 된다. 물론 올바른 구매 결정을 내리면 승리자가 될 수 있다.

반면에 당신이, 즉 세일즈맨이 먼저 말을 꺼내면 당신은 거래를 놓쳐 버리기 십상이다. 그러므로 고객이 먼저 입을 뗄 때까지 조용히 기다려라. 물론 침묵하는 순간은 미칠 지경으로 괴로울 것이다. 어찌 됐든 여러분은 침묵에도 익숙해지도록 스스로를 훈련시켜야 한다.

꼭 필요한 한마디, "마음을 정하셨습니까?"

효과적으로 판매를 마무리하려면 고객에게 그냥 이렇게만 말하면 된다.

"마음을 정하셨습니까? 아니면 더 말씀드릴까요?"

더 말해야 할 필요가 있다고 느껴지면, 다시 마무리할 때가 되었다고 여겨질 때까지 고객의 요구에 응한다. 반면에 긍정적인 대답을 들었다면 프레젠테이션이 아무리 짧았다 하더라도 판매를 마무리 짓는다. 물건의 장점을 모두 설명하지 못한 것이 아쉬워도 말이다. 그런 것이라면 나중에 언제든지 설명할 수 있다. 마무리를 짓기 전에 모두 얘기해야 한다고 스스로 얽매일 필요는 없다. 몇 가지 장점은 주문을 받고 난 뒤에 안겨 주는 보너스로 남겨 두어라. 중요한 것은 프레젠테이션의 흐름을 끊지 않는 것과 판매를 성사시킬 기회를 놓치지 않는 것이니까.

이 책에서 소개한 다른 판매 기법들과 마찬가지로, 이 마무리하는 말도 판매 프레젠테이션을 하는 동안 몇 번이고 쓸 수가 있다. 간단히 이렇게 반복하면 된다.

"이제 마음을 정하셨습니까? 아니면 더 말씀드릴까요?"

이 말 대신 다음과 같이 바꿔 쓸 수도 있다.

- **자동차 세일즈맨** : 손님한테 완벽하게 맞는 모델이지 않습니까?
- **의류 판매원** : 이 옷이야말로 꼭 손님이 찾으시던 옷이네요, 그렇죠?

- **부동산 중개인** : 이 집은 정말이지 선생님의 가족을 위한 집이네요. 그렇지요? 아니면 다른 집을 더 둘러보시겠습니까?
- **보험 설계사** : 신청서에 서명하시기 전에 더 궁금한 게 있습니까?

각각의 예에서 고객이 긍정적인 대답을 하면 판매가 성사될 가능성이 높아진다. 만약 고객이 거절을 하면, 판매원은 오늘 사야 하는 이유를 계속 설명해 주면 된다. 그러고는 다시 한 번 판매를 성사시키려는 시도를 한다.

그런데 위의 질문을 할 때면 판매원은 프레젠테이션을 다 했다고 생각할 것이다. 그래서 하는 충고인데, "마음을 정하셨습니까?" 하는 말을 할 때면 다시 그 말을 하기까지 시간을 너무 길게 잡지 않는 것이 좋다.

세일즈 프레젠테이션은 이렇게 하라

• 말을 많이 하지 마라

지나치게 말을 많이 하면 실패를 부른다. 확신이 부족해 이말 저말 늘어놓는 것으로 보이기 때문이다. 세일즈맨에게 확신이 부족하면 그것은 구매자에게도 전염되어 고객은 구매 결정을 미루고 의심을 품게 된다.

• 지나친 정보 전달은 고객을 지루하게 한다

판매를 성사시키기 위해서는 어떤 정보를 어느 정도 제공할 것인지를 잘 판단 해야 한다. 무조건 많은 정보를 준다고 해서 좋은 것만은 아니다. 부가적인 설명은 판매가 확실히 성사된 뒤에도 얼마든지 할 기회가 있다.

• 침묵은 금이다

세일즈 프레젠테이션 중 잠시 대화가 끊어졌을 때 굳이 먼저 말하려고 하지 마라. 먼저 말을 꺼내면 거래를 놓쳐 버리기 십상이다. 고객이 먼저 입을 뗄 때까지 조용히 기다리는 것이 좋다.

• 마음을 정했는지 물어보라

고객이 구입 의사를 보인다면 프레젠테이션이 끝나지 않았더라도 "마음을 정하셨습니까?"라고 묻는다. 긍정적인 대답을 들었다면 설사 제품의 장점에 대해 아직 다 설명하지 못했더라도 주문을 받아라.

판매 성사율을 높이는
조 지라드만의 비결

'다시 전화할게요' 클럽

효용체감의 법칙

원칙을 정하고 꼭 지켜라

때론 실패할 위험을 무릅써라

큰 거래를 따내라

항상 고객의 이익을 생각하라

세일즈맨에게 가장 중요한 것은 판매 성사율을 높이는 것이다. 만나는 고객은 많지만 실제로 판매 성사까지 연결시키지 못하는 세일즈맨이 있다. 그는 예비고객의 명단을 늘렸다는 데 만족하고 언젠가는 그들이 자신의 고객이 되리라고 생각한다. 이런 예비고객을 나는 '다시 전화할게요' 클럽이라고 부른다. 그들의 전화를 기다리는 것보다는 첫만남에서 좀 더 끈질기게 매달려 승률을 높이는 것이 낫다.

일을 하려면 승산이 있는 일을 해야 한다. 나의 경우 성공이 불확실한데도 기꺼이 도박을 하는 때는 라스베이거스에서가 유일하다. 카지노는 돈을 벌 목적으로 사업을 하는 곳이고, 운영 경비가 엄청난 만큼 모든 것이 그들에게 유리하도록 되어 있는 것은 당연하다. 그러니까 내가 거기에 가는 이유는 단지 즐기기 위한 것이다. 그래서 일정 액수를 정해 놓고, 그 돈을 몽땅 잃으면 내가 즐긴 비용으로 치고 미련 없이 기권을 한다. 결국 카지노에 갈 때는 나에게 승산이 없다는 것을 알고서 가는 것이며, 나는 그것을 당연하게 받아들인다.

한치 앞을 보지 못하는 승산 없는 게임을 하는 사람은 늘 패자가 될 수밖에 없다. 그러나 현명한 사람들은 승산 있는 일을 한다. 라스베이거스 사람들은 카지노를 소유하고 그것을 조종하는 사람들이다. 그들은 승률을 아주 과학적인 비율로 낮춰 놓는다. 따라서 카지노의 딜러가 잃는 일은 수학적으로 거의 불가능하다. 판매는 그렇게 정확하게 과학적으로 맞아떨어지는 일은 아니지만, 여러분 역시 승산이라는 개념에 대해 이해하고 있어야 한다.

　내가 말하는 승산이란 여러분의 판매 성사율—첫 시도에 성공한 비율 대 재시도해서 성공한 비율—과 관계가 있다. 여기서 스스로에게 이렇게 물어보라. 결정을 내리지 못한 고객에게 다시 전화한다면 판매 성사율은 더 높아지겠는가? '전부 아니면 무'라는 태도로 모든 거래를 그 자리에서 당장 성사시키려 한다면 더 많은 거래를 딸 수 있을까?

　도덕적으로 하자가 없는 한 나는 이익이 되는 일이라면 뭐든지 한다. 그리고 나의 이익은 내가 판매를 성사시키는 비율에 달려 있다. 만약 이익에 관심이 없다면 뭐 하러 매일 아침 잠자리에서 일어나겠는가. 나는 늘 일을 하면서 되도록 많은 돈을 버는 것이 가장 중요하다고 생각한다. 이 점에서 나와 의견을 다툴 사람이 있는가. 그러나 승산을 무시하는 판매원들은 그렇게 한다. 즉, 그들은 시간과 노력을 많이 들이고도 적은 돈을 기꺼이 받아들인다. 그러니 누가 나보다 더 많은 수수료를 받는다고 나설 수 있겠는가.

‘다시 전화할게요’ 클럽

판매 프레젠테이션에 이어 판매가 순조롭게 성사되면 좋으련만, 현실은 꼭 그렇지만은 않다. 고객들은 결정을 내리지 않고 대신 "다시 전화할게요."라고 말한다. 그런 고객은 소위 ‘다시 전화할게요’

클럽에 속한다. 이 클럽은 수많은 회원을 거느리고 있으며, 회원들은 항상 생각해 보고 나서 다시 전화하겠다고 말한다. 혹은 소매상점에서 그들은 다시 오겠다고 말한다(그들을 '다시 올게요' 클럽 회원들이라고 부른다).

사람들이 이 클럽에 가입할 때마다 당신의 실망은 이만저만이 아니다. 조금만 더 끈질겼더라면 판매를 성사시킬 수 있었을 텐데 말이다. 꼭 사겠다는 예약을 수십 개나 받아 놓았지만 그 중 한 건도 성사시키지 못한 판매원들을 본 적이 있다. 개중에는 그들의 약속을 철석같이 믿고 전화가 오기만을 기다리는 경우도 있었다. 그러나 머지않아 그들은 실망하고 좌절한다.

경력이 3개월쯤 된 한 초보 세일즈맨이 있었는데, 그에게는 12월 중순까지는 차를 사겠다고 약속한 고객이 84명이나 있었다.

"그 중 반만 진짜로 사주어도 나는 지라드 씨보다 차를 더 많이 팔 겁니다." 하고 그는 자랑했다. 그는 자신이 판매 기록을 경신하리라는 확신에 차서, 아내와 세 아이들에게 크리스마스 선물로 꽤 큰돈을 썼다. 그런데 결과는? 불행하게도 84명의 예비고객들 중에서 단지 세 명만이 차를 샀다. 그러자 그는 이렇게 중얼거렸다.

"도무지 이해할 수가 없군."

그리고 내 어깨에 기대어 울부짖었다.

"이제 세상 사람들을 믿을 수가 없어요. 어쩌면 그렇게 거짓말을 할 수가 있지요?"

"사람들이 다시 전화하겠다고 말할 때는 진지하게 말하는 걸세." 나는 그렇게 설명해 주었다.

"하지만 다른 일들이 자꾸 생기니까 신경이 흐트러지는 거지. 생각해 보게. 그들은 크리스마스 선물도 사야 하고, 다달이 카드 결제도 해야 하고, 그 외에 예상치 못했던 돈 쓸 일들이 생기는 거야. 왜, 우리도 그러지 않나. '눈에 보이지 않으면 마음도 멀어진다.'는 말도 있다네. 하지만 자네는 이 일로 좋은 교훈을 얻지 않았나. 지금은 실망스럽겠지만 그 교훈은 황금만큼의 큰 가치가 있지."

그 젊은이는 정말 큰 교훈을 얻었다고 대답했고, 나는 결국은 놓쳐 버린 거래를 메우고도 남을 만큼 잘할 수 있을 거라는 말로 그를 격려했다. 또한 진작에 끈질기게 매달렸더라면 60에서 70퍼센트는 거래를 성사시켰을 것이라는 점도 덧붙였다.

끈질기게 하지 않았기 때문에 거래를 놓쳐 버린 것은 어쩌면 당연한 결과다. 그러나 그 외에 다른 손실도 있다. 즉, 다시 전화 통화를 하게 되기까지 들인 시간과 노력, 그리고 다른 고객에게 전화를 했더라면 더 생산적이었을 시간을 낭비해 버린 것이다.

사실을 냉정하게 직시하면, 세일즈맨에게 가장 중요한 것은 바로 시간이다. 다른 사람은 모르겠지만 나는 시간을 아주 중요시하며, 조금이라도 시간을 낭비하고 싶지 않다. 나는 믿을 수 없을 만큼 잠보이지만 차를 팔러 영업소에 나오는 날만큼은 언제나 아침 일찍 자리에서 일어난다. 그리고 거울을 쳐다보고 큰 소리로 외친다.

"나를 일찍 일어나게 한 대가로 누군가가 셈을 치를 거야!"

그렇다. 나는 나 자신을 부추기기 위해 원기를 북돋는 말을 한다. 사실 나는 그 누구도 나의 귀중한 시간을 빼앗아 가기를 원치 않는다. 일단 영업소 문을 걸어 나간 고객에게 전화를 거는 것이 별

소용이 없다는 사실을 깨달은 후, 나는 고객을 한 명 한 명 대할 때마다 사슴을 노리는 사냥꾼이 된다. 사냥꾼은 사슴 한 마리를 향해 단 한 번밖에 방아쇠를 당길 수 없다. 만약 빗나간다면 그 사슴을 영영 놓치는 것이다.

이 점을 명심하고, 고객의 마음이 달아 있을 때 최선을 다해야 한다. 그리고 그들의 마음이 최고조에 달했을 때는 바로 당신과 얼굴을 맞대고 있는 순간이다. 만약 그들을 그냥 내보내게 되면, 그들을 놓쳐 버린 것이나 마찬가지다.

효용체감의 법칙

세일즈맨이라면 누구나 다음에 소개하는 중요한 법칙을 분명하게 이해하고 있어야 한다. 그것은 어떤 법정에서도 집행되지는 않지만, 그럼에도 따르지 않을 수 없는 것이다. 그것은 바로 효용체감의 법칙이다. 아마 당신도 이미 알겠지만 어쨌든 '사과 먹기 비유'라고 이름 붙인 비유를 써서 설명해 보겠다.

배가 고픈 어린 소년이 아주 맛있는 빨간 사과를 얻었다. 그 소년은 무척 좋아하면서 눈 깜짝할 사이에 금방 먹어 치웠다. 두 번째 사과를 주자 소년은 이번에도 맛있게 먹었지만 방금 먹은 것보다는 덜하다고 생각했다. 소년은 이제 배가 고프지 않았지만 사과 하나를 더 건네자 마지못해 먹었으며 전혀 기뻐하지 않았다. 배가 부른데도 하나 더 먹으라고 시키자 소년은 천천히 씹어 먹었으며, 한 입

베어 물 때마다 물린 기색이 뚜렷했다. 소년이 사과를 먹으면서 느끼는 즐거움은 사과를 하나씩 더 먹을 때마다 줄어들었다.

판매 분야에서도 효용체감의 법칙은 똑같이 적용된다. 프레젠테이션을 막 끝냈을 때가 판매를 성사시키기에는 가장 좋은 시기다. 그때가 상품의 모든 정보를 명확하게 이해한 시점이기 때문이다. 게다가 고객이 구매 욕구를 가장 크게 느끼는 때이기도 하다.

다음날이 되면 두 가지 일이 일어난다. 고객은 상품의 장점 몇 가지는 잊어버린다. 그리고 사고 싶다는 열정도 조금은 식었다. 날이 갈수록 당신의 상품을 소유해야겠다는 필요와 욕구는 점점 시들해진다. 머릿속에서 상품에 대한 기억이 사라져 가는 동시에, 그것을 사면 이익이 되리라는 생각도 점점 엷어진다. 얼마 지나지 않아 고객은 다른 데다 돈을 쓰는 게 더 낫지 않을까 하고 생각하게 된다. 바꾸어 말해서, 시간이 경과할수록 판매 성사 가능성은 떨어진다는 것이다. 고객의 마음이 식어 버렸기 때문이다.

일단 시간이 지날수록 판매 가능성이 낮아진다는 것을 알았다면, 고객의 마음이 달아 있을 동안에 최선을 다하는 것이 얼마나 중요한지를 깨달았을 것이다. 유능한 세일즈맨은 승산이 자기에게 있다는 것을 안다. 그리고 그 자리에서 판매를 성사시키거나 아니면 아예 깨뜨려 버릴 만큼 강하게 압력을 가하는 모험을 할 줄도 안다.

무엇을 판매하는가, 판매 능력이 얼마나 뛰어난가에 따라서 판매를 성사시키기 위한 압력의 강도가 달라진다. 사실 '다시 전화할게요' 클럽에 속하는 회원들 중에는 아무런 압력을 가하지 않아도 하루나 이틀 뒤에 와서 사는 사람도 더러 있다. 그러나 '전부가 아니면 무'라는 견지에서 볼 때, 그보다 더 많은 거래를 생각해서 그들을 고객 명단에서 지워야 한다. 무슨 일이든 일관되게 해야 한다는 것을 명심하라. 예외를 두고 그 원칙에서 살짝 빠져나가고 싶은 유혹에 져서는 안 된다. 얼마간의 시간이 흐르고 나면 당신의 끈질김은 보상을 받게 될 것이다.

'다시 전화할게요' 클럽 회원에 대해 한 가지 더 말해 둘 것은, 당신이 팔지 못했다고 해서 다른 판매원의 시도까지 반대하지는 말라는 것이다. 가끔은 한 판매원이 실패한 고객을 다른 사람이 넘겨받고서는 조금 다른 수법을 써서 성공하기도 한다.

나는 같은 영업소에 근무하는 다른 사원들에게 판매가 안 됐을 경우 고객이 나가기 전에 내가 다시 한 번 시도를 해볼 테니 넘겨달라는 부탁을 하곤 했다. 그때 나는 판매 관리자나 판매 감독 따위로 소개를 받는다. 내가 그렇게 손님을 '살' 경우 그들은 어김없이 자기 몫으로 20달러를 챙긴다. 어쨌든 이 정도라도 없는 것보다는 나을 테니까. 그런데 유감스럽게도 어떤 판매사원들은 너무 자존심이 강해서 절대 손님을 넘겨주지 않는다. 자기는 단 20달러밖에 못 버는데 나는 많은 수수료를 받는 사실이 화가 나기 때문이다. 그래서 그들은 체면을 세우는 대신 돈을 잃겠다는 심산이다.

어떤 분야에서든 자기 손님을 다른 동료에게 인도할 수 있다. 예를 들어 복사기 판매원이라면 손님을 자신의 매니저에게 소개하고 싶다고 말할 수 있다. 물론 그 매니저는 판매에 능한 사람이어야 한다. 또 보험 설계사라면 은퇴 후의 자산관리에 통달한 전문가를 소개하겠다고 말할 수 있다.

원칙을 정하고 꼭 지켜라

일단 효용체감의 법칙을 이해했다면, 그리고 당신이 현명한 사람이라면 고객한테 다시 전화하는 일은 하지 않을 것이다. 그리고 그들에게 다시는 전화하지 않겠다고 말한다고 해서 나쁠 것도 없다. 간단히 이렇게 말하기만 하면 된다.

"죄송합니다만 저는 다시 전화하지는 않습니다."

간혹 어떤 사람이 이유를 물으면, 그냥 간단히 '바람직하지 않기' 때문이라고 설명하라.

"저는 제가 프레젠테이션을 했을 때 사지 않은 사람에게 다시 전화하지 않습니다. 제가 설명을 드린 바로 지금이 구매 결정을 내리기에 가장 좋은 시기입니다. 조금 있으면 손님은 오늘 사야 할 이유를 잊어버리거나 혼란스러워질 테니까요."

사람들은 대부분 당신이 솔직하게 말해 준 것을 고마워할 것이며, 당신의 말에 다시 긍정적으로 돌아설 것이다. 당신은 이어서 이렇게 말할 수 있다.

"그럼, 오늘 결정을 내려야 할 이유에 대해서 다시 말씀드려도 되겠지요?"

그러고는 프레젠테이션을 계속한다. 휴양지 개발업체인 피드먼트 마케팅 사의 드와이트 랭크포드를 기억하는가? 랭크포드가 경험한 바로는, 다시 전화를 하겠다고 하고서 실제로 산 사람은 단 2퍼센트였다고 한다. 그러나 '전부 아니면 무'라는 태도로 나갔을 때는 판매를 성사시킨 횟수가 무려 20배나 더 높았다고 한다. 피드먼트 마케팅 사는 다시 전화하겠다는 사람을 판매로 연결시킬 가능성은 아주 낮다는 것을 알고서, 모든 고객들에게 그때 바로 사지 않으려거든 아예 잊어버리는 것이 낫다고 말해 주었다. 그리고 고객의 마음을 확실하게 잡기 위해서 바로 그날만 할인이 가능하다고 말했다(부동산 분야에선 할인액이 800달러에서 1,500달러까지 가능하다. 콘도 분양비가 일주일 평균 약 7,500달러인 것을 감안하면 상당히 큰 액수다).

"우리 회사의 세일즈맨들은 다음날에는 결코 할인 혜택이 없다는 것을 숙지하고 있습니다. 그 원칙에는 예외가 없습니다. 절대로! 단 한 번이라도 이 원칙을 어긴다면 우리 모두 거짓말쟁이가 되는 셈이니까요. 한 고객이 다음날 할인 가격의 수표를 들고 다시 왔는데, 내가 '좋습니다. 어제 말씀드렸던 가격으로 해드리지요.'라고 말한다면 어떻게 되겠습니까? 단 한 번이라도 이런 일이 일어난다면, 누구도 첫날만 할인 혜택을 준다는 말을 신뢰하지 못할 테고, 그 말을 믿은 사람만 바보로 만드는 것이지요."

랭크포드는 계속해서 이렇게 설명했다.

"고객이 왜 이런 원칙을 고수하는지 이유를 물으면 우리는 이렇게 대답합니다. '우리는 오랜 경험을 통해서, 사람들이 일단 사지 않고 돌아갈 경우 그들 중 단 2퍼센트만이 고객이 된다는 것을 알았기 때문이지요. 그래서 우리는 사람들이 그 자리에서 바로 결정을 내릴 수 있도록 첫날만 할인 혜택을 제공하는 것입니다.' 이렇게 솔직하게 말하면 사람들은 우리의 진심을 알아줍니다."

때론 실패할 위험을 무릅써라

나는 이 일을 시작하고서 한때 너무나도 절박하게 돈이 필요해서 판매를 한 건 성사시킬 때마다 수수료를 얻기 위해 필사적으로 매달린 적이 있었다. 처음에는 하루하루를 수수료로 받은 돈으로 살아갔다. 매주 식료품을 사고 집세를 내고 자동차 할부금을 내는 것들이 모두 내가 차를 파느냐 못 파느냐에 달려 있었다. 그래서 판매에 실패할 경우 엄청나게 속이 상했다.

그러나 어느 정도 시간이 지나자 고객이 차를 사지 않고 나간다고 해도 더 이상 속이 타지 않게 되었다. 내가 그렇게 편안한 마음으로 판매를 하게 된 계기가 정확하게 언제였는지는 기억나지 않지만, 어쨌든 그것은 나의 경력에서 중요한 이정표가 되었다. 그때 내가 얻은 깨달음은 어떤 사람도 결코 나를 좌지우지할 수 없다는 것이었다. 어쩌면 다른 사람에게는 별 것도 아닌데, 나에게는 아주 중요한 깨달음으로 다가왔다. 그 이후로는 세일즈를 겁내지 않게 되었으니까.

나는 마침내 실패할지 모르는 위험을 무릅쓸 수 있게 되었고, 그래도 그것이 고객에게 상처가 되지 않는다는 것을 알고 안심하게 되었다. 그래서 자동차를 사기로 결정을 해놓고 나중에 다시 오겠다고 말하는 사람들에게 그 자리에서 사도록 약간의 압력을 넣을 수도 있었다. 그랬다가 못 팔게 될까 봐 두려워하지도 않았다. 그렇다 해도 나는 결코 동기나 열망, 또는 흔히 세일즈맨의 킬러 본능이라고 부르는 것을 잃지 않았다. 모든 판매를 성사시키고자 하는 나의 욕구는 그대로 남아 있었다.

어떤 세일즈에서든 한 명의 고객이 말할 수 없이 중요해서 그 사람과 거래를 못하면 파산하게 되는 경우는 없다. 보험 설계사의 경우 한 사람과 거래를 못한다고 해도 방문할 다른 고객들이 얼마든지 있다. 증권 중개인도 주문 계약을 따내는 데 실패하더라도 다른 사람에게 전화를 걸면 된다. 부동산 중개인 역시 수많은 고객이 있다.

회사에 따라서는 큰 거래선을 놓칠 경우 심각한 결과가 생기는 경우도 있다. 가령 규모가 큰 기계공장의 영업사원은 아주 큰 비중을 차지하는 소매 거래선을 담당하는 경우도 있을 것이다. 이런 경우엔 하나의 거래선을 잃는 것이 그의 직장을 잃게 하는 결과를 초래할 수도 있다.

광고 대행사의 영업부장은 드물지만 거래선이 단 하나일 경우도 있다. 그러나 그런 판매직은 부패하기 쉬운 직종이며, 한 명의 고객에게 지나치게 생존을 의존해야 하는 경우라면 위태롭기 짝이 없다. 만일 당신이 바로 그런 입장이라면 당신은 그들이 다른 곳과의 거래는 꿈도 꾸지 못하도록 서비스를 잘해 주어 그들을 감동시켜야 한다. 그 점에 대해서는 뒤에서 다시 다룰 예정이다. 여기서는 달걀을 한 바구니에 몽땅 담아 두는 것은 위험하다는 점만 말하겠다. 만일 그럴 수밖에 없는 처지라면, 전력을 다해서 힘껏 그것을 잘 지켜야 할 것이다.

큰 거래를 따내라

당신은 돈을 벌기 위해서 세일즈를 하고 있다는 사실을 항상 잊지 말아야 한다. 많은 수수료를 받는다고 해서 품위가 손상되지는 않는다. 이 점을 명심하고, 당신이 일한 만큼 충분히 보상받을 수 있는 큰 거래를 따도록 하라. 그렇다고 무조건 큰 거래에만 매달리라는 뜻은 아니다. 때로는 아주 적은 액수의 새 거래를 트는 것도 필요하다. 작은 거래에서 얼마든지 큰 거래로 늘려 갈 수 있고, 그것은 흔히 있는 일이다.

그러나 단순히 명목뿐인 주문을 따는 것은 그다지 도움이 안 된다. 당신이 적은 액수의 거래만 하다 보면 때로 고객들 눈에는 당신의 제품이나 회사가 큰 거래를 하기에는 적합해 보이지 않을 수도 있기 때문이다. 따라서 거래의 크기를 점차 늘려 나가지 않는다면 당신의 거래는 늘 그저 그런 수준에 머무를 것이다.

가령 한 식료품 도매업자가 이름 없는 회사의 청량음료를 받아다가 큰 슈퍼마켓에다 대주는 일을 한다고 하자. 유명 회사 제품들이 잔뜩 진열된 곳에 작은 회사의 음료를 달랑 몇 개만 진열해 놓는다면 아마 얼마 못 가서 매장에서 치워질 것이다. 그래서 때로는 명목뿐인 주문을 받아 놓은 것이 화근이 되어, 골치 아픈 일을 만들고 다음 거래마저 끊기는 결과를 낳기도 한다.

또 다른 예로, 한 지역당 한 소매업자에게만 상품을 파는 도매업자가 있다고 하자. 인구 2만 5천 명의 작은 도시에 사무용 가구 소매점이 세 개 있는데, 그 도매업자의 판매망은 단 한 곳에 한정되어 있다. 이때 가구 공장의 영업사원은 자사 제품을 조금밖에 소화하지 못하는 단 하나의 거래선만 둔다는 것에 불만족스러워할 것이다. 그럴 경우 영업사원은 그 거래선에 할당량을 더 많이 부과하든지, 그렇지 않으면 다른 소매점과도 거래를 해야 한다.

어떤 회사의 영업사원은 주문량이 적은 거래는 완전히 실패하는 것이라고 본다. 수수료도 쥐꼬리만큼 적을 뿐 아니라 도매업자가 그 주문받은 물건을 판 뒤에야 진짜 구매자라고 할 수 있기 때문이다. 심지어는 판매 의욕을 자극할 만한 인센티브가 없기 때문에 물건을 열심히 팔아 보려는 노력을 전혀 하지 않는 경우도 있다. 그래서 다음 방문 때 그는 이렇게 불평한다.

"더 내놓지 말아요. 전번에 억지로 맡긴 것도 아직 다 팔지 못했어요."

이러니 수수료도 적고, 회사에 별 소득이 없을 뿐 아니라 울화만 치밀어 오른다.

이제 적은 액수의 주문은 빼버려야 하는 좀 다른 경제적 이유로 돌아가 보자. 때로는 전부 아니면 무라는 태도로, 설사 판매를 못하는 한이 있더라도 큰 주문을 따는 쪽으로 시도해 보는 것이 현명하다. 실제로 더 큰 주문을 받게 될 가능성을 감안하면 그것은 아주 사소한 위험에 불과하다. 뿐만 아니라 처음의 주문을 취소하는 경우는 거의 없다.

예를 들어 자동차를 팔 경우, 고객이 어떤 모델을 옵션을 하나도 추가하지 않고 최저가에 사겠다고 계약한 뒤라도 나는 수수료를 좀 더 늘리기 위해 몇 가지 장치들을 더 팔려고 시도해 볼 것이다. 대부분의 경우 처음의 기본 장치에서 이런 식으로 해서 큰 거래로 바꾸게 된다. 그런 경우에 사람들이 옵션을 추가적으로 선택하지는 않더라도, 최소한 손님을 잃은 기억도 없다.

나는 그렇게 해서 작은 거래를 큰 거래로 바꾼 적이 수없이 많다. 그리고 이와 똑같은 수법을 써서 나에게 물건을 판 재주 있는 판매원도 한둘이 아니다.

한 번은 이런 일이 있었다. 디트로이트 교외의 남성복 코너 해리 코진스에서 20달러짜리 넥타이를 고르고 난 뒤였다. 넥타이 값을 지불하려고 신용카드를 꺼냈는데 판매원이 이렇게 물어왔다.

"어떤 옷에다 이 넥타이를 맬 생각입니까?"

"내 청색 양복에 아주 잘 어울릴 것 같아서요."

"그러세요? 청색 양복에 기가 막히게 잘 어울리는 넥타이가 있는데요!" 그 말과 함께 그는 하나에 25달러짜리 넥타이 두 개를 휙 뽑아내었다.

"네, 무슨 말인지 알겠습니다. 아주 멋있군요."

나는 그것을 목에 매어 보면서 수긍의 뜻으로 고개를 끄덕거리며 말했다.

"이 넥타이들에 잘 어울리는 새 셔츠도 몇 장 구입하셔야겠군요?"

"흰색으로 두 개쯤 살까 하는데, 저기는 없는 것 같았어요."

나는 다른 코너를 가리키며 말했다.

"엉뚱한 데서 찾으셨으니까 그렇죠. 사이즈가 어떻게 되십니까?"

대답하기가 무섭게 그는 각각 40달러씩 하는 흰색 셔츠 네 벌을 가져왔다.

"한번 만져 보세요. 촉감이 정말 좋지 않습니까?"

"좋군요. 그럼 세 장만 사겠소."

순식간에 무슨 일이 일어났는지 보라. 판매원은 20달러짜리 넥타이 하나 팔 것을 190달러짜리 거래로 바꾸어 놓았다. 그것은 내가 처음에 사려고 했던 것보다 아홉 배 반이나 커진 액수다.

그 과정에서 내가 거부의사를 표한 적이 있는가? 전혀 없다. 나는 만족한 고객이 되어 걸어 나왔다. 해리 코진스가 남성용품점 중에서 단위 면적당 판매량이 압도적으로 높다는 것은 전혀 놀랄 일이 아니다.

미국 최고의 보험 세일즈맨인 에드 엘먼은 종종 하나의 보험을 신청한 고객에게 두 개의 보험증권을 보낸다고 한다.

"최근에 한 기업체 사장이 30만 달러짜리 보험을 들었는데, 나는 30만 달러짜리 보험증권을 두 장 보냈지요. 그러고는 그에게 '선생님의 건강 검진 결과가 아주 좋게 나왔기 때문에 증권 발행부에 있는 내 친구에게 부탁해서 선생님이 건강하실 때 보험증권을 하나 더 발행해 달라고 했습니다. 물론 꼭 사시라는 말은 아닙니다. 하지만 분명히 사실 것 같아서요.' 하고 말했습니다. 그랬더니 그는 별말 없이 사더군요. 사실 덤으로 판 증권은 거의 힘들이지 않고 판 것이지요. 나는 몇 분 만에 8천 달러의 수수료를 더 번 셈이지요. 나는 이런 방법으로 매년 가외의 실적을 올렸습니다. 그리고 하나 더 보낸 증권을 사지 않는 경우라 할지라도 화를 내는 사람은 거의 없었어요. 어쩌다 화가 나서 두 개의 증권을 다 돌려보내는 사람이 있다 하더라도, 그런 방법으로 얻은 가외 실적을 생각하면 해볼 만한 가치가 있지요."

여기에서도 역시 잘 구사하기만 하면 증권을 하나 더 보내는 방법은 압력으로 받아들여지지 않는다. 오히려 고객은 서비스로 받아들인다.

항상 고객의 이익을 생각하라

몇몇 판매원들은 강하게 압력을 가하면 고객들이 싫어할 거라고 생각하지만 내 생각은 다르다. 오히려 나는 고객에게 도움이 된다고 생각한다. 그리고 판매를 성사시키기 위해 압력을 가하는 대신 뒤로 물러서는 것이 오히려 불친절이라고 생각한다.

물론 압력을 가해서 억지로 사는 것을 좋아할 사람은 아무도 없다. 그렇다. 사람들은 겉으로는 그렇게 말할지도 모른다. 그러나 깊이 들여다보면, 대부분의 사람들이 구매를 결정하는 데 큰 어려움을 겪고 있다. 고객들은 판매원이 이도 저도 아닌 애매한 입장에서 헤어 나오도록 자신들을 확신시켜 주기를 원한다.

뿐만 아니라 판매원이 좀 더 압력을 가해 주지 않으면 그들은 아예 구매 결정을 내리지 못한다. 차를 사려는 고객이 마음을 정하지 못할 때 세일즈맨이 나서서 돕는 것은 아주 훌륭한 서비스다. 결정을 내리지 못해 안절부절 못하는 사람을 구원해 준 셈이니까.

유명한 뷔리당의 당나귀 이야기를 기억하는가? 두 개의 건초 더미 사이에서 어느 것이 더 맛있을지 몰라 방향을 결정하지 못해 굶어 죽는 당나귀 이야기 말이다. 당신의 고객이 결정을 내리지 못해 좌절하지 않도록 도와야 한다. 이것이야말로 전문 세일즈맨이 고객에게 제공할 수 있는 진정한 서비스다.

한 부동산 중개인이 마음의 결정을 내리지 못하고 있는 젊은 부부에게 집 한 채를 보여 주었다. 그러자 그 아내가 이렇게 말했다.

"몇 년째 집을 봐왔는데, 이 집이야말로 정말 우리가 바라던 집이에요. 며칠 더 생각해 보고 다시 올게요."

중개인은 고객의 이익을 위해서 어느 정도 압력을 가할 때 쓸 수 있는 두 가지 좋은 방법을 터득하고 있다. 첫째는 지금 살고 있는 집이 좁아서 하루빨리 이사를 가야 할 필요가 있으며, 그래야 아이들도 새 학기에 맞춰서 등록할 수 있다고 말하는 것이다. 둘째, 다른 중개인들도 그 집을 보여 주고 있으며, 무척 관심을 보이고 있다고 말한다. 이 점을 알려주면서 그는 이렇게 강조한다.

"빨리 결정을 내리시라고 재촉하는 것처럼 보이겠지만, 오늘 계약을 하시는 게 좋을 것 같습니다. 이 정도 가격대에 이만한 동네에서 이보다 더 이상적인 집은 찾기 어려우실 겁니다. 그리고 저로서도 이 집을 놓치지 않기를 바라니까요. 다른 중개인들도 이 집을 보여 주고 있으니까, 살 마음이 있다면 확실하게 해두는 게 좋을 겁니다."

어떤 사람들은 중개인이 고객에게 압력을 가하는 것이라고 비난할지 모르지만, 나는 그렇게 생각하지 않는다. 그는 사려 깊고 세심하게 배려한 것이며, 분명히 고객에게도 이익이 되는 것이기 때문이다. 이렇게 중요한 시점에서 결정을 내리도록 조언해 주는 사람이 없어 결과적으로 꿈에 그리던 집을 놓쳐 버렸다고 생각해 보라. 항상 이것을 염두에 두어야 한다. 당신은 판매원으로서 각각의 고객에게 맞는 프레젠테이션을 해야 하며, 그러려면 때론 부드럽게 설득해야 하고, 또 필요에 따라서는 강하게 설득해야 할 때도 있는 법이다.

마지막으로, 강하게 압력을 가해서 파는 것과 책략과 술수를 써서 파는 것은 분명 다르다는 점을 강조하고 싶다. 앞에서 말했듯이 여기서도 당신 자신을 파는 것이 가장 중요하다. 고객을 매료시킬 정도까지는 아니더라도 그들에게 무례하고 거칠게 보여서는 안 된다.

이 점을 명심하고, 확고하고 자신 있게 행동하라. 필요하다고 판단될 때는 물러서지 말고 얼마간 압력을 가하라. 당신의 회사나 제품에 자신 있다면, 그리고 늘 고객의 이익을 추구한다면, 고객에게 압력을 가해 구매 결정을 내리도록 인도한다 해도 그들은 불편하게 여기지 않을 것이다. 내 경험으로는 이것이 최선의 전문적인 판매 방법이다.

세일즈 불변의 법칙 11

판매 성사율을 높이는 데 신경 써라

• **효용체감의 법칙을 명심하라**

판매를 성사시키기에 가장 좋은 시기는 프레젠테이션을 막 끝냈을 때다. 고객이 상품에 대한 정보를 명확하게 이해한 시점이기 때문이다. 하루 이틀 지나면 정보도 잊게 되고 사고 싶은 열정도 식어 버린다.

• **한 번 성사가 안 된 고객은 잊어버려라**

판매가 성사되지 않은 상태에서 다음에 다시 전화하거나 찾아 달라는 부탁을 한다면 거절하는 것이 좋다. '전부 아니면 무'라고 생각하라. 다시 전화하겠다는 사람을 판매로 연결시킬 가능성은 매우 낮다.

• **고객에게 좌지우지당해선 안 된다**

세상은 넓고 고객은 많다. 어떤 세일즈에서든 한 고객과 거래를 못한다고 해서 파산하게 되는 경우는 없다. 고객이 당신을 좌지우지하게 해선 안 된다. 이런 태도로 일에 임하면 세일즈를 겁내지 않게 된다.

• **머뭇거리는 고객에게 압력을 가하라**

대부분의 사람들은 구매 결정을 내리는 데 큰 어려움을 겪는다. 이런 고객에게는 확신을 가질 수 있도록 강하게 설득하라. 고객이 마음을 정하지 못할 때 세일즈맨이 나서서 돕는 것도 서비스다.

고객이 흔들리지 않게 하라

간혹 고객이 계약서에 한 서명의 잉크가 채 마르기도 전에 자리에서 일어나는 세일즈맨이 있다. 그런 행동에 고객은 자기가 잘못 산 것은 아닌가 하는 의심에 휩싸이게 된다. 당신의 목적이 돈을 버는 것뿐이라는 인상을 주기 때문이다. 판매가 성사된 후에도 고객은 언제든 취소하거나 후회할 수 있다. 고객의 변심을 막고 싶다면 고객에게 바로 등을 보이지 마라.

세일즈맨이라면 누구나 한 번쯤은 구매자가 후회하는 모습을 본 적이 있을 것이다. 사람들은 허영심에 차서 충동적으로 혹은 어리석은 구매를 하고 난 뒤에 반드시 돌이켜 생각해 본다.

오늘날과 같이 빠르게 움직이고 물가가 비싼 사회에서 살다 보니, 우리는 너무 성급히 결정을 내리고 나중에야 그 결정에 대해 의문을 제기한다. 어쨌든 필요한 것도 많고 갖고 싶은 것도 많지만 소수의 부자들만이 원하는 대로 살 수 있을 뿐이다. 그러므로 누구나 이런 생각을 가질 것이다.

'이것을 사야 했을까? 아니면 다른 데다 돈을 쓰는 게 더 나았을까?'

사람들은 보통 물건을 살 때 꼼꼼한 계획 없이 사거나 아니면 아예 계획에도 없었던 것을 사는 경우가 흔하다. 자동차 업계의 예를 들면, 구경 삼아 몇몇 영업소를 다니는 사람들이 있는데, 이들은 그날 실제로 차를 사려 했던 것은 아니다.

그러나 최고의 세일즈맨이라면 많은 사람들이 충동적으로 구매를 한다는 사실을 알고 있어야 한다. 그리고 그런 경우에 판매를 놓칠 때 세일즈맨으로서의 앞길은 순탄하지 못할 것이다. 자기가 무엇을 원하는지 정확하게 알고 있거나 반드시 사기로 마음먹은 사람에게만 판매를 할 수는 없는 노릇이다. 불행하게도 그런 사람이 고객의 기준이 될 수는 없다. 이 점을 감안한다면 사람들이 어렵게 번 돈을 쓰고 나서 과연 잘 산 것인지 아닌지 의심하는 것은 당연한 일일 것이다.

당신은 고객의 심리 상태가 어떤지, 그리고 후회할 가능성이 있다는 것을 늘 염두에 두어야만 한다. 그리고 이 점도 잊지 말아야 한다. 취소당한 주문은 판매된 것이 아니라는 사실을! 당신도 잘 알다시피 세일즈맨은 많은 시간과 노력을 판매 프레젠테이션을 하는 데 들인다. 그런데도 판매를 성사시키고 난 다음에 취소를 당한다는 것은 정말 유감스러운 일이다. 그러나 사람의 마음은 곧잘 식는다. 그렇게 식어 버리도록 방치한다면 말이다. 고객의 구매 취소 행위는 당신의 주머니에서 돈이 나가는 일일 뿐만 아니라 당신의 긍정적인 사고방식을 갉아먹는다. 취소된 판매는 마음도 상하게 하기 때문에 아예 판매가 안 되느니만 못하다.

구매자가 후회를 할 수 있는 위험성에 대해 주의를 환기시켰으니, 이제 그 후회라는 끔찍한 상황에 맞닥뜨리기 전에 그것을 극복하는 방법을 알아야 할 것이다. 한 가지는 미리 알아 두자. 판매가 정말로 잘되었다면 고객이 그토록 불만족스러워하거나 쉽게 마음이 변하지는 않으리라는 것이다. 세일즈맨이 그의 상품과 회사에 대해 뚜렷한 확신을 보여 주고 성실한 고객 서비스 태도를 보여 준다면, 웬만해서는 취소하는 일이 일어나지 않는다. 오히려 당신이 그들의 문제를 해결해 주려는 노력을 알고, 당신이 마음의 안정을 가져다 준 것을 고맙게 생각한다. 이것은 이상적인 얘기이긴 하지만 여러분이 자신의 일을 제대로 실행하기만 하면 충분히 가능한 일이다.

그러나 판매라는 항해가 항상 순탄하기만 한 것은 아니다. 항로에는 예상치 못한 장애물들이 불쑥불쑥 나타나곤 한다. 그래서 이 장에서는 구매자가 후회할 가능성을 예상하여 그것이 일어나기 전에 미리 제거하는 예방책을 이야기하려고 한다. 왜냐하면 판매가 취소되는 비율이 아무리 적다고 하더라도, 혹은 단 한 번일지라도 판매자에겐 간과할 수 없는 것이기 때문이다.

감사의 마음을 표현하라

거래를 해주어서 감사하다는 말을 마지막으로 한 것이 언제인가? 또는 당신은 '감사합니다'라고 말하는 것 자체를 꺼리지는 않는가?

이것은 참으로 안타까운 일이다. 어떤 세일즈맨들은 고마움을 표현하려는 최소한의 노력도 하지 않는다. 마치 자기들이 손님을 독점하고 있다는 듯이 말이다. 나는 오직 하나뿐이거나 다른 영업소에서는 구할 수 없는 모델을 판 적이 한 번도 없다. 그러나 누군가가 나에게서 차를 살 때는 조 지라드도 함께 사는 것이다. 나는 고객이 다른 사람이 아니라 바로 나에게서 사주는 것을 무척 고맙게 여긴다. 그리고 그것을 감춰야 할 이유도 전혀 없다. 나는 판매를 하고 나서 단 한 번도 거르지 않고 진심으로 이렇게 말했다.

"감사합니다. 저와 거래를 해주셔서 얼마나 감사한지 모릅니다. 저에게서 사길 정말 잘했다고 생각하시도록 최상의 서비스를 해드리겠습니다."

그리고 그 말이 고객의 마음에 새겨졌다 싶으면 이렇게 계속한다.

"샘, 이 점도 알아 주십시오. 절대로 당신을 실망시키지 않을 거예요. 당신이 나에게서 차를 산 것을 정말 감사하게 생각하고 있습니다. 그리고 신께 맹세하지만, 당신이 나를 필요로 하면 언제든지 하던 일을 멈추고 달려가 서비스를 해드릴 것입니다. 장담하지만 앞으로 다른 사람한테서 차를 사는 일은 절대 없을걸요."

보다시피 나는 고객이 차를 잘 샀다고 여기기를 바라기 때문에 계속해서 설득 작업을 한다. 일단 판매가 되고 나면 안심하고서는 고객을 내팽개치고 다른 사람에게 팔기 위해 어디론가 달려가 버리는 그런 사람으로 비치기를 원치 않는다. 세일즈맨이 오직 수수료를 챙길 목적으로 판매 일을 한다고 비친다면, 고객은 자신이 마치 다 쓰고 버려지는 존재처럼 느껴질 것이다. 그들의 마음이 냉담해지는 것은 놀랄 일이 아니다. 그들을 어떻게 비난하겠는가?

판매를 할 때마다 당연히 정중하게 감사하다고 말해야 한다. 그것은 아무리 많이 해도 지나치지 않다. 설령 쓸데없이 반복하는 것처럼 보일지라도 그렇게 할 때마다 고객은 사기를 잘했다고 다시금 확인한다. 나는 매일 밤 그날 나에게서 차를 구입한 고객에게 개인적으로 편지를 보낸다. 보통 이렇게 쓴다.

친애하는 메리 제인에게

당신이 차를 사주신 것에 감사를 드리며, 멋진 새 차를 갖게 된 것을
축하드립니다. 그 차를 타보시면 분명히 즐거우실 것입니다.

다시 한 번 말씀드리지만 필요하실 때는 언제라도 전화해 주십시오.
저한테서 차를 사셨을 때는 조 지라드도 같이 사신 것입니다. 여러 해 동
안 즐거운 마음으로 봉사할 수 있기를 기대합니다.

진실한 마음을 담아

조 지라드

에어스트림 사의 사장인 래리 허틀은 한술 더 뜬다. 그는 이렇게
설명한다.

"우리 세일즈맨들은 감사 편지를 보낼 뿐만 아니라 판매를 한 다
음날 아침에 고객에게 전화를 합니다. 그리고 특히 어려운 판매였
다고 생각되는 사람이 있으면 나에게 대신 부탁합니다. 그러면 내
가 개인적으로 그 고객에게 전화를 합니다. 이 회사의 사장이라고
내 소개를 하고, 우선 거래를 해주어서 감사하다고 말하지요. 그러
고는 우리에게 바라는 서비스나, 나와 의논하고 싶은 문제나 의문
점이 있으면 알려 달라고 합니다. 앞으로 문제가 있으면 전화하라
고 나의 직통 전화번호도 알려 주죠. 내가 이렇게 고객에게 직접 전
화를 하면 그게 얼마나 엄청난 효과를 내는지 모르실 겁니다. 어쨌
든 당신은 물건이 마음에 드는지를 물어보는 사장의 전화를 직접

받아 본 적이 있습니까?"

구매 선택을 축하하라

"정말 잘 결정하셨습니다. 린다, 축하드려야겠군요. 새 차를 타보시면 정말 좋아하실 겁니다."

세일즈맨이 따뜻하게 미소 지으면서 말한다.

"아주 잘 결정하셨어요. 축하드립니다, 짐. 기가 막힌 다이아몬드를 고르셨습니다. 굉장히 가치 있는 것이죠. 부인께서도 무척 감동하실 거예요."

보석 판매원은 다정하게 악수를 하면서 말한다.

컴퓨터 판매원은 또 이렇게 말한다.

"축하드립니다. 저희 컴퓨터 시스템을 설치하신 것을 절대 후회하지 않을 겁니다. 이제부터는 일의 속도가 완전히 달라질 겁니다."

보험 설계사는 다음과 같이 말한다.

"사랑하는 사람의 미래를 위해 이렇게 보험을 들어 주시는 분과 거래하게 되어서 정말 기쁩니다. 자산관리 계획을 세워 두는 게 얼마나 중요한지 안다는 것은 대단한 일이지요. 현명한 사람들만이 사랑하는 사람의 풍요로운 미래를 위해 계획을 세워 둘 줄 알거든요."

〈시카고 라이프〉의 광고부장으로 성공한 바버라 싱어는 이렇게 말한다.

"광고를 따내는 것은 다른 판매와는 성격이 다릅니다. 왜냐하면 광고 효과는 그 자리에서 바로 확인할 수가 없기 때문이지요. 그런 이유 때문에 처음 거래하는 고객은 계약하고서도 자꾸 주저합니다. 그래서 나는 우리 잡지에 광고를 내기로 계약한 고객들에게 항상 현명한 선택을 했다는 축하의 말을 잊지 않죠. 그러고는 광고를 하기에 가장 좋은 시기는 두 번 정도인데, 첫 번째는 사업이 잘 안 될 때이고, 두 번째는 사업이 잘될 때라고 강조합니다. 이 말은 판매 프레젠테이션 중에도 하지만, 판매가 된 뒤에도 고객이 구매 결정에 대해 안심하도록 다시 한 번 강조합니다. 그들은 이렇게 재차 안심시킬 필요가 있어요. 그래서 나는 한 번 말한 것을 다시 반복하는 일을 당연하게 생각해요."

이처럼 탁월한 판매 전문가들은 한결같이 고객에게 현명한 선택을 했다는 말로 안심시켜 준다. 다시 말해 구매자들은 대부분 자기가 씹을 수 있는 것 이상으로 너무 많이 베어 문 것은 아닌가 하고 늘 불안해 하며 결정을 곱씹어 본다. 그들은 자신의 선택이 잘못되지 않았다는 것을 확인받고 싶어 한다. 그러니 그들에게 잘 선택했다고 말해 주라.

세일즈맨 중에는 이렇게 질문하는 사람도 있다.

"하지만 세일즈맨이 고객의 선택을 칭찬하는 것은 자화자찬 아닙니까?"

맞다. 하지만 어떤가! 나는 으레 그렇게 하지만 단 한 명도 불평하는 사람이 없었다. 오히려 많은 고객들이 안도의 한숨을 내쉬었다.

"휴, 나한테는 그 확신의 말이 얼마나 필요했는지 몰라요, 조. 큰돈을 썼는데…… . 이게 잘한 결정인지 아닌지 안심하지 못했거든요."

칭찬을 싫어하는 사람은 아무도 없다. 그리고 현명한 구매 선택을 했다고 말하는 것은 곧 칭찬하는 것과 같다. 그러니 그것을 감추지 마라. 그들에게 당신의 물건을 산 것은 아주 잘한 선택이라고 말해 주라. 고객들은 그렇게 다시 강조해 주기를 바란다.

"정말 운이 좋습니다"의 마법

우리 아이들 조이와 그레이스가 어렸을 때였는데, 가정방문 외판원으로부터 백과사전 한 질을 산 적이 있다. 그가 나를 무척 기분 좋게 해주었던 일이 기억난다.

"너희 아빠가 지금 너희들에게 세상에서 가장 좋은 선물을 해주셨단다."

그는 우리 아이들에게 말했다.

"어른이 되면 언젠가는 아빠에 대해 정말 감사하게 생각할 거다."

그의 말은 나를 아주 우쭐하게 만들었다. 나는 정말 멋진 아빠가 된 듯했다. 마침내 제정신으로 돌아와 내가 얼마나 돈을 많이 썼는가를 깨달았을 때 그는 이미 문 밖으로 나가고 없었다. 그때 나는 아이들을 쳐다보았고, 이제 마음을 바꿀 수 없음을 깨달았다. 나의 아이들에게 무어라고 말할 수 있겠는가? 그날 밤 나는 그 책을 산 대가로 좋은 교훈을 얻었다.

고객이 누군가에게 차를 선물하려 할 때 나는 꼭 이렇게 말했다.

"이렇게 멋진 아빠를 두셨다니 정말 운이 좋군요. 당신에게 차를 사주시는 것을 보니 아버지가 따님을 정말 사랑하시나 보군요."

배우자나 어머니, 연인 등에게 차를 사주려는 고객에게도 그렇게 말한다. 그랬는데도 마음을 바꾸고 취소할 수 있는 고객이 몇이나 될까?

돈을 받고 바로 돌아서지 마라

새 고객이 대금으로 지불한 수표에 서명한 잉크가 채 마르기도 전에 세일즈맨이 나가 버리면, 구매자의 마음에 의심의 구름이 피어오르는 것은 너무나도 당연하다. 고객은 자기가 잘못 산 것은 아닌가 하는 의심에 휩싸이게 된다. 당신이 판매를 하는 유일한 목적은 돈을 챙기는 것뿐이라는 인상을 준다. 그래서 "세일즈맨들은 물건을 살 때만 볼 수 있는 족속들이지. 일단 사고 나면 보기 어렵더군. 진짜로 필요로 할 때는 코빼기도 보이지 않으니 말이야."라고 말하는지도 모른다. 한 번 이런 생각이 들면 사람들은 화가 치밀어 오르게 되고, 심하면 주문을 취소해야겠다고 벼른다.

그런가 하면 어떤 세일즈맨들은 고객의 사무실에서는 되도록 빨리 나오는 게 좋다고 여긴다. 고객이 그 사이에 마음이 바뀌어 돈을 돌려달라고 할지도 모른다고 생각하기 때문이다. 그러나 사실은 그 반대다. 쏜살같이 뛰쳐나오게 되면 무언가를 숨기는 듯한 의구심을 불러일으킨다.

주문을 받고 난 뒤에는 문으로 곧장 직행해선 안 된다. 당신은 방금 새로운 고객을 얻었고 그와 새 친구가 될 수도 있으므로, 몇 분간 거기에 머물면서 그 고객이 많은 수수료를 받게 해주는 것 이상으로 의미가 있다는 사실을 확신시켜 준다. 그렇게 함으로써 인간적인 관심을 보여 주는 것이다.

나 같으면 다른 고객들이 나를 만나려고 기다리고 있든 말든 현재 마주앉은 고객과 몇 마디 이야기를 나눌 것이다. 그러면 그는 내가 단지 금전적으로만 그에게 관심이 있는 것이 아님을 알게 된다. 고객이 바쁠 때에도 나는 이렇게 말한다.

"뭐가 그렇게 바쁘십니까? 그렇게 급하게 나가셔야 합니까?"

그리고 나는 판매와는 전혀 상관없는 가벼운 질문을 한두 마디 던진다.

판매 프레젠테이션을 시작하기 전에 나를 팔았듯이 판매가 성사되고 난 후의 그런 모습도 나를 파는 행위다. 이렇게 하는 데는 두 가지 목적이 있다. 첫째는 구매자가 후회하는 일을 줄여 주고, 두 번째는 다른 사람들을 소개받을 수도 있다.

고객을 은근히 압박하는 방법

때로 판매를 성사시키기 위해서는 강하게 압력을 가할 필요가 있다. 그것이 양쪽 모두 이익이 되는 경우라면 나는 고객을 압박한다. 판매를 하고 난 다음에도 그것을 확실히 하기 위해 더 노력하지 않으면 고객들 중의 몇은 마음이 식어 버릴 것임을 안다. 이 경우에, 나는 고객이 후회를 하여 주문을 취소하는 일이 없도록 두 배의 노력을 기울인다.

이런 사람들에게는 부드러운 목소리로 이렇게 말한다.

"잭, 나는 다른 세일즈맨들과는 뭔가 다르다는 것을 눈치 채셨나요?"

"뭐가 다른데요, 조?"

"나는 압력을 넣는 수법은 쓰지 않아요. 고객들한테 압력을 행사해서 사게 만드는 세일즈맨들도 있잖아요. 하지만 내 인생이 거기에 걸려 있다 해도 그런 식으로는 팔 수 없어요. 나는 그렇게 하면서까지 생계비를 벌어야 할 입장은 아니에요."

그러고는 잠시 쉬었다가 덧붙인다.

"당신처럼 이 물건의 가치를 잘 아는 사람한테는 그런 수법을 쓸 필요가 없지요. 그뿐만 아니라 당신과의 거래에서는 내가 마치 세일즈맨이라기보다는 주문받는 사람처럼 느껴지는데요. 제가 당신에게 해드린 것에 모두 만족하시지요, 그렇죠?"

"그럼요, 정말 그래요, 조. 너무 고마워요."

고객은 대부분 그렇게 응대한다.

되물릴 수 없는 처지로 고객을 밀어넣어라

고객이 물건을 자기 것이라고 여기게 되면 구매를 후회할 가능성은 적어진다. 이 점을 알고 나서부터 나는 가급적이면 빨리 고객이 집으로 새 차를 몰고 가게 한다. 만약 고객이 바로 차를 끌고 가겠다고 하면 나는 서비스 부서에 부탁해서 그날로 차를 준비시키도록 한다.

강한 절박감을 불러일으켜서 판매를 성사시켰다면, 고객이 그 물건을 바로 소유하기를 바라는 것은 당연한 일이다. 그리고 가능하다면 언제나 그렇게 하도록 권한다. 특히 고객의 마음이 식어 버릴 수도 있다는 의심이 들 때는 말이다.

컴퓨터 판매원이라면 이 방법을 효과적으로 구사해서 이렇게 말할 수 있다.

"저희 회사의 서비스 부서에다 신청을 해놓을까요? 가능한 한 빠른 시일 안에 확실하게 배달해서 설치를 해드리겠습니다."

보험 설계사가 고객의 사무실에 들렀을 경우에는 고객의 건강 검진부터 의뢰한다. 벤 펠드먼의 말을 인용해 보자.

"상담이 성공하느냐 실패하느냐는 건강 검진을 받게 만드는 나의 능력에 달려 있어요. 그가 어떤 핑계를 대든 건강 검진을 받게만 할 수 있으면 열에 일곱은 보험에 든다는 것을 알았죠. 건강 검진만 받게 하십시오. 그러면 4분의 3은 판 것이나 다름없으니까요. 그리고 이 점도 장담할 수 있어요. 건강 검진을 받게 하지 못하면 절대로 보험증권을 팔 수 없다고 말입니다."

펠드먼은 이런 식으로 고객이 건강 검진을 받게 한다.

"돈도 안 들고 다른 일을 하는 데 방해가 되는 것도 아니니, 건강 검진 받는 것을 반대하지는 않겠지요. 결과가 나오면 선생님께서 보험 가입 자격이 되는지도 알 수 있습니다. 회사에서 무조건 보험 신청을 받아주는 것은 아니거든요. 그러니 우선 알아봅시다."

증권 중개인은 고객과 전화 통화를 하면서 매수 혹은 매도 주문을 낸다. 이 경우 수화기를 내려놓기도 전에 거래가 완성된다. 컴퓨터를 통해 거래되는 즉각적인 판매 같은 경우에는 고객이 후회를 할 만한 시간적 여유도 별로 없다.

고객이 후회하는 일이 많은 업계로는 휴양지 콘도 사업을 들 수 있을 것이다. 계약 취소율이 15퍼센트에서 18퍼센트가 된다고 한다. 작년에 내 친구들은—수와 찰리라고 하자—미시건 북부의 새로 개발된 리조트에서 무료로 주말을 보냈다. 그들은 무료로 주말을 보내고 나서 그 대가로 결국 1만 6천 달러의 2주짜리 프로그램을 사고 말았다.

그들에게 상품을 판매한 세일즈맨은 정말 멋있었다! 그곳에 도착한 다음날 그는 둘을 쾌속정에 태워 호수를 한 바퀴 돌게 해주었고, 수가 테니스를 치는 동안 찰리와 함께 골프를 한 게임 쳤다. 그는 그런 식으로 그들의 마음속에 소유자가 된 듯한 자랑스러움을 느끼게 만들었다.

"이것은 당신의 골프 코스입니다."

그는 그들에게 그렇게 말했다.

"그리고 이것은 당신의 호수지요."

후회하는 일이 없도록 하기 위해 그 판매원은 한발 더 나아갔다. 그는 수와 찰리에게 권유할 만한 친척이나 친구들의 이름을 말해 달라고 하고, 대신 그들에게 비품비나 골프 코스 사용료 같은 소소한 비용을 선물로 내주었다. 그래서 그들이 1만 6천 달러짜리 상품을 산 바로 그날, 나도 전화로 그 리조트에서 무료로 주말을 보내라는 초대를 받았다. 물론 수와 찰리가 나를 추천했다는 말도 덧붙였다. 그가 그렇게 가족과 친구들에게 전화를 했기 때문에, 수와 찰리는 나중에 마음을 바꾸기 곤란한 입장이 되었다. 친구들에게는 권했으면서 자기들은 마음이 바뀌었다고 말한다면 얼마나 우습게 될지 한 번 생각해 보라.

나는 이 수법이 무척 마음에 든다. 그리고 어느 분야에서나 적용할 수 있는 방법이라고 생각한다.

약속 이행은 신속하게 하라

아무리 만족한 고객이라 하더라도 약속한 대로 이행해 주지 못하면 구매자가 후회를 하는 심각한 사태가 벌어질 수 있다. 새 거래를 트느라고 바쁜 나머지 판매를 마무리하기 위한 사소한 일들을 이행해 주지 않아, 성사된 거래를 놓치고 마는 세일즈맨들을 보면 한심하기 짝이 없다. 그들은 결국 새 거래도 마찬가지로 소홀히 하고 만다.

방금 전 물건을 산 새 고객이 의심으로 가득 차는 것은 순식간의 일이다. 상품 안내서를 보내지 않았다거나 회답 전화를 해주지 않았다거나 단지 서비스를 완벽하게 해주는 것을 잊었다거나 하는 사소한 소홀함 때문이다. 겉보기에는 매우 사소한 문제인데도 나쁜 결과를 가져오는 것이다. 하지만 이런 것들이 고객에게는 중요하게 작용한다.

판매가 취소되는 일은 보통 과장 선전 탓인 경우가 많다. 그럴 때 세일즈맨들은 고객을 욕하고 변덕이 심하다고 비난한다. 그러나 냉정히 살펴보면, 세일즈맨 쪽에서 더 변덕이 심한 경우가 많다. 그런데도 구매자들의 변심이 자기의 잘못이 아니라고 항변한다.

당신이 무엇을 파는가는 상관이 없다. 서비스를 잘해 주겠다는 약속이 진심이라는 것을 확신시켜 주기 위해서는 지속적으로 고객과 유대관계를 갖는 특별한 노력을 기울여야만 한다. 판매 후에 즉시 감사편지를 보내는 것뿐만 아니라 전화도 하고, 또 가능하다면 하루나 이틀 뒤에 다시 한 번 방문한다.

예를 들어 보험 설계사는 새 고객에게 전화를 해서 이렇게 말할 수 있다.

"금요일 오후 두 시에 실버 박사와 건강 검진 예약이 되어 있다는 것을 다시 확인시켜 드리려고 전화했습니다."

부동산 중개인은 전화를 해서 이렇게 말한다.

"담보 대출을 받을 수 있는 곳을 세 군데 알려드리겠습니다."

증권 중개인은 고객에게 전화해서 이렇게 말한다.

"A회사 주식을 21달러에 1천 주, 22달러에 2천 주를 사셨습니다."

고객의 마음을 붙들기 위해서는 고객과 지속적인 접촉을 가져야만 한다. 그리고 좋은 소식뿐만 아니라 나쁜 소식도 반드시 전해야 한다. 세일즈맨들은 일이 잘 되지 않으면 고객을 피하는 일이 종종 있는데, 이는 큰 실수다. 예를 들어 훌륭한 증권 중개인이라면 전화를 해서 이렇게 말한다.

"게리 씨, B회사 주가가 오늘 2포인트 떨어졌습니다. 종합주가지수는 32포인트까지 떨어졌지만 어쨌든 당신은 그 안에 들었으니, 오늘 손실분은 크게 걱정할 필요는 없을 것 같습니다."

공장의 판매사원은 소매점에 전화해서 말한다.

"제가 오늘 공장에다 말을 해놓았습니다. 요새 저희 물건이 달려서 2주일분이 밀려 있거든요. 하지만 최선을 다해서 주문량을 빨리 보내 드리도록 하겠습니다."

대부분의 고객들은 이렇게 말하면 이해를 한다. 그들도 어떤 종류의 일은 당신이나 당신 회사의 힘으로도 어쩔 수 없다는 것을 안다. 그들은 솔직히 얘기해 주는 것을 고맙게 여기며, 가볍게 받아들인다. 문제가 있어도 감추고 대화하지 않았을 때 오히려 판매가 무산되기 쉽다.

판매를 굳히는 가장 확실한 질문

다음에 소개하는 질문은 구매자의 변심이나 후회를 사전에 예방하는 데 아주 효과가 있다. 주문서에 서명 날인을 하고 배달 준비도 완료되어 이제 고객이 막 나가려고 할 때 나는 그에게 묻는다.

"찰리, 가시기 전에 한 가지 묻고 싶은 게 있는데요."

"좋습니다. 뭔데요, 조?"

"저는 항상 발전하기 위해 노력하거든요, 찰리. 그래서 알고 싶은 게 있어요."

나는 진심으로 겸손하게 말한다.

"다른 영업소를 두 군데 둘러보셨지만 거기서는 사지 않았다고 말씀하시지 않았습니까. 왜 그 중 한 군데서 사지 않고 굳이 저한테서 사신 거지요?"

그러고는 입을 다물고 그의 대답을 기다린다. 그러면 그가 나를 얼마나 좋아하는지 얘기해 준다. 그리고 나에게 차를 산 이유를 늘어놓으면서 그는 자기가 현명한 선택을 했음을 더욱 확신하게 된다. 그는 다시금 몇 번이고 설득당하는 것이다. 이번에는 자기 자신에 의해서 말이다. 이처럼 자기 입으로 구매 이유를 거듭 말하는 동안 고객은 상품에 대한 확신과 당신이 거래를 할 만한 사람이라는 사실을 간단명료하게 이해하는 것이다. 그는 아마 이렇게 말할 것이다.

"당신이 진심으로 나를 생각해 주었기 때문이지요."

"당신은 여느 세일즈맨과는 달리 사라고 압력을 넣지 않았으니까요."

"당신은 내가 살 수 있는 수준 이상으로 팔려고 하지 않았으니까요."

"당신은 정말 프로요."

나는 고객들한테 그들이 왜 다른 사람이 아닌 내게서 샀는가를 물어보기를 좋아한다. 왜냐하면 칭찬을 많이 들을 수 있기 때문이다. 자기 만족에 도취하는 것일지라도 우리는 이따금 활력을 얻기 위해 좋은 얘기를 들어 둘 필요가 있다. 어쨌든 하루를 보내는 동안에 힘을 북돋우는 말 한두 마디쯤 듣지 않겠는가?

그 외에도 고객이 다른 사람이 아닌 나에게서 차를 구매한 이유를 말할 때마다 세일즈에 관해 더 많은 것을 배운다. 놀라운 일이지만 세일즈 일을 하면 할수록 나는 더 많은 것을 배우게 된다.

나를 그토록 좋아한다고 말해 놓고서 후회를 하거나 취소할 사람이 세상에 어디 있겠는가? 당신도 이렇게 해보라. 구매자가 후회를 하거나 취소하는 일은 거의 없을 것이라고 장담한다.

구매 후 고객이 흔들리지 않게 하라

• 감사와 축하의 말을 전하라

조 지라드는 매일 일과를 정리하면서 그날 차를 구매한 고객에게 감사 편지를 보내며, 판매가 막 성사되었을 때는 좋은 선택을 했다며 축하의 말을 건넨다. 이런 사소한 행동으로도 고객은 구매를 후회하지 않게 된다.

• 돈을 받고 바로 돌아서지 마라

판매가 성사되자마자 돌아선다면 '세일즈맨은 물건을 살 때만 볼 수 있고, 사고 나면 보기 어렵다'는 인상을 풍긴다. 판매가 성사된 뒤에는 판매와 상관없는 가벼운 질문을 한두 마디 던지며 자연스럽게 마무리하라.

• 고객이 물리지 못하게 만들어라

고객이 물건을 자기 것이라고 여기게 되면 구매를 취소할 가능성이 적어진다. 가급적이면 빨리 물건을 소유할 수 있게 처리하라. 고객의 마음이 식어 버리기 전에 빨리 행동해야 한다.

• 약속 이행은 신속하게 하라

주문을 받아놓고 새 거래를 트느라 바쁜 나머지 판매를 마무리하기 위한 사소한 일들을 이행하지 않아 거의 성사된 거래를 놓치는 세일즈맨들이 많다. 고객과 한 약속을 지키지 못했다면 고객의 변심은 모두 세일즈맨 탓이다.

진정한 판매는 판매 이후에 시작된다

탁월한 세일즈맨이라면 진정한 판매는 판매 이후에 시작된다는 것을 잘 알고 있다. 그것은 다른 말로 고객 서비스라고 표현할 수 있다. 어떤 사람들은 세일즈에 관한 책에서 고객 서비스에 대해 얘기하는 게 이상하다고 생각할 것이다. 그러나 나는 이 이상으로 더 진실된 이야기를 할 수가 없다. 즉, 고객 서비스가 판매 — 앞으로의 판매 — 를 성사시키는 것과 깊은 관계가 있다는 뜻이다.

첫 주문을 따내는 것은 단지 시작에 불과할 뿐이다. 물건을 판매한 후를 생각하지 않는 사람은 설 자리가 없다. 철저한 애프터 서비스야말로 판매의 일환이다. 오늘날 서비스의 중요성을 인식하지 못하는 사람은 실패할 수밖에 없다. 이에 대해 IBM의 벅 로저스는 이렇게 설명한다.

"팔고-설치하기라는 말은 항상 함께 붙어 다닙니다. 그 중 하나가 빠지면 다른 하나도 있을 수가 없죠. 제대로 설치되지 않은 한 아무것도 판매되지 않은 것입니다. 그리고 제대로 판매되지 않은 한, 아무것도 설치할 수 없습니다."

물론 로저스의 말은 '팔고-서비스하기'라고 쉽게 바꿔 말할 수도 있다. 세일즈맨들은 이 말을 항상 기억해야 한다. 컴퓨터, 자동차, 보험, 증권 등 어떤 상품을 팔든 메시지는 항상 똑같다.

완벽하게 헌신적으로 서비스하되 변덕스러워서는 안 되며, 몇몇 고객들에게만 선별적으로 해서도 안 된다. 부자든 가난뱅이든 구분 없이 모든 고객이 최상의 서비스를 받아야 한다. 세일즈에 종사하는 사람들은 모두 '고객은 왕이다.'라는 말을 항상 기억하고 있어야 한다. 특히 오늘날 서비스의 중요성은 세일즈맨뿐만 아니라 기업의 성공을 가름하는 요소이기도 하다. 서비스 정신이 부족한 기업은 고객들로부터 외면당하고 경쟁에서 밀려나게 마련이다.

제품 자체에 차이가 있는 것이 아니다. 궁극적으로 성공을 보장해 주는 것은 서비스를 얼마나 잘 하느냐에 달렸다. 만족한 고객이 다시 찾아오고, 다른 사람을 소개해 주어 수수료를 벌게 된다. 사실 판매 경력이 2년쯤 되면, 그 후에는 판매의 80퍼센트가 당신의 서비스에 만족한 기존의 고객으로부터 나온다. 반대로 서비스가 엉망인 사람은, 고정 고객을 확보하기 어렵고 지속적인 거래를 유지하지 못할 것이다. 서비스를 소홀히 하는 판매원은 한 걸음 내디딜 때마다 적어도 두 걸음은 뒷걸음질 치는 것이나 다름없다.

그들의 앞날에는 먹구름이 잔뜩 끼어 있고, 좌절과 실망이 기다리고 있을 것이다. 그들은 평생 회사와 집을 습관적으로 오가면서 근근이 생계나 잇는 거대한 세일즈 군단에 지나지 않는다. 또한 고정 고객을 확보하지 못했기 때문에 이제 막 일에 뛰어든 사람처럼 늘 고객을 붙잡으려고 안절부절 못할 것이다. 그들은 대부분 판매 업계에서 살아남지 못하고 실패한다. 그러므로 모든 노력을 기울여서 최고의 서비스를 베푸는 것은 선택 사항이 아니라 세일즈맨으로서 살아남기 위한 필수 요소다.

세일즈맨이 꼭 지켜야 할 신조

IBM은 세 가지 기본 신조를 가지고 있다. 첫째, 개인을 존중한다. 둘째, 다른 어떤 회사보다 뛰어난 고객 서비스를 제공한다. 셋째, 직원들이 탁월하게 일을 해내리라고 기대한다.

IBM의 경영진들은 이 세 가지 신조를 바탕으로 모든 정책을 결정한다고 한다. 그 덕분에 IBM은 엄청난 성공을 거두었고, 동시에 그 성실성을 인정받고 있다. 세 가지 신조 모두 경탄할 만한 것이지만, 이 장에서 특히 언급하고 싶은 것은 두 번째 신조다. 이는 너무나 중요해서 모든 세일즈맨들이 가슴 깊이 새겨 두어야 하는 것이다. 이 원칙은 미국의 고객 서비스에만 한정되는 것이 아니며, 컴퓨터 산업에서만 통하는 것도 아니다. IBM은 세계의 어느 회사보다도 뛰어난 최고의 고객 서비스를 목표로 했기 때문에 오늘날의 성공을 거둘 수 있었다.

탄탄한 회사에는 나름의 경영 방침이 있는 것처럼, 당신도 개인적인 신조를 가지고 있어야 한다. 그 신조는 매일 판매 활동에 영향을 줄 만큼 강력한 것이어야 한다. 당신이 성공적인 세일즈맨이 되기를 원한다면 고객에게 책임 있고 철저한 서비스를 제공해야 한다. 나는 당신에게 이러한 신조, 즉 철저한 서비스를 신조로 삼을 것을 강력하게 권한다. 그리고 세일즈 분야에서 일하는 한 절대로 그 신조를 잊지 않고 실천하기를 바란다. 그럴 경우 당신은 성공의 가도를 달릴 것이다.

고객 서비스를 중시하는 회사를 선택하라

아무리 서비스 정신이 뛰어나다 해도 그가 몸담고 있는 회사의 한계를 벗어나기는 힘들 것이다. 사실 회사가 형편없는 서비스를 제공한다면 세일즈맨 혼자서 서비스를 잘 할 수는 없는 일이다.

기술적인 면이 큰 비중을 차지하는 제품일 때는 더욱 그렇다. 이 경우에는 제조 공정에서부터 서비스 자세로 일해야 한다. 그것은 회사에서 선행 투자를 엄정하게 해야 한다는 것을 의미한다. 기계류나 컴퓨터, 자동차 같은 상품은 일정 수준의 품질이 보장되어야 한다. 품질이 좋으면 결과적으로 고객의 지출을 줄여 주고 나중에 수리해 주어야 하는 속상함도 덜게 된다. 제품의 질을 떨어뜨려서 돈을 아끼려 하는 회사는 결국 고객을 잃는 대가를 치러야 한다. 이런 경우에는 세일즈맨이 해줄 수 있는 일도 매우 한정적일 수밖에 없다. 개인의 힘으로는 어쩔 수 없을 테니까. 결과적으로 당신은 고객을 만족시켜 줄 수 없고 당신의 성실성도 한계에 부닥칠 수밖에 없다.

세일즈 일을 해보려는 젊은이들이 내게 어떤 회사를 선택하는 것이 좋은지를 물으면, 나는 항상 서비스 정신이 높은 회사를 선택하라고 강조한다. 그 회사가 판매 후에 서비스를 어떻게 해주는가를 알아보라는 것이다. 예를 들어 그 회사는 고객의 의견을 듣기 위한 질문서를 보내는가, 제품의 품질을 개선하기 위한 정보를 얻으려고 애쓰는가, 그래서 서비스를 개선하기 위해 노력하는가 따위를 통해 가늠해 볼 수 있을 것이다. 또 서비스 부서에서 일하는 직원들은 어떤 평판을 얻고 있는가도 알아보아야 한다. 서비스 부문에서 높은 점수를 얻고 있는 회사는 판매 부서뿐만 아니라 서비스 부서원들에게도 상여금제도를 실시하는 경우가 많다.

또 서비스 부서와의 일의 연계성도 중요하다. 판매 부서와 서비스 부서가 너무 떨어져 있으면—다른 건물이나 다른 지역에 있다든가, 또는 다른 도시에 있다든가 하는 식으로—두 부서 간의 커뮤니케이션이 원활하지 않다. 어떤 회사는 서비스 부서가 아예 없거나 잘해야 서비스센터의 전화번호를 알려 주는 것이 고작이다. 나는 세일즈 지망생들에게 이런 회사에는 근처에도 가지 말라고 충고할 뿐 아니라, 고객들에게도 그런 회사의 제품은 절대 사지 말라고 권한다.

너무나 유감스럽게도 어떤 회사들은 기존 고객에게 서비스할 노력을 모조리 판매에만 쏟아붓기도 한다. 판매와 서비스는 조화를 이루어야 한다. 새로운 고객을 고정 고객으로 관리하지 않으면 성공하기가 어렵다. 어쩌다 당신이 고객 관리에 전혀 신경 쓰지 않는 회사에서 일하고 있다면, 나는 서비스에 강한 회사로 달려가라고 —걸어가는 것이 아니라—충고하겠다. 그만큼 고객 서비스는 중요한 문제이기 때문이다. 고객 서비스 정신이 부족한 회사는 당신의 충성을 받을 만한 자격이 없다.

훌륭한 서비스는 그만한 값어치가 있다

셀프 식당, 셀프 서비스 잡화점, 셀프 주유소가 엄청나게 많이 있지만, 사람들은 서비스를 해주는 것을 무척 좋아한다. 뿐만 아니라 그 서비스에 대해 기꺼이 돈을 지불한다.

미국 사람들이 훌륭한 서비스에 대해 주저하지 않고 돈을 지불하는 대표적인 예는 페덱스의 특송우편이다. 그 회사는 속달우편제도를 운영해 큰 성공을 거두었다. 우편물을 다른 도시나 다른 주까지 확실하게 하룻밤 만에 배달해 주는 대신 고객들은 일반 우편 요금보다 몇십 배는 더 비싼 요금을 지불해야 한다. 흥미로운 사실은, 페덱스를 이용하지 않고 일반 우편으로 보내는 편지도 대부분 24시간 안에 배달된다는 것이다. 문제는 확실하게 보장할 수 없다는 것이다. 여기서 알 수 있는 것은 사람들은 믿을 만하고 철저한 서비스를 좋아한다는 사실이다.

사람들은 철저한 서비스에 대해 기꺼이 웃돈을 지불한다는 것을 나는 체험으로 알았다. 많은 고객들이 나에게 말했다.

"조, 당신한테 오기 전에 이미 여러 군데 둘러보았소. 당신한테서 사면 100달러를 더 내는 거요. 하지만 나는 당신한테서 살 거요. 왜냐하면 당신은 그 누구도 줄 수 없는 것을 주기 때문이지. 그것이 바로 조, 당신이오."

언제 들어도 기분 좋은 칭찬이다. 이런 손님이라면 다음 두 번째, 세 번째 판매는 훨씬 더 수월하고 힘도 덜 든다. 사람들은 내가 그들에게 서비스해 주기 위해 특별히 애쓰는 것을 알고 진심으로 고마워 한다. 그리고 차를 새로 구입할 시기가 되면 그 사실을 잊지 않는다. 그들은 나를 보러 오기 전에 이미 사겠다고 마음을 굳힌 뒤 온다는 말이 더 옳을 것이다. 그도 그럴 것이 나는 그동안 아낌없이 서비스를 베풀어 그들을 내 편으로 만들어 놓았던 것이다.

최근의 조사 자료를 보면, 서비스가 좋은 회사의 상품이 거의 10퍼센트 가량이 더 비싼데도 시장 점유율이 매년 6퍼센트까지 증가하고 있다고 한다. 이런 회사와 서비스가 나쁜 회사들을 비교해 보라(그 회사들의 시장 점유율은 매년 2퍼센트씩 떨어지고 있다). 이 사실만으로도 서비스를 잘 하는 것은 그만한 가치가 있으며, 고객들은 항상 훌륭한 서비스를 원한다고 결론지을 수 있다. 더욱이 서비스를 잘 하는 판매원들은 그렇지 않은 판매원들보다 늘 훨씬 좋은 결과를 낸다. 불행하게도 세일즈맨들은 서비스의 중요성을 실감하지 못하는데, 실제로 그런 결과를 눈으로 확인하고서는 놀란다. 그래서는 안 된다. 세일즈맨은 언제 어디서나 최상의 서비스를 제공할 수 있어야 한다.

고정 고객 확보에 만전을 기하라

우연히 접한 생각이 강하게 마음에 새겨져 인생에 깊은 영향을 끼치는 경우가 있다. 몇 년 전에 나는 어떤 사람이 이렇게 얘기하는 것을 들었다.

"중요한 것은 서비스입니다. 서비스하고, 서비스하고, 또 서비스하십시오. 당신이 아닌 다른 사람과 거래하려는 생각만으로도 죄책감을 느낄 정도로 고객에게 서비스를 해주십시오."

나는 이 말의 교훈을 결코 잊어본 적이 없으며 항상 그 교훈대로 살아간다. 이 생각을 실천하는 것이 나의 판매 경력에 커다란 영향을 미쳤음은 물론이고, 그것은 다른 어떤 요소보다도 크게 작용했다.

나는 항상 한 대의 차를 파는 것이 앞으로 오래 지속될 관계의 시작이라고 생각했다. 나의 사고방식으로는 첫 거래가 미래의 거래로 연결되지 않으면 그것은 실패한 것이다. 어떤 일을 하든 성공하기 위해서는 고객이 다시 오고 또 오게끔 서비스를 해주는 것이 아주 중요하다. 만족한 고객이 일생 동안에 몇 대의 차를 사는가를 생각해 보면 첫 차의 구매 대수는 작은 시작에 불과하다. 한 명의 고객이 일생 동안 차를 사는 데 지출하는 돈을 어림 잡아보면 평균 70만 달러 정도다. 그리고 만족한 고객이 소개해 주는 가족 친지나 친구들까지 계산하면 그 액수는 몇 배나 불어날 것이다.

회사가 고객을 끌어들이기 위해 투자하는 돈을 생각해 보면, 어떤 판매원도 형편없는 서비스로 고정 고객을 잃는 바보 같은 짓은 하지 않을 것이다. 예를 들어 에어스트림 영업소의 사장은 그의 영업소에 캠핑차를 보러 오는 고객 한 명당 광고 홍보비로 평균 85달러를 지출한다고 말한다. 판매 성사율이 평균 25퍼센트라고 볼 때, 회사는 고객 한 명을 얻는 데 340달러를 쓰는 셈이다. 여기에다 영업소의 제경비를 포함하면 서비스를 잘못해서 고객을 잃는 것이 엄청난 낭비임을 누구나 쉽게 알 수 있다.

어떤 소매 경영에서든 한 사람의 고객을 그냥 걸어 나가게 할 경우 얼마만큼의 손실이 되는지 계산해 낼 수 있다. 바깥에서 일하는 외판원들도 새로 거래를 트는 데 경비가 얼마나 드는지 계산해 볼 수 있다. 자기 호주머니에서 나가는 경비뿐만 아니라 새 고객을 확보하는 데 들어가는 선행 경비도 분석해 보아야 한다. 판매원들이 투자하는 시간과 노력을 생각하면, 실제로 보이지 않는 비용 지출도 엄청나다. 예를 들어 이제 막 발을 들여놓은 증권 중개인은 족히 100통은 되는 전화를 걸어서 몇 건의 예약을 따낼 것이고, 그 중에서도 겨우 한 건 정도가 실제 주문으로 연결될 것이다.

나의 개인 증권 중개인인 릭 렘스테드는 메릴린치 증권회사의 1만 2천 명이 넘는 중개인들 중에 상위 300명 안에 드는데, 그는 새 고객 한 명을 확보하기 위해 평균 열 시간 이상 일한다고 한다. 나의 이전 중개인은 일부러 시간을 내어 내 계좌에 신경 써주는 것을 통 본 적이 없다. 그래서 나는 릭에게 나와 함께 장기적인 목표를 두고 일할 사람을 원한다고 솔직하게 말했다. 우리는 여러 번 점심을 같이 했고, 장시간에 걸친 전화 통화도 여러 번 했으며, 릭이 고객을 위해 주관하는 재산 증식 세미나에도 참석했다. 그런 식으로 여러 달이 지난 뒤에야 나는 그에게 전화를 걸어 첫 주문을 의뢰했다. 그 역시 고객에 대해 특별한 노력을 기울였다.

"저는 이 고객은 어떤 식의 투자를 하는 게 좋을지 정하기 전에 우선 그의 재정적 목표를 완벽하게 이해하는 것부터 시작합니다. 저는 단 한 번의 주문을 의뢰받기 위해 이 일을 하고 있는 것이 아닙니다. 저의 관심은 고객과 지속적인 관계를 맺는 것입니다. 그래서 때로는 고객의 부동산, 보험, 유산, 사업, 은퇴 후 계획 등을 포함하여 모든 자산을 살펴볼 때도 있습니다. 그런 연후에야 제대로 평가할 수 있지요. 대체로 고객의 자산이 많을수록 첫 번째 상호교류가 이루어지기까지 더 많은 시간이 걸립니다. 주문 의뢰를 하기까지 1년이 걸린 고객도 있었지요."

마찬가지로 부동산 중개인도 새로운 매물에 대해 완전히 파악할 때까지 그 동네를 전반적으로 조사해야 한다. 경력 1년차의 보험 설계사라면 한 건의 계약을 따내기 위해 수백 통의 홍보 전화를 해야 한다. 그렇다고 해서 곧장 거래가 되는 것이 아니라 그때서야 비로소 만나는 약속을 할 수 있다. 그 보험 설계사가 판매 프레젠테이션을 해서 계약을 성사시키는 비율이 20퍼센트라고 한다면, 단 한 장의 보험증권을 팔기 위해 투자하는 시간과 노력이 어느 정도일지 생각해 보라.

이런 모든 정황으로 보아 새 고객을 확보하는 데는 엄청난 경비가 든다는 것을 분명히 알 수 있다. 따라서 일단 확보한 고객을 절대로 놓쳐서는 안 된다. 그런데 나는 어처구니없는 이유로 고객을 잃어버리는 세일즈맨들을 많이 보았다.

한번은 어떤 고객이 2만 5천 달러짜리 새 차를 구입하고서는 얼마 후 카세트 데크가 고장이 났다며 온 적이 있었다. 그런데 그것을 수리하고 난 뒤, 영업소에서는 고객의 아이들이 망가뜨린 것이므로 보상해 줄 수 없다면서 50달러의 수리비를 청구하였다. 이런 경우 고객은 마지못해 지불은 하겠지만 다시 오는 일은 없을 것이다. 50달러에 인색하게 굴어서 2만 5천 달러짜리 고객을 놓친 셈이다.

비록 고객의 실수 때문이라 하더라도 그의 호감을 살 수 있는 일이라면 무엇이든 해야 한다. 설사 당신의 주머니에서 돈이 나가는 한이 있더라도 말이다. 그것이 현명한 일이다. 특히 새 고객을 얻는 데 드는 비용을 계산한다면 더욱 그렇다. 어쨌든 기존의 고객을 유지하는 것보다 새 고객을 확보하는 데 드는 비용이 몇 배는 더 비싸니까. 만약 고객에게 호의를 베풀 만한 경제적 여유가 없다면, 광고 예산을 줄이는 대신 남는 돈을 적립해 두었다가 이처럼 소소한 불만 사항들을 처리하는 데 쓰는 것도 좋은 방법이다. 실제로는 서비스 사항에 포함되지 않은 서비스를 이런 식으로 처리할 수 있다. 장담하건대, 그것이 고정 고객을 확보하고 더 많은 돈을 버는 요령이다.

작은 정성이 큰 차이를 만든다

결국 판매원과 고객 간의 지속적인 관계를 형성해 주는 것은 매일매일의 작은 행동들이다. 고객과의 관계를 공고히 하기 위해서 내가 가장 즐겨 쓰는 방법은 지속적으로 그들에게 우편물을 보내는 것이다. 나는 세일즈가 끝나고 난 다음에도 고객이 나를 잊어버리지 않기를 바라는 마음에서 편지 쓰기 프로그램을 개발했다. 사실 이런 말도 그 때문에 나온 것이다.

"조 지라드한테서 차를 사면, 그 친구한테서 벗어나기 위해선 이 나라를 떠나는 수밖에 없어."

그들은 기분 좋게 말하며 나 역시 그 말을 칭찬으로 받아들인다.

한번 내 고객이 된 사람이라면 나를 잊지 않게 하기 위해서 그들에게 한 달에 한 번씩 편지를 보낸다. 그리고 그때마다 그 속에 무엇이 들었는지 알지 못하도록 색깔과 크기를 바꾼다. 내 편지들이 잡동사니 우편물처럼 뜯기지도 않은 채 쓰레기통으로 직행하지 않기를 바라는 마음에서다. 편지 내용도 매번 다른 것은 물론이다. 1월에는 즐거운 새해가 되기를, 2월에는 모든 사람에게 즐거운 발렌타인 데이가 되기를 빌고, 3월에는 즐거운 성 패트릭 데이, 그리고 추수감사절과 크리스마스에 이르기까지 다양하게 바꾸어서 보낸다.

우편물을 보낼 때는 매달 1일이나 15일은 피하는 세심한 배려도 잊지 않는다. 그때는 대부분의 사람들이 청구서를 받는 날이기 때문이다. 나는 고객들이 내 편지를 받을 때 기분이 좋은 상태에서 받아 보기를 바란다. 하루 일을 끝마치고 귀가한 남편은 제일 먼저 아내에게 키스를 한다. 그리고 "오늘 아이들은 별일 없었소?" 하고 물은 다음 "편지 온 것 없소?" 하고 묻는다. 편지를 뜯고 나면 아이들이 소리를 지른다.

"또 지라드 아저씨가 보낸 편지야!"

보다시피 이렇게 온 가족이 나의 편지를 반기고, 1년에 열두 번씩 내 이름은 아주 기분 좋게 고객의 가정에 등장한다. 내가 세일즈 일을 그만둘 때쯤에는 한 달 동안에 보낸 편지만도 1만 4천 통에 이르렀다. 1년이면 16만 8천 통이다. 게다가 빠른 우편으로 보냈으니 그 비용도 만만치 않았다. 그런데도 굳이 그렇게 했던 것은 고객에게 한 가지 사실, 내가 그들을 좋아한다는 사실을 알리려는 것뿐이다. 그럴 만한 가치가 있는 일이냐고? 당연하다. 해마다 재거래를 통한 판매 실적의 65퍼센트가 거의 그 편지들 덕택이다.

누군가 나에게 그 한 통의 편지가 얼마만한 가치가 있느냐고 물으면, 솔직히 대답할 수 없다. 한 통의 편지가 한 사람에게 얼마만큼의 영향을 미치는지를 어떻게 알겠는가? 바로 회답 전화를 해주는 것, 상품 안내서를 보내 주는 것, 새 고객에게 감사 편지를 띄우는 것 등의 일이 얼마만큼의 호의로 되돌아오는가를 어떻게 잴 수 있단 말인가? 이런 것들은 그 자체로는 큰 차이가 없다고 생각한다. 어쨌든 크리스마스 카드를 받았다고 해서 수천 달러를 쓰는 사람은 없으니까. 그러나 작은 성의를 지속적으로 보여 줄 때, 그것들이 모여서 커다란 차이를 만들어 낸다고 생각한다.

지금도 생생하게 기억하는 일이 있다. 워드 프로세서를 사려고 한 판매원에게 전화를 해서 1시 반에 그곳을 방문하기로 약속했다. 정각에 그의 컴퓨터 판매점에 도착했는데 그는 자리를 비우고 없었다. 그는 20분이나 지나서 어슬렁어슬렁 걸어 들어왔다.

"늦어서 미안합니다, 지라드 씨. 무얼 보여 드릴까요?"

그 판매원이 말했다.

"이봐요. 당신이 내 사무실로 방문하기로 해놓고 늦었다면 그 시간에 바쁜 일이라도 처리할 수 있었을 테고, 그랬으면 이렇게 화가 나지는 않았을 거요. 하지만 내가 당신 일하는 데로 찾아왔는데 늦었다는 건 변명의 여지가 없는 일이오."

나는 체면 차리지 않고 솔직히 말했다.

"죄송합니다. 길 건너 쇼핑센터에 있는 카페테리아에서 점심을 먹었는데, 서비스가 지독히 느려서요."

"당신의 변명은 말이 안 돼요. 당신은 고객과 약속을 한 거고, 늦었다는 것을 알았으면 점심을 거르더라도 약속을 지켜야지요. 당신의 배보다 손님인 내가 더 우선 아니오?"

그곳의 제품 가격이 딴 데보다 더 쌌지만 그가 늦게 오는 바람에 나는 잔뜩 화가 나 있었고 결국 거래는 성사되지 못했다. 더욱이 유감스러운 것은, 그런데도 그는 내가 사지 않은 이유를 전혀 깨닫지 못하더라는 사실이다.

판매원들이 사소한 일을 제때 이행하지 않아서 고객을 놓치는 경우는 흔하다. 따라서 조그마한 일을 소홀히 한 것 때문에 고객이 화가 났다는 기미가 조금이라도 보인다면 지체 없이 처리하라.

로니 리먼은 오하이오 주의 벡슬리에서 고급 주택 매매 중개인으로 일하는 여성이다. 그녀는 고객을 위해 언제나 최선을 다한다. 작은 문제가 생겼을 때도 서슴지 않고 적극적으로 해결해 준다. 로먼이 하는 일을 보면 알겠지만, 그녀는 빈둥빈둥거리면서 다른 도시에서 오는 구매자들에게 깜짝 놀랄 일을 해주는 것이 아니다.

"나는 부동산 거래 중개와는 전혀 상관없는 일들을 항상 서비스해 주고 있어요. 예를 들어 교육제도나 장애아 학교, 애완견 사육장이라든가 교회의 위치를 알려 주고 믿을 만한 파출부 등을 소개해 준다든지 하는 정보센터의 역할을 합니다. 그리고 집을 새로 단장하는 데 어떤 하청업자를 쓰면 좋은지를 소개해 주기도 하죠. 구매자가 이 도시 사람이 아닌 경우에는 그들이 이사하는 즉시 전기, 가스, 수도, 전화 등을 쓸 수 있도록 설비업체와 계약을 해서 설비를 해놓습니다. 그리고 하청업자들을 불러 벽지를 바르고, 페인트칠을 하고, 카펫을 까는 등의 일을 직접 지시해요. 날씨가 더울 때는 잔디에 물을 주기도 하고요."

리먼은 고객과 오해가 생겼을 때는 자기 돈을 쓰는 것도 마다하지 않는다.

"한 부부가 막 이사를 왔는데, 차고 열쇠를 찾을 수가 없었어요. 집을 판 사람은 이미 도시를 떠난 뒤였고요. 그래서 내 돈을 들여 새 열쇠를 만들어주었지요. 150달러를 쓴다 한들 어떻습니까. 그 집은 50만 달러짜리 집이고, 나에게는 그들의 만족도가 아주 중요하니까요."

그녀의 설명으로는 거래 규모가 클 경우, 구매자들은 특별한 서비스도 받지 않고 6퍼센트나 되는 수수료를 내는 것을 그리 달가워하지 않는다고 한다.

"고객이 그 정도의 돈을 지불할 때는 여왕처럼 대접받을 만하지요." 리먼의 말이다.

들어가나 나가나 항상 서비스하라

오늘날 성공한 기업들을 연구해 보면, 한 가지 공통점을 발견할 수 있다. 즉, 성공한 기업들은 각각의 분야에서 가장 뛰어난 서비스를 제공한다는 것이다. IBM, 맥도널드, 아메리칸 익스프레스 등은 항상 자기 분야에서 최고의 서비스를 제공한다. 마찬가지로 내가 아는 뛰어난 세일즈맨들은 한결같이 어떻게 하면 고객 서비스를 더 잘할까에 골몰한다. 어떤 분야에서 일하든, 무엇을 팔든 상관없다. 그들은 앉으나 서나 온통 고객 서비스에 대한 생각으로 가득 차 있다. 어느 분야에서나 지도적인 위치에 있는 사람들이 모두 그렇다.

고객에게 끊임없는 서비스를 제공할 때, 당신의 경쟁자들은 당신의 영역에 발도 들여놓기 어려울 것이다. 평생 고객을 확보하기 위해 뭔가 큰일을 해야 하는 것은 아니다. 끊임없는 고객 서비스가 지속적인 관계를 확립한다. 회답 전화는 즉시 해주고, 요청한 안내 책자를 바로바로 보내 줌으로써 당신은 신뢰할 만한 세일즈맨이 되는 것이다. 날마다 지속적으로 서비스를 한다는 것은 복잡할 것도 어려울 것도 없는, 이처럼 간단한 일이다. 그러나 결코 멈추지 않는 자기 훈련이 필요하다.

언젠가 슈퍼마켓에 갔을 때였는데 한 영업사원이 기가 막힌 서비스를 하는 것을 보았다. 프리토레이 직원이었는데, 나는 몇 분 동안 관심 있게 그가 상품 재고를 파악하는 모습을 지켜보았다. 그 판매원은 진열대에 프리토레이 상품이 떨어진 것은 없는지 확인하기 위해서 수고를 아끼지 않고 피자 진열대를 하나하나 검사했다. 그에게 다가가 나를 소개하고 고객 서비스 문제에 대해 짤막한 대화를 나누었다.

"믿지 못하시겠지만, 포테이토 칩 40달러어치를 가져다 주기 위해서 32킬로미터나 되는 거리를 달려온 겁니다."

"농담이겠지요. 이렇게 적은 주문에 그 많은 시간을 투자해서 어떻게 돈을 법니까?"

"그렇게 서비스하는 것이 회사 방침입니다. 물론 당신의 말이 맞아요. 적은 주문에 먼 거리를 달려온다는 것은 비효율적인 일이죠. 그렇게 해봐야 기름 값도 안 나오니까요. 그러나 프리토레이 상품이 진열대 위에 올라간 이상 그 자리에 계속 놓여 있기를 바랍니다. 이 업계에서는 어느 자리에 놓이느냐가 판매를 결정하거든요. 적어도 서비스가 부족해서 거래가 끊기는 일은 없어야겠죠."

나는 집으로 돌아와서 프리토레이 시장에 대해서 간략하게 조사를 해보았다. 그리고 1만 명이 넘는 판매군단을 거느린 프리토레이가 포테이토 칩과 프레첼 업계에서 대략 70퍼센트의 시장 점유율을 확보하고 있다는 것을 알았다. 사실 알고 보면 포테이토 칩과 프레첼의 맛이 다른 회사 제품과 큰 차이가 있는 것은 아니다. 한 회사가 그 정도로 시장을 점유할 수 있었던 것은 판매사원들의 끊임없는 서비스 덕분이다. 바로 내가 본 것처럼 프리토레이의 영업사원들은 고객 서비스에 철두철미하다. 일단 가게에 발판을 마련하면, 그들은 마침내 평생 거래를 틀 때까지 서비스를 아끼지 않는다.

식료품 잡화 판매원이 자기의 거래선에 최고의 서비스를 하는 것과 마찬가지로, 미국 최고의 가구 판매상인 인터내셔널 가구의 스탠 글릭도 그렇게 한다. 글릭은 또한 자신이 개발한 광고 기법이나 다른 지역의 거래선에서 성공한 광고 기법을 소매상에게 소개해 주기도 한다.

그리고 앞에서 이야기한 바 있는 에어스트림의 래리 허틀을 기억하는가? 그의 말에 따르면, 에어스트림의 최고 세일즈맨들은 고객이 새로 산 캠핑차를 몰고 나가기 전에 세 시간에서 다섯 시간에 걸쳐 연수를 해준다고 한다. 온수 히터는 어떻게 켜는지, 전자레인지의 퓨즈는 어디에 있는지, 플러그를 꽂는 잭은 어떻게 사용하는지 등 아주 세세한 사항까지 교육시켜 준다.

허틀은 이렇게 말한다.

"어떤 캠핑차 세일즈맨이 새 고객에게 그저 사용 설명서를 건네 주면서 '이거 읽어 보세요.' 하고 말하는 것을 보았습니다. 그런데 사용 설명서만 보고 캠핑차를 몰 줄 아는 사람은 거의 없어요. 우리는 고객들이 캠핑차를 몰면서 아주 만족하기를 바랍니다. 다른 차도 우리에게 사기를 바라기 때문이지요. 또 친구도 소개해 주기를 원하고요. 최고의 세일즈맨은 고객에게 이렇게 말합니다. '저는 하루 24시간 통화가 가능합니다. 문제가 생기면 영업소나 집으로 연락하세요.' 우리 판매원들은 제품에 대해서 확실히 알고 있기 때문에 고객에게 문제가 생기면 보통 전화로 완벽하게 설명을 해주거나 그 문제를 해결해 줄 수 있는 사람을 연결해 줍니다."

당신이 무엇을 팔든―포테이토 칩이든 가구든 아니면 캠핑차든―상관없이 고정 고객을 확보하는 공통의 비결은 뛰어난 서비스다. 당신이 지속적이고 신뢰할 만한 서비스를 하고 고객과 끊임없이 접촉한다면 문제가 생길 때마다 고객과 함께 풀어 나갈 수 있을 것이다. 그러나 큰 문제가 생겼을 때에야 겨우 한 번 찾아가서 고객을 만난다면 고객의 화를 가라앉히는 데 어려움을 겪을 것이다.

나는 대부분의 증권 중개인들이 보고하기 좋은 일이 있을 때만 고객에게 전화하는 것을 자주 보았다. 가령 "A회사 주식이 오늘 2포인트 올랐습니다."라든가 "방금 B회사가 A회사 주식을 공개 매입하기로 했다는 발표가 있었습니다." 하는 등의 좋은 소식은 전하기가 쉽다. 그러나 나쁜 소식을 알려 주는 것도 똑같이 중요하다. 가령 이런 말도 전해 주어야 한다. "방금 전화상으로 이번 분기에 A회사의 배당 이익이 한 주당 15센트로 떨어졌다는 보고를 들었습니다. 고객님께서도 알아 두셔야 할 것 같아서요." "B회사와의 합병이 무산되었습니다."

당신이 하는 일은 단순히 팔기만 하는 것이 아니다. 즉, 모든 노력을 새 고객을 얻는 데만 쏟아서는 안 된다는 것을 잊지 말아야 한다. 기존의 고객들을 위해서도 시간을 할애하고 봉사해야 한다. 그런데 유감스럽게도 기존 고객에게 서비스를 해서는 돈을 벌지 못한다고 생각하는 사람들도 많이 있다. 한눈에 보기에는 기존 고객에게 서비스를 하느니 그 시간에 새 고객을 개척하는 편이 더 나은 것 같다. 그러나 실제로는 그렇지 않다. 사람들은 서비스 제공을 고마워 하며, 그 판매원을 다시 찾고 또 찾게 된다. 게다가 그들은 새 고객을 당신에게 보내는 것으로 보답하기도 한다. 그것은 눈덩이처럼 커지는 효과를 낸다.

이 점은 백 번 강조해도 지나치지 않으므로 다시 한 번 되풀이하겠다. 서비스하고, 서비스하고, 또 서비스하라. 당신이 아닌 다른 사람과 거래하려는 생각을 품는 것조차도 죄책감이 들도록 고객에게 서비스하라. 탁월한 판매 실적은 이런 서비스의 기초 위에 세워지는 것이다. 왜냐하면 판매를 하고 난 다음에도 또 거듭해서 판매를 성사시킬 수 있기 때문이다.

마지막 한마디-준비하라

고객과 대면하기 전에 미리 준비하는 것의 중요성에 대해서는 앞에서 이미 강조했다. 지름길은 없다. 무엇을 팔건, 어디에서 팔건 상관이 없다. 의무적으로 해야 할 숙제를 하는 것뿐이다. 내 명함에도 새겨 넣었듯이 단번에 건강과 행복, 성공에 이르는 엘리베이터를 탈 수는 없다. 계단을 이용하는 수밖에 없다. 그것도 한 번에 한 계단씩. 이 점은 이 책을 통해 충분히 강조했으니 이제는 당신의 마음속에 깊이 새겨졌으리라 생각한다.

　이 책에서 소개한 다양한 판매 기법과 철학을 자기 것으로 소화했다면 이제 어느 때고 판매를 성사시킬 수 있는 필요한 도구를 갖춘 셈이다. 이것은 빈말이 아니다. 믿어야 한다. 당신은 할 수 있다.

　이 책의 서두에서 나는 당신에게 나의 아이디어를 취하여 내가 이루었던 것보다 훨씬 좋은 성과를 내도록, 그래서 나를 뛰어넘을 것을 권했다. 다시 한 번 되풀이한다. 나를 뛰어넘어라!